SÃO PAULO 9

Two exhibitions selected by William C. Seitz, Director, Rose Art Museum,
Brandeis University, Waltham, Massachusetts

Duas mostras selecionadas por William C. Seitz, Diretor do Museu de Arte "Rose,"
da Universidade de Brandeis, Waltham, Massachusetts

Foreword on Edward Hopper by Lloyd Goodrich, Director,
Whitney Museum of American Art, New York, New York

Nota preliminar sôbre Edward Hopper por Lloyd Goodrich,
Diretor do Museu de Arte Americana "Whitney" de Nova York, Nova York

Organized by the International Art Program, National Collection of Fine Arts,
Smithsonian Institution, Washington, D.C.

Organizada pelo Programa de Arte Internacional do Instituto Nacional de Belas Artes
da Smithsonian Institution, Washington, D.C.

IX Biennial of the Museum of Modern Art, São Paulo, Brazil, 1967

IX Bienal do Museu de Arte Moderna, São Paulo, Brasil, 1967

Commissioner-at-Large, William C. Seitz

Comissário Especial, William C. Seitz

Commissioner, Lois A. Bingham, Chief, International Art Program,
National Collection of Fine Arts

Comissário, Lois A. Bingham, Chefe, Programa de Arte Internacional,
Instituto Nacional de Belas Artes

Museum of Modern Art, São Paulo, Brazil, September 22, 1967—January 8, 1968

Museu de Arte Moderna, São Paulo, Brasil, 22 de setembro de 1967—8 de janeiro de 1968

São Paulo 9

UNITED STATES OF AMERICA / ESTADOS UNIDOS DA AMERICA

EDWARD HOPPER

ENVIRONMENT U.S.A. : 1957-1967 / MEIO-NATURAL U.S.A. : 1957-1967

With essays by William C. Seitz
and Lloyd Goodrich

Esboços de William C. Seitz
e Lloyd Goodrich

PUBLISHED FOR THE NATIONAL COLLECTION OF FINE ARTS

BY THE SMITHSONIAN INSTITUTION PRESS

WASHINGTON, D.C.

Designed, printed and bound at The Lakeside Press
R. R. Donnelley & Sons Company
Chicago, Illinois, and Crawfordsville, Indiana

Text lithographed on Star Sapphire Enamel Dull, 80 lb.
manufactured by the Oxford Paper Company

Printed in the United States of America

Photography/Fotografias: Page 2, Arnold Newman; 4, Hans Namuth; 5, Frank K. M. Rehn, Inc.; 6, Peter A. Juley & Son; 10, Metropolitan Museum of Art; 11, Peter A. Juley & Son; 12, 13, 15, Geoffrey Clements; 14, Rollyn Puterbaugh; 20, Peter A. Juley & Son; 21, Phillips Studio (*top*), Richard H. Bruce (*bottom*); 24, University of Nebraska; 26, Peter A. Juley & Son; 27, Eric Sutherland; 39–42, 43 (*bottom*), 44–45, Rudolph Burckhardt; 43, Geoffrey Clements (*top*); 46, Eric Pollitzer; 47, Krannert Art Museum; 49, O. E. Nelson; 53, Barney Burstein; 54, Eric Pollitzer; 56, Eric Pollitzer (*top*), Oliver Baker Associates (*bottom*); 59, Geoffrey Clements; 60, J. Fulton; 61, Geoffrey Clements; 63, Soichi Sunami, Museum of Modern Art, New York; 64, Nancy Astor; 68, Fischbach Gallery; 70, William A. Smith; 74, Dennis A. Wixted; 75, Kanegis Gallery; 76, Christopher Harris; 78, Basil Langton; 79, Ferdinand Boesch; 80, Ugo Mulas; 81, Eric Pollitzer; 82, Berko Studio; 85, 89, Eric Pollitzer; 90, Lilo Raymond; 91, Eric Pollitzer; 92, Hans Hammarskiold; 94, Peter Hujar; 102, Art Paul; 105, Eric Pollitzer; 106, Linich/Factory Foto; 108, Jerry Goodman; color plates A, B, G, H, Geoffrey Clements.

Excerpts on pages 68–109 included by kind permission of the authors and publishers.

Citações nas páginas 68–109 reproduzidas com gentil permissaõ dos autores e editores.

TABLE OF CONTENTS

INDICE

TABLE OF CONTENTS / INDICES

INTRODUCTION / INTRODUÇÃO

THIS YEAR is the first in which the Smithsonian Institution, through the National Collection of Fine Arts, has participated in the Bienal de São Paulo.

The exhibition has become, in part, a special tribute to an outstanding American painter, Edward Hopper, who died five months after he had been selected for the honor of representation in this noteworthy international occasion. In contrast to his highly personal interpretation of America, which he gradually perfected and expanded for more than fifty years, is the panoramic view of more recent work expressing a younger generation's attitudes towards their local surroundings and native environment. We see in the work of Edward Hopper some of the deep roots from which the art of today's America has grown. His solid imagery forms an ubiquitous background for the varying and sometimes diverging impressions of the twenty-one other artists. But it is the exuberant talent of these men containing such a number of diverse elements drawn from American life, accommodating change of all kinds, which finally presents an integrated and what may be reasonably termed a representative picture of our society.

The Smithsonian Institution is varied and multiform in appearance, too. Its main purpose, however, has always been to discover, organize and present pertinent information in all areas of scholarly research to the public. Its goal is to enhance the body of available knowledge for everyone, and to integrate the efforts of all its branches in order to establish a single community in purpose. Within an organization such as this institution, artistic, scientific, cultural and technological developments are bound to become part of its own outlook, while at the same time serving as a source for its continuing contributions to the society within which it functions.

The present exhibition is a broad evaluation of America from twenty-two different points of view. It is subjective in its selectivity, and yet attains a documentary objectivity in its scope. The evident disparity of concepts is somewhat tempered by moments of recognition of those elements designated symbols of American life, and the artists' ability to comprehend and at the same time present to us a transformed, yet familiar world. It is interesting that the American

ÊSTE é o primeiro ano em que a "Smithsonian Institution", através do Instituto Nacional de Belas Artes, participa da Bienal de São Paulo.

A mostra tornou-se, em parte, uma homenagem especial a um eminente pintor norte-americano, Edward Hopper, que morreu cinco meses após ter tido a honra de ser escolhido para êste notável acontecimento internacional. Em contraste com sua interpretação profundamente pessoal da América, que êle gradativamente aperfeiçoou e ampliou durante mais de 50 anos, encontra-se a visão panorâmica de trabalhos mais recentes representando atitudes de uma geração mais nova, em confronto com seu meio local e com o meio ambiente do país. Vemos no trabalho de Edward Hopper algumas das profundas raízes nas quais a arte da América atual originou-se. Sua imaginação sólida forma uma base ubíqua para as diferentes e às vêzes divergentes impressões dos outros vinte-e-um artistas. Mas é o talento exuberante dêsses artistas, abrangendo um tal número de elementos variados extraídos da vida americana, amoldando inovações de todos os tipos, que finalmente apresenta um completo e o que podemos bem acertadamente chamar de quadro característico de nossa sociedade.

A "Smithsonian Institution" também é de aparência variada e multiforme. Seu objetivo primordial, contudo, tem sido sempre o de descobrir, organizar e apresentar ao público informação pertinente à todos os campos de pesquisa erudita. Sua finalidade é a de intensificar o conjunto de conhecimentos acessível a todos e unificar os esforços de seus diversos departamentos a fim de estabelecer uma similaridade de objetivos. Dentro de uma organização como esta Instituição, acontecimentos artísticos, científicos, culturais e tecnológicos estão destinados a tornarem-se parte de sua própria perspectiva, ao mesmo tempo que servem de fonte para suas contínuas contribuições à sociedade dentro da qual funciona.

Esta mostra é uma ampla apreciação da América sob vinte e dois pontos-de-vista diferentes. É subjetiva em sua seletividade, atinge, contudo, uma objetividade documentária em sua extensão. A disparidade patente de conceitos é um tanto atenuada por momentos de reconhecimento àqueles elementos de símbolos específicos da vida americana e pela

representation, along with the basic goal of the Smithsonian Institution, seems to contain within it the ultimate convergence of ideas towards a faithful reflection of our culture and its accoutrements: the environment wherein we live and progress.

S. DILLON RIPLEY, *Secretary*
Smithsonian Institution

IT MUST STRIKE all who have followed the American displays at the recent biennial exhibitions at São Paulo and Venice that the variety and strength of the work of contemporary American painters and sculptors are not only impressive but almost inexhaustible. This recurrent summarizing of major facets of the country's art serves as a valuable revelation to our own art community as well as to the world at large.

The exhibition this year is no exception. It is somewhat daring in concept, calling for a subtle understanding of the relationship of the transmuted realism of Edward Hopper and the many radical transmutations of the scene by younger American artists. The theme of the exhibit is timely in view of the persistence and significance of the many painters and sculptors who are probing their environment and who may be slighted as critical attention tends to fasten on formal movements, color painting, minimal art, and the like.

The National Collection of Fine Arts owes a debt of gratitude to Dr. William C. Seitz for his stimulating concept and discerning selection. I must also thank those friends within and without our organization who have worked during a difficult period of development to provide an outstanding exhibition for the world to enjoy.

DAVID W. SCOTT, *Director*
National Collection of Fine Arts

IT IS A MATTER for great satisfaction that the United States exhibition of the IX São Paulo Bienal should carry a Brandeis imprimatur. It is, indeed, unusual for an institution as young as our own to receive this recognition, or for the University to be able to contribute to one of the most distinguished events in the world of international art. Yet, in the arts, where tomorrow is always as important as yesterday, and where the young in aspiration and spirit are ever in the van, perhaps it is appropriate that Brandeis, not yet twenty years old, should help to lead.

ABRAM L. SACHAR, *President*
Brandeis University

habilidade dos artistas de compreenderem e ao mesmo tempo apresentarem um mundo transformado, mas contudo familiar. É interessante que a mostra, como a "Smithsonian Institution", contenha, um fluxo de idéias dirigidas à reflexão fiel de nossa cultura: o ambiente onde vivemos e evoluímos.

S. DILLON RIPLEY, *Diretor*
Smithsonian Institution

DEVE OCORRER a todos aquêles que acompanharam as mostras nas recentes bienais de São Paulo e de Veneza, que a variedade e a fôrça do trabalho dos pintores e escultores contemporâneos americanos são não apenas impressivos quanto abundantes. Esta suma periódica dos mais importantes aspectos da arte do país serve como uma revelação valiosa à nossa própria sociedade artística bem como ao mundo em geral.

A exposição dêste ano não é uma exceção. É um tanto ousada em concepção, exigindo uma compreensão sutil da analogia entre o realismo transmutado de Edward Hopper e as muitas transmutações radicais de cena pelos mais jovens artistas americanos. O tema da mostra é oportuno em vista da persistência e significação de muitos pintores e escultores que dão atenção ao meio e que podem ser negligenciados quando a atenção crítica tende a voltar-se para movimentos formais, côr das pinturas, "minimal art" e outros que tais.

O Instituto Nacional de Belas Artes é grato ao Dr. William C. Seitz por sua estimulante opinião e sua discernente seleção. Gostaria também de agradecer a todos os amigos de dentro e de fora de nossa organização, que trabalharam durante o difícil período de preparo, a fim de proporcionarem uma ilustre mostra para a apreciação do mundo.

DAVID W. SCOTT, *Diretor*
Instituto Nacional de Belas Artes

É COM grande satisfação que vemos a Representação dos Estados Unidos à IX Bienal de São Paulo levar um *imprimatur* da Universidade de Brandeis. É na verdade fora do comum para uma instituição tão jovem como a nossa receber essa honra ou para a Universidade ser capaz de contribuir para um dos mais notáveis acontecimentos do mundo da arte internacional. Contudo, nas artes, onde o amanhã é sempre tão importante quanto o ontem, e onde os jovens em aspirações e em espírito estão sempre na vanguarda, talvez seja apropriado que Brandeis, que ainda não tem vinte anos, ajude na liderança.

ABRAM L. SACHAR, *Presidente*
Universidade de Brandeis

x

ACKNOWLEDGMENTS

THE UNITED STATES EXHIBITION at the IX Bienal de São Paulo is, for the first time, being sponsored by the National Collection of Fine Arts, under the Smithsonian Institution. The first section of the exhibition, a long overdue international presentation of paintings by Edward Hopper, has been transformed by the death of the artist, on May 15, 1967, into a memorial exhibition. The texts for this publication were completed before Hopper's death, and it seemed best to make no changes in them. However, memorial statements by James Thrall Soby, John Canaday, Lloyd Goodrich and Brian O'Doherty have been added. The second section includes a selection of painting and sculpture by twenty-one artists that reflects, as does Hopper's powerful realism, American environment and life.

Speaking for the Trustees of Brandeis University, it is a privilege to express my appreciation to the staff members of the National Collection of Fine Arts who have implemented plans for the exhibition: David W. Scott, Director and Lois A. Bingham, Chief of the International Art Program, who has for several months worked continuously and sympathetically with me. Miss Bingham's experience and cool judgment dissolved many obstacles that otherwise might never have been surmounted.

A special note of thanks must be extended to Lloyd Goodrich, Director of the Whitney Museum of American Art, who is the leading authority on Hopper and is now completing a major monograph on his art. Truly, the Hopper exhibition might not have taken place without his encouragement, assistance and advice. We are indebted to Mr. Goodrich also for his trenchant essay included in this publication. The American Federation of Arts and the Cultural Affairs Committee of The University of Georgia have generously withdrawn *Route 6, Eastham*, by Edward Hopper, lent by The Sheldon Swope Art Gallery, from the AFA exhibition AMERICAN PAINTING: THE 1940's so that it can be included in the Bienal. Both John J. Clancy, of the Rehn Gallery, New York, and John Latham, formerly on the staff of the National Collection of Fine Arts, were always ready with help when it was needed.

We are most grateful to the List Art Poster Program for its generosity in making possible the creation of a special

AGRADECIMENTOS

A REPRESENTAÇÃO DOS ESTADOS UNIDOS na IX Bienal de São Paulo está pela primeira vez sendo patrocinada pelo Instituto Nacional de Belas Artes, sob a orientação da "Smithsonian Institution." A primeira parte da mostra, cuja apresentação internacional foi adiada por um tempo longo demais, foi transformada, com a morte de Hopper, no dia 15 de maio de 1967, em uma exposição póstuma em homenagem à memória do artista. Os textos desta publicação já estavam prontos antes da morte de Hopper, e pareceu-nos melhor não fazer nenhuma modificação nos mesmos. Foram acrescentados, contudo, textos em homenagem a Hopper, de James Thrall Soby, John Canaday, Lloyd Goodrich e Brian O'Doherty. A segunda parte inclui uma seleção de pinturas e esculturas de vinte e um artistas, que reflete, como o poderoso realismo de Hopper, o meio e a vida americanos.

Em nome da Diretoria da Universidade de Brandeis, é um privilégio expressar meus agradecimentos aos funcionários do Instituto Nacional de Belas Artes que executaram os planos para a exposição: David W. Scott, Diretor, Lois A. Bingham, Chefe do Programa Internacional de Arte, que durante vários meses trabalhou comigo contínua e gentilmente. A experiência e ponderado julgamento da Senhorita Bingham desfizeram muitos obstáculos que de outra maneira nunca poderiam ter sido superados. Uma nota especial de agradecimento deve ser estendida a Lloyd Goodrich, Diretor do Museu de Arte Americana "Whitney," o qual é a maior autoridade em Hopper e está presentemente terminando uma importante monografia sôbre a arte daquele artista. Não há dúvida de que a mostra de Hopper seria impossível sem o seu encorajamento, sua assistência e sua orientação. Somos também gratos ao Sr. Goodrich por seu bem delineado ensaio contido nesta publicação. A Federação Americana de Artes e o Comitê de Assuntos Culturais da Universidade de Georgia, bondosamente retiraram o quadro *Route 6, Eastham*, de Edward Hopper, emprestado pela Galeria de Arte "Sheldon Swope," da exposição da FAA "PINTURA AMERICANA; DÉCADA DE 1940," a fim de que o referido quadro possa ser incluído na mostra da Bienal. John J. Clancy, da Galeria Rehn, e John Latham, que trabalhou no Instituto Nacional de Belas Artes, estiveram sempre à nossa disposição quando necessitamos de sua ajuda.

poster for the American exhibition at the Bienal, and to the outstanding Brazilian artist whom it commissioned for this task, Roberto de Lamonica.

In preparing the "Environment U.S.A. : 1957–1967" exhibition, essential assistance, as well as artists' statements and biographical information, were provided by the galleries represented and by the participating artists. In the introduction I have quoted both from the artists and from critics who have written on their work.

Production and editing of this publication were supervised by Margaret Cogswell, Deputy Chief of the International Art Program, National Collection of Fine Arts. The translations were prepared and edited by Haydée Simões Magro, Brazilian American Cultural Institute of Washington and Cybele Simões Magro, Brazilian Embassy in Washington. Margaret Canty and Sally Smith of the Rose Art Museum staff did valuable work on the exhibition and catalogue, and Jane M. Cohen, special assistant, solved countless problems with intelligence and skill. Barbara Jones, assisted by Stephen Zwirn, prepared the biographies and bibliographies.

It is fitting that these acknowledgments be concluded with warm thanks for the generosity of the museums, collectors, dealers and artists who have been willing to lend works they value highly, some for exhibition only in São Paulo and others also for the second showing at Brandeis University.

WILLIAM C. SEITZ

Director, Rose Art Museum
Brandeis University

Somos muito gratos ao "List Art Poster Program" por sua generosidade em tornar possível a confecção de um cartaz especial para a Mostra Americana na Bienal, e ao eminente artista brasileiro Roberto de Lamonica, que o executou a convite daquela organização.

Ao ser preparada a exposição "Meio-Natural U.S.A.: 1957–1967," importante assistência, assim como depoimentos de artistas e dados biográficos, foram fornecidos pelas galerias representadas e pelos artistas participantes. Na introdução, citei artistas e críticos que escreveram sôbre seus trabalhos.

A publicação e a redação foram supervisionadas por Margaret Cogswell, Subchefe do Programa Internacional de Arte, do Instituto Nacional de Belas Artes. As traduções foram preparadas e redigidas por Haydée Simões Magro, do Instituto Cultural Brasil-Estados Unidos de Washington e Cybele Simões Magro, da Embaixada do Brasil em Washington. Margaret Canty e Sally Smith, do Museu de Arte "Rose" contribuiram com trabalhos para a exposição e para o catálogo e Jane M. Cohen, Assistente Especial, resolveu inúmeros problemas com inteligência e habilidade. Barbara Jones, auxiliada por Stephen Zwirn, preparou as biografias e as bibliografias.

È apropriado terminar extendendo agradecimentos calorosos aos museus, colecionadores e artistas, que táo generosamente concordaram em emprestar trabalhos que multo prezam, nâo só para a mostra de São Paulo, como para a da Universidade de Brandeis.

WILLIAM C. SEITZ

Diretor, Museu "Rose Art"
Universidade de Brandeis

DONORS TO THE EXHIBITION / DOADORES

Many individuals, foundations, and corporations have ensured the presentation of this exhibition at the IX Bienal de São Paulo through their generous support. We are profoundly indebted to them for helping to make possible American representation at this most important international exhibition.

Várias pessoas, fundações e organizações, através de seu apoio generoso, tornaram possível a apresentação desta mostra na IX Bienal de São Paulo. Somos profundamente gratos aos mesmos por terem ajudado a concretizar-se a participação da Representação norte-americana nesta importantíssima exposição internacional.

Carolyn E. Agger, Washington, D.C.
Mr. and Mrs. Jacob Blaustein, Baltimore, Maryland
Mr. and Mrs. Huntington T. Block, Washington, D.C.
Edith K. Bralove, Washington, D.C.
J. Carter Brown, Washington, D.C.
William A. M. Burden, New York, New York
Gwendolyn D. Cafritz, Washington, D.C.
June P. Carey, Washington, D.C.
Aldus H. Chapin, Washington, D.C.
Edith Newman Cook, Washington, D.C.
The Hon. and Mrs. C. Douglas Dillon, New York, New York
Mr. and Mrs. David E. Finley, Washington, D.C.
Mrs. Nona P. Gallant, Winston-Salem, North Carolina
Wreatham E. Gathright, Washington, D.C.
Ira Gershwin, Beverly Hills, California
The Hon. and Mrs. W. Averell Harriman, Washington, D.C.
Henry H. Hecht, Jr., Washington, D.C.
Edith Ferry Hooper, Baltimore, Maryland
Dora Jane Janson, New York, New York
The Hon. and Mrs. Jacob K. Javits, Washington, D.C.
Ruth Carter Johnson, Fort Worth, Texas
Mrs. Nancy P. Kefauver, Chattanooga, Tennessee
Irving Levick, Buffalo, New York
Mr. and Mrs. Sydney Lewis, Richmond, Virginia
Morton D. May, St. Louis, Missouri
Mr. and Mrs. Roy R. Neuberger, New York, New York
Gerson Nordlinger, Jr., Washington, D.C.
Louise Tompkins Parker, Washington, D.C.

LENDERS TO THE EXHIBITION / EMPRESTARAM OBRAS À EXPOSIÇÃO

Edward Hopper

Lawrence H. Bloedel, Williamstown, Massachusetts
Mr. and Mrs. Malcolm G. Chace, Jr., Providence, Rhode Island
Mr. and Mrs. John J. Clancy, Frank Rehn Gallery, New York, New York
Mrs. Lynn Farnol, New York, New York
Mr. and Mrs. Anthony Haswell, Dayton, Ohio
Mr. and Mrs. Roy R. Neuberger, New York, New York
Dr. and Mrs. David B. Pall, Roslyn Estates, Long Island, New York
Dr. and Mrs. James Hustead Semans, Durham, North Carolina
Addison Gallery of American Art, Phillips Academy, Andover, Massachusetts
The Art Association of Indianapolis, Herron Museum of Art, Indianapolis, Indiana
The Corcoran Gallery of Art, Washington, D.C.
Edmundson Collection, Des Moines Art Center, Des Moines, Iowa
Joseph H. Hirshhorn Foundation, New York, New York
IBM Corporation, New York, New York
The Metropolitan Museum of Art, New York, New York
Munson-Williams-Proctor Institute, Utica, New York
Museum of Fine Arts, Boston, Massachusetts
Museum of Modern Art, New York, New York
National Collection of Fine Arts, Smithsonian Institution, Washington, D.C.
The Newark Museum, Newark, New Jersey
Pennsylvania Academy of the Fine Arts, Philadelphia, Pennsylvania
The Sheldon Swope Art Gallery, Terre Haute, Indiana
The Toledo Museum of Art, Toledo, Ohio
University of Nebraska Art Galleries, Lincoln, Nebraska
Walker Art Center, Minneapolis, Minnesota
Whitney Museum of American Art, New York, New York
Yale University Art Gallery, New Haven, Connecticut

Environment U.S.A. · 1957-1967

Edith Newman Cook, Washington, D.C.
Donald Factor, Los Angeles, California
Llyn Foulkes, Los Angeles, California
Mr. and Mrs. Burt Kleiner, Beverly Hills, California
Leon Kraushar, Lawrence, Long Island, New York
Roy Lichtenstein, New York, New York
Mr. and Mrs. Robert B. Mayer, Winnetka, Illinois
Mr. and Mrs. Richard Millington, Santa Monica, California
Remo Morone, Turin, Italy
Mr. and Mrs. Stephen D. Paine, Boston, Massachusetts
Alan Power, Surrey, England
John G. Powers, Aspen, Colorado
Mr. and Mrs. Robert C. Scull, New York, New York
Mr. and Mrs. Horace Solomon, New York, New York
Mr. and Mrs. Burton G. Tremaine, New York, New York
Mr. and Mrs. Max Wasserman, Newton, Massachusetts
Mr. and Mrs. Frederick Weisman, Los Angeles, California
Ronald Winston, New York, New York
Mr. and Mrs. C. Bagley Wright, Seattle, Washington
The Art Gallery of Ontario, Toronto, Ontario, Canada
Babcock Galleries, New York, New York
Brandeis University Art Collection, Waltham, Massachusetts
The Harry N. Abrams Family Collection, New York, New York
Leo Castelli Gallery, New York, New York
Cordier & Ekstrom Gallery, New York, New York
Richard Feigen Gallery, New York, New York
Sidney Janis Gallery, New York, New York
Kanegis Gallery, Boston, Massachusetts
Krannert Art Museum, Champaign, Illinois
Museum of Modern Art, New York, New York
Poindexter Gallery, New York, New York
Stable Gallery, New York, New York
Allan Stone Gallery, New York, New York
Walker Art Center, Minneapolis, Minnesota
Howard Wise Gallery, New York, New York

11. Edward Hopper
EARLY SUNDAY MORNING / DOMINGO CEDINHO
35 x 60" 1930, Whitney Museum of American Art

Edward Hopper, HOTEL ROOM / QUARTO DE HOTEL
60x65″ 1931, Mrs. Frances Spingold
(Not included in the exhibition. / Não estão incluìdas na exposição.)

13. Edward Hopper
THE BARBER SHOP / BARBEARIA
60x78″ 1931, Mr. and Mrs. Roy R. Neuberger

Plate C

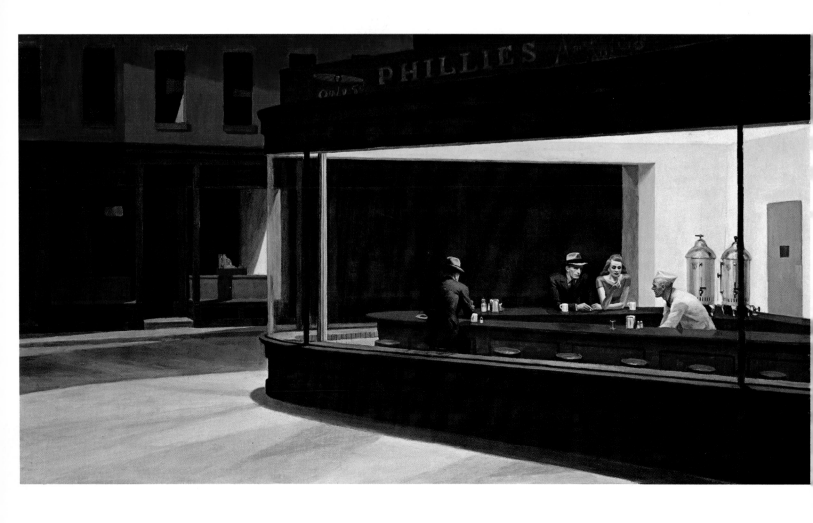

Edward Hopper, NIGHTHAWKS
33³⁄₁₆ x 60⅛″ 1942, The Art Institute of Chicago. Friends of American Art Collection
(Not included in the exhibition / Não estão incluìdas na exposição.)

Plate D

14. Jasper Johns
THREE FLAGS / TRÊS BANDEIRAS
30⅞ x 45¼" 1958, Mr. and Mrs. Burton G. Tremaine

Plate E

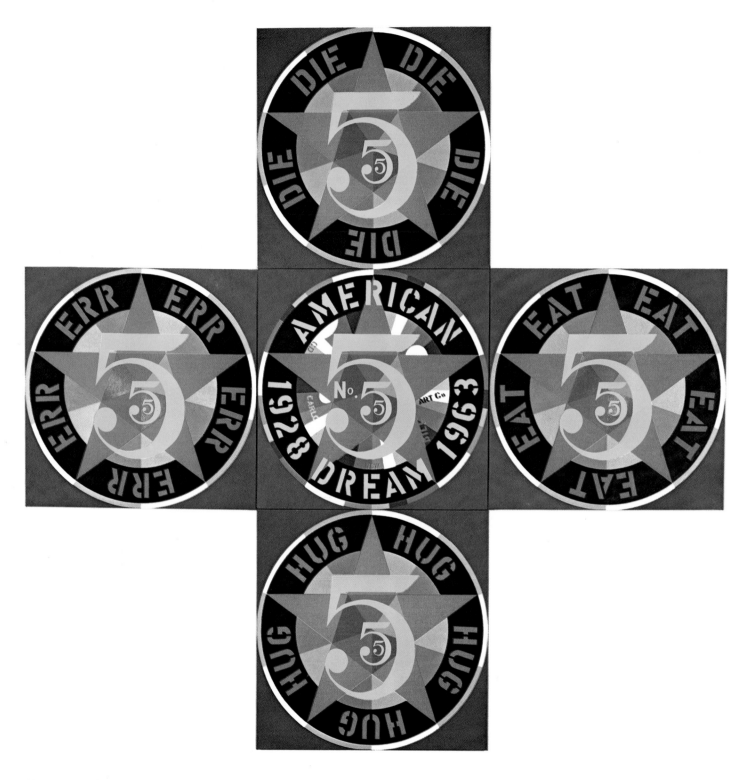

11. Robert Indiana
DEMUTH AMERICAN DREAM NO. 5 / O SONHO AMERICANO NO. 5 DE DEMUTH
144 x 144″ 1963, Art Gallery of Ontario

35. Edward Ruscha
STANDARD STATION, AMARILLO, TEXAS (DAY)
PÔSTO DE GASOLINA STANDARD, AMARILLO, TEXAS (DIA)
65 x 121½" 1963, Donald Factor

18. Gerald Laing
C. T. STROKERS
5 x 8′ 1964, Richard Feigen Gallery, Inc.

EDWARD HOPPER

1882-1967

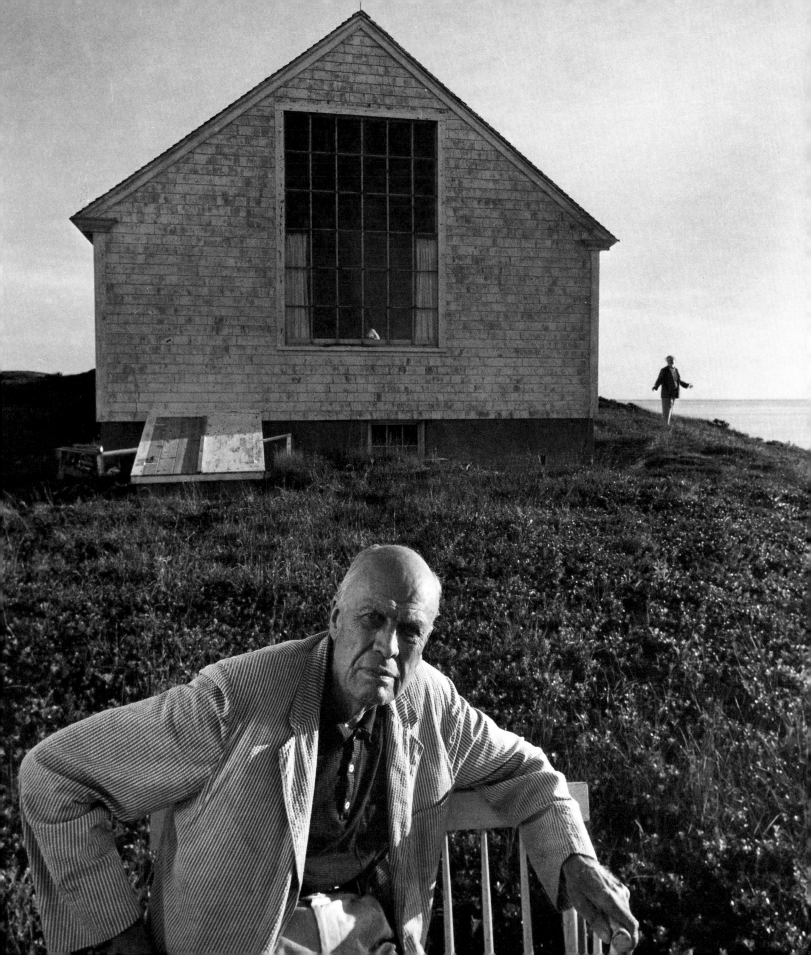

MEMORIAL STATEMENTS

HOMENAGENS

THE MOST LASTING IDEA I have of Edward Hopper is his sense of time. Time as an ordered sequence or as evolution was quite alien to him. He seemed to experience deeply time as a state. His consciousness of sequence and duration was thus diminished marvellously. After a few months one would find him sitting as before, as if he had not moved—as if time were something that passed through him but did not bear him along. Unable to locate the time of the last calendrical visit, he might take up a conversation that had been interrupted some months before. Or simply sit there with a sense of geological presence that redefined inertia.

He was a realist in his view of the world, stoical with regard to praise and blame ("Does it mean anything?" he asked of this exhibition), and he viewed his fellow man as a flimsy and often trivial construct. He was never a humanist though he was often thought of as one. His greatest single allegiance, insofar as he had one, was to tracking down, like some anthropologist, those "intimate impressions" within himself. He was a constant stranger to himself, not in any sense of existential crisis, but in an odd phenomenal way. His pessimism amounted to an ethic, augmenting the puritan in him and increasing the isolation that was a prerequisite condition of his art—a condition he himself denied, since he did not experience it as loneliness or isolation. All this brought him very close to silence.

Though he painted some of his best work from his late seventies on, he could only bring himself to the next picture with an immense effort of will. It is possible to see his art not as a growth in qualities or artistic sophistication, but in terms of the increasing weight of this will. Its density increased in a way that avoided being mannered or about itself. It avoided completely the reciprocal switches of easy ambiguity. But this absolutism provided no impetus from picture to picture. It is typical that he should have so destroyed his own history.

BRIAN O'DOHERTY

June, 1967

A RECORDAÇÃO mais forte que guardo de Hopper é a do seu sentido do tempo. O tempo como uma sequência ordenada ou como uma evolução, era completamente estranho para êle. Êle parecia sentir o tempo como uma situação. A consciência de seqüência e duração de tempo, era assim maravilhosamente reduzida. Passados vários meses íamos encontrá-lo no mesmo lugar, como se não tivesse se movido—como se o tempo tivesse passado por êle sem levá-lo junto. Incapaz de se lembrar do tempo decorrido desde a última visita, êle podia continuar uma conversa que havia sido interrompida meses atrás. Ou simplesmente permanecer onde estava, com o sentido de presença geológica, que tornava a caracterizar a inércia.

Êle era um realista na sua visão do mundo, estóico com respeito ao louvor e à censura ("Isto significa alguma coisa"?, perguntou êle desta mostra), e considerava seus semelhantes como criaturas frívolas e muitas vêzes sem importância. Êle nunca foi um humanista, se bem que freqüentemente fôsse tido como tal. Sua única devoção era seguir o rasto, como certos antropologistas, das "profundas impressões", dentro de seu ser. Era um constante estranho de si próprio, não no sentido de crise existencial, mas de uma maneira singular fenomenal. Seu pessimismo resultava em uma ética, aumentando seu puritanismo e intensificando o isolamento, que era uma condição prévia a sua arte—uma condição que êle próprio negava, uma vez que não a sentia como solidão ou isolamento. Isto tudo o trazia muito perto do silêncio.

Se bem que tivesse pintado seus melhores trabalhos depois de seus setenta anos, êle era levado ao próximo trabalho sòmente por uma grande fôrça de vontade. É possível ver sua arte não como um acréscimo em qualidade ou sofisticação artística, mas em têrmos do peso crescente dessa vontade. Sua densidade intensificava-se de uma maneira que evitava ser afetada ou ficar em tôrno dela própria. Mas êste absolutismo não proporcionava estímulo de quadro para quadro. É característico que êle tivesse dessa maneira destruído sua própria história.

BRIAN O'DOHERTY

Junho, 1967

Edward Hopper, 1960 (Arnold Newman)

Edward Hopper, studio at 3 Washington Square North, New York, 1964 (Hans Namuth)

Edward and Josephine Hopper
at Truro, Massachusetts
c. 1950

SINCE THE EARLY 1950's, my wife and I have owned and spent many summers in a small beach house on Shinnecock Bay, near Southampton. By now, I assume, everyone knows that the Hamptons on Long Island have become for many leading contemporary artists what the Catskills region of the Hudson was for Thomas Cole, Church and the Romantic school a century before. Jackson Pollock, Franz Kline lived, worked and died in Springs in East Hampton. In the Hamptons live or have lived Willem de Kooning, Larry Rivers, Grace Hartigan, Robert Motherwell, Fairfield Porter, Al Leslie, Jim Dine and many other leaders of today's American art.

We all used to foregather on the Fourth of July. We ate and drank ferociously and there were fireworks. Later there were no less explosive discussions of the contemporary art scene. It always astonished me that these younger artists exempted the late Edward Hopper from their acrimony against the realist tradition. I never got a convincing reply except that the younger artists admired Hopper's blazing use of light and his wry juxtapositions of form in masonry and wood. I didn't need to come away converted. I've never stopped thinking that tall, stooped, puritanical Edward Hopper was one of the finest artists this country has produced.

June, 1967   JAMES THRALL SOBY

DESDE O INÍCIO DO ANO DE 1950, eu e minha mulher possuímos uma pequena casa de praia na baía de Shinnecock, perto de Southampton onde temos passado vários verões. Penso que todo o mundo sabe que Hamptons em Long Island, tornou-se para muitos artistas contemporâneos de vanguarda, o que a região Catskills, do Hudson foi para Thomas Cole, Church e a escola romântica do século anterior. Jackson Pollock, Franz Kline moraram, trabalharam e morreram em Springs, East Hampton. Em Hampton moram ou já moraram, Willem de Kooning, Larry Rivers, Grace Hartigan, Robert Motherwell, Fairfield Porter, Al Leslie, Jim Dine e muitos outros líderes da arte americana atual.

Costumávamos confraternizar no dia 4 de julho. Comíamos e bebíamos ferozmente e havia fogos de artifício e rojões. Mais tarde tínhamos discussões não menos explosivas sôbre a cena da arte contemporânea. Sempre me admirava que êstes artistas mais jovens excluissem Edward Hopper de sua acrimônia contra a tradição realista. Nunca consegui uma resposta convincente a não ser a de que êstes artistas jovens admiravam o uso resplandecente da luz, de Hopper e suas justaposições retorcidas de forma, em alvenaria e madeira. Eu não precisava ser convencido. Nunca deixei de pensar que o alto, curvado, puritano Edward Hopper fôsse um dos maiores artistas que êste país já produziu.

Junho, 1967   JAMES THRALL SOBY

Edward Hopper, c. 1947
(Peter A. Juley)

IT IS ALWAYS surprising to me that artists—good artists, that is—care what the critics write about them. That an artist of Edward Hopper's stature in 1964, when his retrospective at the Whitney Museum covered 55 years of his painting, should have been fearful of the reviews, seems hardly credible. But fearful he was. For too long he had been subject to too many misunderstandings. Never experimental, he was at first misunderstood because his seeming preoccupation with the surface banalities of American life put him ahead of an American public still addicted to surface prettiness. Later he seemed to have been left behind by the various European revolutions and their American outgrowths. Early or late, he was too often thought of as a genre painter by a public, and most critics, who could not perceive that he was partly a romantic loner and partly a social philosopher.

No wonder he said, at his Whitney opening, "Tomorrow the knocks, tomorrow the knocks." That the retrospective was a roaring success was a great satisfaction for Hopper's admirers—who, by that time, in spite of his chronic suspicions, included nearly everybody. But his selection as the key American in this São Paulo Bienal has been most satisfying of all. He loathed sentimentalism and would have rejected with scorn and resentment the position of grand old man of American painting on the basis of his age and his past achievement. It is good to know that before he died he could savor proof that a group of relative youngsters had found him not an impressive relic but the vital force that he was, and is.

JOHN CANADAY

June, 1967

SEMPRE ME SURPREENDE que artistas—bons artistas—se importem com o que a crítica escreve sôbre êles. Que um artista da estatura de Edward Hopper, se mostrasse apreensivo com as críticas em 1964, durante uma mostra retrospectiva no Museu Whitney abrangendo 55 anos de suas pinturas, parecía-me inacreditável. Mas apreensivo estava êle. Por muito tempo êle tinha sido objeto de más interpretações. Nunca empírico, êle foi a princípio mal compreendido porque sua aparente preocupação com as banalidades superficiais da vida americana o colocaram além de um público ainda acostumado à beleza aparente. Mais tarde êle parece ter sido esquecido pelas várias revoluções européias e por suas influências na América. Em ambas as ocasiões, êle foi muitas vêzes considerado um pintor de gênero, por um público e pela maioria de críticos, que não percebiam que êle era, em parte, um romântico solitário e em parte, um filósofo social.

Não admira que êle dissesse na abertura da mostra no Museu Whitney, "amanhã as críticas, amanhã as críticas." Que a exposição restrospectiva tivesse sido um sucesso estrondoso, foi uma grande satisfação para os admiradores de Hopper—que a êsse tempo, apesar de suas constantes suspeitas, incluiam quase todo o mundo. Mas sua escôlha como a figura principal nesta Bienal de São Paulo, foi o fato, de todos, o de maior satisfação. Êle odiava o sentimentalismo e teria rejeitado com desprêzo e resentimento a posição de grande homem da pintura americana por causa de sua idade e de suas realizações passadas. É uma satisfação saber que antes de sua morte êle pôde ter o gôsto de verificar que um grupo relativamente jovem o considerasse, não como uma relíquia magnífica, mas como uma fôrça vital que êle foi, e é.

JOHN CANADAY

Junho, 1967

EDWARD HOPPER

by Lloyd Goodrich

EDWARD HOPPER is a pioneer in the realistic picturing of the United States. The physical face of the nation, in city, town and country, is the raw material of his art. For almost sixty years he has painted the everyday aspects of life in the contemporary United States with uncompromising realism. But he is not merely an objective realist, rendering the surface facts of the American scene. The images which he creates of the modern world are charged with deep emotion, and are conceived with a largeness, a power, and a grasp of essentials, that give them universal meaning.

When Hopper first began to paint his portrait of the United States, in the opening decade of the century, most of our artists were portraying their native land with a sentimental idealism that ignored its crude realities. The academic establishment of the day selected the idyllic aspects of the country, avoiding the evidences of man and his works. Few artists had attempted to paint that extraordinary phenomenon, the contemporary American city; and when they did, they chose its stylish side. The complex world of mass-produced objects and structures in which we all live, was completely absent from their art. To look at their pictures, one could believe that the Industrial Revolution had never occurred.

In the early 1900's a group of young painters, headed by Robert Henri, revolted against this academic idealism, and turned to the vulgar teeming life of the contemporary city. Most of the Henri group were concerned primarily with human subject matter; for them the city was only a setting for the spectacle of urban life. It was in the Henri camp that Edward Hopper had his artistic beginnings. Born in 1882 in Nyack, N. Y., near New York City, in 1900 he joined the New York School of Art, where Henri was the leading teacher. Henri constantly urged his students to look at the life around them. In the past, he extolled the great naturalists—Velázquez, Goya, Daumier, Manet, Degas. All of this fitted Hopper's natural bent.

After leaving the New York School, Hopper made three European visits of several months each, between 1906 and 1910. Most of his time was spent in Paris, living quietly with a bourgeois French family, and painting on his own. Working outdoors, he painted streets and buildings, and the Seine with its quays and bridges, in a style close to impressionism

EDWARD HOPPER

por Lloyd Goodrich

EDWARD HOPPER é um precursor na descrição realística dos Estados Unidos. O aspecto físico da nação, na cidade, no município, no campo, é a matéria prima de sua arte. Durante quase sessenta anos êle tem pintado os aspectos cotidianos da vida nos Estados Unidos contemporâneo com um realismo inflexível. Mas êle não é meramente um realista objetivo, representando fatos superficiais da vida americana. As imagens que êle cria do mundo moderno, são impregnadas de profunda emoção e são concebidas com uma largueza, uma fôrça e um domínio de fundamentos que lhes conferem um significado universal.

Quando Hopper começou a pintar a imagem dos Estados Unidos na primeira década do século, a maioria de nossos artistas retratava o solo materno com um idealismo sentimental que ignorava suas crúas realidades. O sistema acadêmico da época escolhia os aspectos idílicos do país, evitando o traço do homem e de seus misteres. Poucos artistas haviam tentado pintar aquêle extraordinário fenômeno, a cidade contemporânea americana; e quando o faziam, escolhiam seus aspectos elegantes. O mundo complexo da fabricação em massa de objetos e construções, no qual todos vivemos, achava-se ausente de sua arte. Olhando-se para seus quadros acreditar-se-ia que a Revolução Industrial nunca se dera.

No começo do século um grupo de jovens pintores, encabeçado por Robert Henri, revoltou-se contra êsse idealismo acadêmico, e voltou-se para a criadora vida trivial da cidade contemporânea. Quase todo o grupo de Henri preocupava-se primordialmente com o tema humano; para êles a cidade era sòmente o cenário para o espetáculo da vida urbana. Foi com Henri que Edward Hopper recebeu sua iniciação artística. Nascido em 1882 em Nyack, Estado de Nova Iorque, perto da cidade de Nova Iorque, matriculou-se em 1900 na "New York School of Art", onde Henri era o principal professor. Henri constantemente instava com seus alunos para que observassem a vida à sua volta. Do passado êle exaltava os grandes naturalistas—Velázquez, Goya, Daumier, Manet, Degas. Tudo isto ajustava-se às tendências naturais de Hopper.

Depois de deixar a Escola de Nova Iorque, Hopper fez três visitas à Europa, de vários meses cada uma, entre 1906 e 1910. A maior parte do tempo êle ficou em Paris, vivendo tranquilamente com uma família burguesa e pintando por

in its preoccupation with light, its blond color and broad handling. In these years the Fauve movement had burst on the Parisian art world, Cézanne had been discovered, cubism was being born. But none of this had any noticeable effect on Hopper, who all his life has been unusually impervious to current artistic influences. The art of Europe did have a strong and lasting effect on him; but it was the nineteenth-century independent French tradition, not the modern movements. Since his last visit in 1910 he has not gone to Europe; his travels have been within the western hemisphere—the United States and Mexico.

In his own country, as early as 1908, Hopper was painting aspects of the American scene that no one else was interested in—railroad trains, tugboats, city streets, elevated railway stations—subjects devoid of human interest or romantic sentiment. These paintings, while still immature, were the work of a man struggling to build art out of everyday actualities. But they were too honest and unglamorous to be popular. At this time the only way for a young artist to get his work before the public was through the big academic exhibitions, controlled by conservative juries. After being repeatedly rejected, Hopper stopped submitting, and from 1915 he painted little for about five years. Since leaving art school he had supported himself by part-time work in an advertising agency, and by illustrating—forms of art that he loathed. "Maybe I am not very human," he said of these days. "What I wanted to do was to paint sunlight on the side of a house." These years of uncongenial work and apparent failure were hard ones.

But Hopper had a strong will, not easily deflected. In 1915 he took up a new medium, etching, and in the fifty-two plates he made between then and 1923, he began to picture his individual subject matter in a mature style. In this period of Whistlerian refinement and decorativeness, Hopper's prints struck a new note: everyday aspects of the contemporary United States, pictured with absolute honesty yet with an undertone of intense feeling. With this more limited black-and-white medium, Hopper had finally found himself.

For some reason, his etchings proved acceptable to academic juries, and he began to appear regularly in print shows, and even to receive prizes. With growing success, he resumed painting in oils about 1920, and in 1923 took up watercolor, which was to become his other major medium. From then on, when he was in his early forties, increasing recognition came to him, in the form of exhibitions, critical appreciation, awards and sales—recognition which has grown steadily with the years.

conta própria. Trabalhando ao ar livre, êle pintou ruas e edifícios e o Sena com seus cais e suas pontes, num estilo próximo do impressionismo quanto à preocupação com a luz, seu colorido amarelo e seu largo tratamento. Nessa época, o movimento Fauve havia irrompido no mundo da arte parisiense, Cézanne tinha sido descoberto, o cubismo estava nascendo. Mas nada disso produziu qualquer efeito notável em Hopper, que tem sido tôda sua vida invulgarmente inacessível às influências artísticas correntes. A arte da Europa exerceu uma influência forte e duradoura em Hopper; mas essa influência foi a da independente tradição francesa do século dezenove e não a do movimento moderno. Êle não voltou à Europa depois de sua visita de 1910; suas viagens têm sido no hemisfério ocidental—Estados Unidos e México.

Em seu próprio país, já em 1908, Hopper pintava aspectos da vida americana, nos quais ninguém mais estava interessado—trens, rebocadores, ruas da cidade, estações elevadas de estrada de ferro—motivos destituídos de interêsse humano ou de sentimento romântico. Essas pinturas, se bem que ainda imaturas, eram o trabalho de um homem lutando para fazer arte da realidade cotidiana. Mas elas eram muito honestas e sem atrativo para serem populares. Naquele tempo, o único meio de um jovem artista mostrar seus trabalhos ao público era através as grandes exposições acadêmicas, controladas por jures conservadores. Depois de ter sido repetidamente rejeitado, Hopper deixou de submeter seus trabalhos, e a partir de 1915, durante cinco anos, êle pintou pouco. Desde que deixara a escola de arte êle se mantinha trabalhando algumas horas numa agência de publicidade e fazendo ilustrações—formas de arte que êle detestava. "Talvez eu não seja muito humano", disse êle referindo-se a êsses dias. "O que eu queria fazer era pintar a luz do sol na parede de uma casa". Êsses anos de trabalho destoante e de aparente fracasso, foram difíceis.

Mas Hopper tinha uma vontade firme que não se dobrava fàcilmente. Em 1915 êle dedicou-se a um nôvo processo, a água-forte, e nas 52 gravuras que fez desde então até 1923, começou a reproduzir seus temas individuais num estilo amadurecido. Nesse período de requintado a decorativo "whistlerian", as gravuras de Hopper imprimiram uma nota nova: aspectos cotidianos dos Estados Unidos contemporâneo, representados com uma honestidade absoluta e ainda assim com um tom velado de intenso sentimento. Com êsse processo mais limitado do preto-e-branco, Hopper encontrou-se finalmente.

Por algum motivo, suas gravuras revelaram-se aceitáveis

Hopper's art is almost entirely based on the contemporary United States: its cities, towns, landscape, buildings, and man-made features. His attitude toward the American scene is ambivalent. There is nothing of the chauvinism of the regionalist painters of the 1930's. He has said that when he returned from France, America seemed "a chaos of ugliness," and he has written of "the hideous beauty of our native architecture." But beneath this clear-eyed realization of the ugliness of many aspects of the United States, lies a powerful emotional attachment. Like all intimate emotional relationships, it is made up of both love and hate. The world of present-day America, with its reverse sides of monotony and grandeur, of ugliness and unintended beauty, is his world, to which he is bound by strong ties. In a spirit of affirmation far more than of negation, he has built his whole art out of it. What he has written of his fellow artist Charles Burchfield applies equally to himself: "His work is most decidedly founded, not on art, but on life, and the life that he knows and loves best . . . . By sympathy with the particular he has made it epic and universal."

Much of Hopper's art is centered on the American city. To the Henri group the city was only a background for human happenings. But Hopper's central theme is the city itself, that complex organism of steel and concrete, of stone and brick and glass. He has realized to the full the pictorial possibilities of New York: the character and forms of individual buildings, their physical materials, and the varying effects of light on them; storefronts, cafeterias, theaters; common urban objects such as lampposts and fire hydrants; the city's many windows, and the visual phenomena of life seen through them, looking both in and out; the city at night, with its interplay of varicolored lights and ominous shadows. He is not interested in the obvious spectacularity of New York, its skyscrapers and its skyline, its rushing traffic. There are no crowds in his cityscapes, no hurrying tide of people. He is concerned more with the monumental character of the city, with its changing lights and moods, and with its more intimate aspects, the immediate surroundings of the city-dweller.

Individual men and women do appear in many paintings, but as elements in the entire scene rather than leading actors. The solitary figure sitting by a window, the couple in a restaurant, the group waiting in a hotel lobby, are integral parts of city life, but only parts of the whole. Usually his men and women are alone; and even when two or three appear, they do not seem to communicate but seem isolated in the vast impersonality of the city.

aos juízes acadêmicos e êle começou a aparecer regularmente em exposições de gravuras e mesmo a ganhar prêmios. Em conseqüência do êxito sempre crescente, êle recomeçou a pintura a óleo, por volta de 1920, e, em 1923, adotou a aquarela, que deveria tornar-se seu outro principal processo. Daí por diante, já na casa dos quarenta, o reconhecimento crescente chega na forma de exibições, críticas apreciativas, prêmios e aquisições—reconhecimento êsse que tem aumentado constantemente com os anos.

A arte de Hopper é quase que inteiramente baseada nos Estados Unidos contemporâneo: suas cidades, municípios, paisagens, edifícios e as feições dadas pelo homem. Sua atitude para com o cenário americano é ambivalente. Não há nada do chauvinismo dos pintores regionalistas da década de 1930. Êle disse que quando voltou da França, a América parecia "um caos de feiura", e tem escrito sôbre "a chocante beleza de nossa arquitetura nacional". Mas sob esta perspicaz compreensão da feiura de muitos aspectos dos Estados Unidos, encontra-se uma poderosa afeição emotiva. Como tôda profunda relação emocional, ela é composta de amor e ódio. O mundo da América atual, com seus aspectos opostos de monotonia e esplendor, de feiura e de beleza natural, é o seu mundo, ao qual êle está ligado por fortes laços. Num espírito mais de afirmação do que de negação, êle construiu sôbre isso tôda a sua arte. O que êle escreveu de seu companheiro, o artista Charles Burchfield, aplica-se igualmente a si próprio: "Sua obra é integralmente baseada, não na arte, mas na vida—vida que êle melhor conhece e mais ama . . . Por afinidade com o pormenor êle a tornou épica e universal".

Grande parte da arte de Hopper concentra-se na cidade americana. Para o grupo de Henri a cidade era apenas um pano de fundo para os acontecimentos humanos. Mas, para Hopper, o tema central é a cidade em si, êsse organismo complexo de aço e concreto, de pedra e tijolo e vidro. Êle compreendeu ao máximo as possibilidades pictóricas de Nova Iorque: o caráter e as formas de edifícios individuais, seus materiais físicos e os variáveis efeitos de luz sôbre êles; entradas de lojas; restaurantes; teatros; objetos urbanos familiares, tais como postes elétricos, hidrantes de incêndio; quantidade de janelas da cidade, e o fenômeno visual da vida visto através delas, de dentro e de fora; a cidade à noite, com a ação recíproca de luzes multicores e de sombras sinistras. Êle não se interessa pela óbvia espetacularidade de Nova Iorque, pelos seus arranha-céus e a silhueta dos mesmos contra o horizonte, pelo seu tráfego movimentado. Não há multidões em suas cenas citadinas, não há ondas de gente apressada. Êle se preocupa mais com o caráter monumental

32. Edward Hopper
OFFICE IN A SMALL CITY
ESCRITÓRIO EM UMA PEQUENA CIDADE
28x40″ 1953

The closest intimacy appears in his favorite theme of a woman in a city interior, nude or half-dressed—a recurring image through the years. Often she is beside a window, looking out—the intimate interior contrasting with the cold outer world. She is pictured without either idealization or obvious eroticism, yet with a realization of her solid, statuesque physical existence that reveals a deep sensualism, a masculine power, underlying Hopper's apparent objectivity.

Many of his interiors are seen through windows at night; we are looking in at the unconscious actors—a life detached and silent, framed by the dark walls outside. As Hopper has said, "the sensation of the interior and exterior of a building seen simultaneously. A common visual sensation."

Frequently the artist's viewpoint seems that of a traveller, an observer who is unattached yet drawn to what he sees. Many of his subjects have to do with travel: with railways, roads, automobiles, gas stations, hotel rooms, motels. This preoccupation with the concept of travel is quite conscious; he has said that his themes often come to him when driving, and that in certain works, such as *Approaching a City*, he was expressing the emotions one has on entering a strange town.

da cidade, com suas mudanças de luz e de humor, com seus aspectos mais íntimos, com os arredores adjacentes dos moradores citadinos.

Aparecem homens e mulheres isolados em muitas pinturas, mas antes como elementos completando tôda a cena do que como atores dominantes. A figura solitária sentada à janela, o casal no restaurante, o grupo esperando no saguão de hotel, são partes integrantes da vida da cidade, mas sòmente partes de um todo. Geralmente seus homens e mulheres estão sós; e mesmo quando dois ou três estão juntos, parece não haver nenhuma comunicação entre êles. Parecem isolados na vasta impersonalidade da cidade.

A cena mais próxima da intimidade aparece no seu tema predileto de uma mulher num interior, nua ou semi-vestida —uma repetida imagem através dos anos. Freqüentemente ela está à janela, olhando para fora—a intimidade interior contrastando com a frieza do mundo exterior. Ela é retratada sem idealização ou sem óbvio erotismo, contudo com uma percepção de sua sólida, uniforme e estatuesca existência física que revela um profundo sensualismo, uma energia masculina, realçando a aparente objetividade de Hopper.

Muitos dos interiores são vistos através das janelas à noite: olhamos para dentro para protagonistas inconscientes —uma vida isolada e silenciosa, emoldurada pelas escuras paredes exteriores. Como disse Hopper "a sensação do interior e do exterior de um edifício vistos simultâneamente. Uma sensação visual comum".

Freqüentemente o ponto-de-vista do artista parece o de um viajante, um observador desligado, mas ao mesmo tempo atraído pelo que vê. Muitos de seus assuntos referem-se a viagens: com estradas de ferro, rodovias, automóveis, postos de gasolina, quartos de hotéis e motéis. Essa preocupação com a noção de viagem é bem consciente; êle disse que seus temas muitas vêzes lhe são sugeridos durante uma viagem, e que em certos trabalhos, como em *Aproximando-se de uma Cidade*, êle estava expressando as emoções que se tem ao entrar-se numa cidade desconhecida.

Em grande parte da arte de Hopper, há um penetrante sentimento de solidão. A fôrça emocional que enche sua obra concentra-se não na humanidade, mas no meio-ambiente humano, nas cidades e construções e objetos que o homem construiu e entre os quais vive. Sua arte exprime aquela poesia solitária de lugares que têm sido um tema para os pintores através dos séculos, de Guardi e Piranese a Utrillo e Chirico.

Os motivos de Hopper não se restringem às cidades e aos municípios, muitos deles são sôbre o campo, especialmente

Running through much of Hopper's art is a penetrating sense of loneliness. The emotional force that fills his work is concentrated not on humanity but on the human environment, on the cities and structures and objects that man has built and among which he lives. His art expresses that lonely poetry of places that has been a theme for painters through the centuries, from Guardi and Piranesi to Utrillo and Chirico.

Hopper's subjects are not confined to the city and the small town; many of them are of the country, particularly the bare moors and sand dunes of Cape Cod, where most of his summers have been spent since 1930. His earliest landscapes, abandoning the academic tradition of idyllicism, gave leading roles to the man-made features of the American land—railroads, factories, farmhouses, lighthouses. No one before him had thought to create art out of that most characteristic feature of the face of America, the automobile highway, with its accompanying gas stations, motels, bridges and telephone poles. To him such things were not ugly objects to be ignored, but integral parts of the contemporary scene, essential elements in the character of the American land, and raw material out of which to create art.

sôbre as charnecas desertas e as dunas de "Cape Cod", onde tem passado quase todos os verões desde 1930. Suas primeiras paisagens, abandonando a tradição acadêmica idílica, desempenharam um papel dominante nas feições da terra americana criadas pelo homem—estradas, fábricas, casas de fazenda, faróis. Ninguém antes dêle tinha pensado em fazer arte do traço mais característico do aspecto da América, a estrada de rodagem com seus postos de gasolina, motéis, pontes e postes telegráficos. Para êle, estas coisas não eram objetos feios que deveriam ser ignorados, mas partes integrantes da cena contemporânea, elementos essenciais no caráter da terra americana e matéria prima da qual fazer-se arte. As relações entre as formas irregulares da natureza e as formas funcionais das construções do homem, acrescentam um drama pictórico às suas paisagens. A completa aceitação de Hopper a essas realidades tem sido a contribuição básica ao conceito moderno de paisagem.

A luz desempenha um papel importante em todos os seus trabalhos. Ela é um elemento ativo no conceito pictórico. Revela formas com extrema clareza. A luz do sol nos edifícios da cidade os simplifica, transforma-os em maciços monolitos com chocantes sombras melancólicas. Fortes contrastes

3. Edward Hopper
ELEVEN A.M. / ONZE HORAS DA MANHÃ
28x36" 1926

The relationship between the irregular forms of nature and the functional forms of man's structures adds pictorial drama to his landscapes. Hopper's complete acceptance of these actualities has been a basic contribution to the modern concept of landscape.

Light plays an important part in all his works. It is an active element in the pictorial concept. It reveals forms with the utmost clarity. Sunlight on the city's buildings simplifies them, turns them into massive monoliths with somber brooding shadows. Strong patterns of light and shade are essential factors in the design of his pictures. And with him, light is a means of emotional expression. Hot sunlight, cool twilight, garish artificial light—each of these determines the prevailing mood of the scene.

In his night scenes, light becomes a dominant motif. The play of colored lights in a drugstore window; lighted interiors framed by surrounding darkness; the competition between street lights and luminous signs—the interplay of these lights, varying in sources, directions, colors and intensities, creates pictorial drama out of common visual sensations.

Hopper's method of creation is far from literal copying of nature. While some of his early oils and almost all his

de luz e sombra são fatores essenciais no planejamento de suas pinturas. Para êle a luz é um instrumento de expressão emocional. A quente luz solar, a serena luz do crepúsculo, a brilhante luz artificial—cada uma delas define a disposição predominante da cena.

Em suas cenas noturnas, a luz torna-se um motivo dominante. O jôgo de luzes coloridas na vitrine de uma drogaria; interiores iluminados, enquadrados pela escuridão que os cercam; a competição entre as luzes das ruas e de anúncios luminosos—a ação recíproca dessas luzes de fontes, direções, côres e intensidades variadas, cria um drama pictórico tirado de sensações comuns visuais.

O método de criação de Hopper está longe de ser uma cópia literal da natureza. Se bem que alguns de seus primeiros óleos e quase tôdas as suas aquarelas fôssem pintados da natureza, suas pinturas amadurecidas foram compostas por um processo complexo de reconstrução da realidade, originados na observação, memória e imaginação. Muito tempo é gasto em selecionar o assunto, em olhar para o verdadeiro motivo, em meditar sôbre a idéia e o esbôço. Os elementos são tirados de várias fontes reais, combinados e transformados em cenas que serão transportadas para as telas. Assim,

31. Edward Hopper
FIRST ROW ORCHESTRA
PRIMEIRA FILA DA ORQUESTRA
31x40" 1951

watercolors were painted from nature, his mature oils have been composed by a complex process of reconstruction of reality, drawing on observation, memory and imagination. A long time is spent in selecting the subject, looking at actual motifs, and pondering the concept and design. Elements are taken from various sources in actuality, combined, and transformed into the scene that is to be realized on canvas. Thus the final painting is a composite image of a particular aspect of reality. Through this subjective process, objective reality is shaped into a pictorial image that transcends the specific, and takes on broader and deeper meanings.

His sense of design, of the relation of form to form, line to line, is highly conscious. For him design is not flat patterning, but the construction of three-dimensional forms in space. His design has certain pronounced characteristics. It is built primarily on straight lines. Often a strong horizontal across the foreground, such as a railway track, road or street, serves as the base for the forms above. The main structural lines are predominantly horizontal, but they are crossed by strong verticals, resulting in the marked angularity that is characteristic of his style.

a pintura definitiva é uma imagem composta de um determinado aspecto da realidade. Através dêsse processo subjetivo, a realidade objetiva toma a forma de uma imagem pictórica que ultrapassa o específico, adquirindo um significado mais amplo e mais profundo.

Seu sentido do desenho, de relação de forma para forma e de linha para linha, é sumamente consciente. Para êle o desenho não é uma configuração plana, mas construção de formas tridimensionais no espaço. Seu desenho tem certas características marcantes. É formado primordialmente de linhas retas. Freqüentemente uma pronunciada linha horizontal através o primeiro plano, como um trilho de estrada de ferro, uma estrada ou rua, servem de base para a forma acima. As principais linhas estruturais são predominantemente horizontais, mas elas são cruzadas por fortes linhas verticais, resultando numa angulosidade acentuada, que é característica do seu estilo.

O desenho de Hopper tornou-se mais complexo com os anos. *Domingo Cedinho*, de 1930, é uma composição completamente simples, onde as horizontais dominantes são interrompidas por algumas formas retas e pelos repetidos motivos verticais de portas e janelas. O resultado é um desenho de

34. Edward Hopper
FOUR LANE ROAD
ESTRADA DE QUATRO PISTAS
27½x41½″ 1956

29. Edward Hopper
HIGH NOON / MEIO DIA
28x40" 1949

Hopper's design has grown more complex with the years. *Early Sunday Morning* (1930), Plate A, is a starkly simple composition, in which the dominant horizontals are broken by a few upright forms and by the repeated vertical patterns of doorways and windows. The result is design of severe, elemental power, yet rich and satisfying. In *Nighthawks* (1942), Plate D, on the other hand, simple horizontality has been replaced by a more complex design, in which the strong wedge form of the restaurant, thrusting from right to left, is countered by the solid row of buildings at right angles to it. This more dynamic kind of composition indicates a steady growth in Hopper's concept of design. A parallel development has been the increasingly varied, subtle use of diagonal lines, avoiding obvious rectangularity. Beneath the apparent naturalism of Hopper's art is a sense of pure formal design that gives his work a classic order and monumentality.

Hopper's style has shown no signs of softening with the years. Indeed, the rectilinear and angular structure of his paintings has become more pronounced. Certain works such as *High Noon* are almost pure geometry, with interesting parallels to hard-edged abstraction. In 1960, when he was

um poder severo e elementar, mas ao mesmo tempo, rico e que satisfaz. Por outro lado, em "Nighthawks", de 1942, a simples horizontalidade foi substituída por um desenho mais complexo, no qual a pronunciada forma de cunha do restaurante, estendendo-se da direita para a esquerda, opõe-se à sólida fila de edifícios em ângulo reto com ela. Esta espécie mais dinâmica de composição indica um constante desenvolvimento na noção de desenho de Hopper. Um desenvolvimento paralelo tem sido o uso cada vez mais variado, mais sutil de linhas diagonais, que evitam a retangularidade óbvia. Sob o aparente naturalismo da arte de Hopper há um sentido de desenho puramente convencional que dá a sua obra uma ordem clássica e monumental.

O estilo de Hopper não tem mostrado sinais de abrandamento com os anos. Na verdade, a estrutura retilínea e angular de suas pinturas tem se tornado mais pronunciada. Certos trabalhos como *Lua Cheia*, são quase que pura geometria, com interessantes paralelos e abstrações cortantes. Em 1960, quando tinha setenta e oito anos, êle apresentou um de seus trabalhos angulares mais audaciosos e mais descomprometedores, *Luz do Sol no Segundo Andar*.

Seus últimos trabalhos mantêm a relação direta com a

38. Edward Hopper
SECOND STORY SUNLIGHT
LUZ DO SOL NO SEGUNDO ANDAR
40x50" 1960

35. Edward Hopper
WESTERN MOTEL
HOTEL DO OESTE
30¼x50⅛" 1957

seventy-eight, he produced one of his boldest and most uncompromisingly angular works, *Second-Story Sunlight*.

His latest works have preserved the direct relation to actualities that marked his vision from the first. *Western Motel*, with its awful interior, its hard-faced blonde, and its scorched desert landscape, is one of his toughest works of any period—a fitting monument to this most American of institutions. In a purely naturalistic way it is as revealing an exposé of our mass culture as pop art.

Through a long career of steady, unwavering growth and achievement, Edward Hopper has created, out of our familiar everyday world, an art that is at once purely individual, powerfully conceived, and profound in its emotional content.

THIS ESSAY was finished the day before Edward Hopper's death, which occurred on May 15, 1967, in his eighty-fifth year. He had been in failing health for several months, and had not painted for the last two years; but his mind remained entirely clear, and the end came peacefully.

In retrospect, I believe that Edward Hopper belongs in the company of those great creative figures in American art, such as Copley, Homer, Eakins and Ryder, who by expressing with complete integrity their individual visions of the world, both outer and inner, transformed the personal into the universal, and made enduring contributions to the long history of art.

realidade, que desde o início caracterizou seu poder de imaginação. *Motel do Oeste*, com seu horrível interior, sua loura de fisionomia dura e sua erma paisagem devastada, é um de seus trabalhos mais fortes de qualquer período—um monumento apropriado à esta mais americana das instituições. De uma maneira puramente naturalista é tão revelador de nossa cultura em massa, quanto a pop-arte.

Através de uma longa carreira de constante, decidido desenvolvimento e realização, Edward Hopper criou, de nosso mundo familiar cotidiano, uma arte que é ao mesmo tempo puramente individual, poderosamente concebida e profunda em seu conteúdo emocional.

ÊSTE ENSAIO foi terminado no dia anterior à morte de Edward Hopper, que se deu a 15 de maio de 1967. Tinha êle então, oitenta e cinco anos de idade.

Hopper andava doente há vários meses e não pintava há dois anos: mas seu espírito estava perfeitamente lúcido e o fim chegou suavemente.

Em retrospecto, acho que Edward Hopper pertence ao grupo das grandes figuras criadoras da arte americana, tais como Copley, Homer, Eakins e Ryder, os quais, ao expressar com absoluta integridade suas impressões pessoais, do mundo interior e exterior, transformaram o pessoal em universal, e fizeram contribuições duradouras à longa história da arte.

EDWARD HOPPER
Realist, Classicist, Existentialist

by William C. Seitz

The thing that makes me so mad is the American Scene business. I never tried to do the American Scene as Benton and Curry and the midwestern painters did. I think the American Scene painters caricatured America. I always wanted to do myself. The French painters didn't talk about the 'French Scene,' or the English painters about the 'English Scene.' It always gets a rise out of me. The American quality is *in* a painter—he doesn't have to strive for it.

EDWARD HOPPER

NO OCCASION could offer a better setting for a complete (and one hopes final) disengagement of Edward Hopper's painting from the social realism championed by Thomas Craven in the 1930's than the ecumenical scope of the Bienal de São Paulo. The time has come when Hopper must be given the position in world art that he has in his own country, and that his mastery demands. Provincialism has its roots in ignorance and chauvinism, not in a precisely determined choice of theme and style. Hopper's very personal art both predates and postdates the "American Scene" School, and his justified objection to identification with it can be extended by pointing out that Goya, Vermeer, Renoir, Cézanne and Vuillard (to choose names almost at random) were never similarly labeled for painting subjects from the life and environment around them, nor were the Italian Futurists. If Franz Kafka or Vladimir Nabokov had been born in Nyack or Topeka instead of Prague and St. Petersburg, the novel *Amerika* and the memorable descriptions of motel and highway life in *Lolita* might well have been classified as "American Scene" writing.

Hopper chose to reject avant-gardism. But it was not, as Brian O'Doherty has demonstrated, because his thinking is narrow or circumscribed. No painter who quotes Verlaine in French and Goethe in German, and dismisses Sinclair Lewis as "a fathead," can be impaled by any of the terms— "hoosier," "buckeye," "big-towner," "Amurican"—reserved for various species of the hidebound Yankee. Even the more appropriate term "puritan" (which has been applied to Hopper because of his austere manner, laconic speech, and perhaps also because he passes his summers in New England) disintegrates in the high existential and even sexual temperature of some of his paintings.

EDWARD HOPPER
Realista, Classicista, Existencialista

por William C. Seitz

O que me deixa zangado é essa história de Cena Americana. Nunca tentei reproduzir Cena Americana como o fez Benton, Curry ou os pintores da região meio-oeste dos Estados Unidos. A meu ver os pintores de Cena Americana caricaturizaram a América. Eu sempre quiz ser eu mesmo. Os pintores franceses não falavam sôbre a Cena Francesa ou os pintores inglêses sôbre a Cena Inglêsa. Isso sempre me mortifica. A qualidade americana está no pintor—êle não precisa lutar por ela.

EDWARD HOPPER

NENHUMA OCASIÃO poderia oferecer melhor oportunidade para uma completa (e, esperemos, final) libertação da pintura de Edward Hopper, para com o realismo social, defendido por Thomas Craven na década de 1930, do que a atmosfera ecumênica da Bienal de São Paulo. É tempo de dar-se a Hopper, no mundo artístico, a posição que êle goza em seu próprio país e que sua mestria exige. Provincianismo tem suas raízes na ignorância e no chauvinismo e não na escolha precisamente determinada de um tema e um estilo. A arte bem individual de Hopper é anterior e posterior à Escola da *Cena da Vida Americana* e sua justificada objeção de ser com ela identificado pode ser avaliada salientando-se que Goya, Vermeer, Renoir, Cézanne e Vuillard (para escolher alguns nomes quase que ao acaso) nunca foram igualmente classificados por pintarem temas da vida e meio que os rodeavam, nem o foram os Futuristas Italianos. Se Franz Kafka ou Vladimir Nabokov tivessem nascido em Nyack ou Topeka ao invés de Praga e St. Petersburg, o romance "Amerika" e as notáveis descrições da vida dos motéis e das estradas de "Lolita" poderiam muito bem ser classificados como literatura da "Cena da Vida Americana".

Hopper preferiu rejeitar o vanguardismo. Mas não foi, como Brian O'Doherty o demonstrou, por causa de sua mentalidade estreita ou limitada. Nenhum pintor que cite Verlaine em francês e Goethe em alemão e rejeite Sinclair Lewis como um "estúpido" poderá ficar chocado com qualquer dos têrmos—"hoosier", "buckeye", "big-tower", "Amurican", reservados a várias espécies do ianque tacanho. Mesmo o têrmo mais apropriado de "puritano" (que foi aplicado a Hopper, por causa de suas maneiras austeras, de seu laconismo e talvez também porque êle

EDWARD HOPPER by William C. Seitz

During three extended trips to Europe between 1906 and 1910, had Hopper been a Stanton Macdonald-Wright, a Max Weber or a Morgan Russell, he might have sought out the modernist art that would have propelled him toward abstraction and avant-gardism. But what he saw in Paris was the light. In direct and freely painted scenes of the quays and bridges along the Seine it is apparent how easily he could have mastered the method of the Impressionists, whose painting he admired and whose goals he in part shared. "My aim in painting," he once stated, "has always been the most exact transcription possible of my most intimate impressions of nature." He has even described himself as an Impressionist. Yet, except for the continuation—but only in watercolors—of direct painting from the motif, he quickly abandoned Impressionism. Engrossed though Hopper has always been by light, natural or artificial, and essential as are qualities of light and time of day or night to his works in all media, they bear no resemblance whatever to the paintings of the Impressionists or Neo-Impressionists. The pure hues of the spectrum, divisionist brushwork and juxtaposition of complementary colors never attracted him. He chooses tones and hues that fit the subjects he paints: brick and gas-pump reds, grass green, the white and blue of clapboards in sunlight and shadow, shingle and mahogany browns, flesh, asphalt, the cold tones of business offices. His light ranges, as Lloyd Goodrich has emphasized, from pure white to shadows that are almost black. The bulk and solidity of objects is retained, and the delineation of edges (which the Impressionists avoided) is clear and sharp. Except for an occasional patch of sky, grass, foliage or some other imprecise object or necessary effect, the brushstroke—in truly Impressionist painting the irreducible unit of form—is never permitted to break free of the object it depicts. Nor, other than in a few early paintings, does he take advantage of the sensuous impasto of which oil pigment is capable.

What is perhaps the most fundamental divergence of Hopper's art from Impressionism is conceptual rather than technical. Monet took a specific motif, on a particular day or even during a single half-hour, as his point of departure. Hopper's paintings in oil, conceived in his mind before they were executed, are never the record of a single perceptual encounter with a scene or event, even though an existing building or landscape is sometimes re-created with crystal clarity. "Most of my paintings are composites," he told Katharine Kuh in 1962, "not taken from any one scene." His compositions arise from a synthesis of observations, impressions and thoughts, are carefully and intellectually

passasse os verões na Nova Inglaterra) desintegra-se ante a alta temperatura existencial e mesmo sensual de algumas de suas pinturas. Durante três prolongadas viagens à Europa, entre 1906 e 1910, se Hopper tivesse sido um Stanton Macdonald-Wright, um Max Weber ou um Morgan Russell, êle poderia ter procurado a arte moderna que o teria induzido ao abstracionismo e ao vanguardismo. Mas o que êle viu em Paris foi a luz. Nas cenas do cais e das pontes ao longo do Sena pintadas direta e livremente, é aparente a facilidade com que êle teria dominado o método dos impressionistas, cuja pintura êle admirava e de cuja finalidade, em parte, compartilhava. "Meu objetivo na pintura", declarou êle uma vez, "tem sempre sido o da mais exata transcrição possível de minhas impressões mais profundas da natureza". Chegou mesmo a descrever-se como um Impressionista. Mesmo assim, a não ser pela continuação—apenas nas aquarelas—da pintura diretamente do motivo, prontamente abandonou o Impressionismo. Se bem que Hopper tenha estado sempre absorvido pela luz, natural ou artificial, e que sejam essenciais as qualidades de luz e a hora do dia ou da noite, para seus trabalhos em tôdas as técnicas, êstes não apresentam qualquer semelhança com as pinturas dos Impressionistas ou dos Neo-Impressionistas. As nuanças puras do espectro, pinceladas separadas e a justaposição de côres complementares nunca o atraíram. Êle escolhe tons e nuanças que se ajustam ao tema que pinta: vermelho-tijolo, vermelho-vivo, verde-grama, o branco e o azul de sarrafos à luz do sol e na sombra, marrons-telha ou marrons-mogno, côr de carne, de asfalto, os tons frios de escritórios comerciais. Sua luz, como acentuou Lloyd Goodrich, vai desde o branco puro até às sombras que são quase pretas. O volume e a solidez dos objetos são retidos e a delineação dos contornos (que os Impressionistas evitavam) é brilhante e nítida. Excepto por raras manchas de céu, grama, folhagem ou por algum objeto vago ou um efeito necessário, a pincelada—em verdadeira pintura Impressionista, a irredutível unidade de forma—não pode nunca desprender-se do objeto retratado. A não ser em poucas pinturas iniciais, tira êle proveito do empastamento sensual de que o óleo é capaz. Talvez a divergência fundamental da arte de Hopper do Impressionismo seja antes conceptual do que técnica. Monet escolheu um motivo específico em um certo dia ou mesmo durante uma simples meia-hora, como ponto-de-partida. As pinturas a óleo de Hopper, concebidas em sua mente antes de serem executadas, nunca são o registro de um simples perpétuo encontro com uma cena ou acontecimento,

planned, and take form within a preconceived pictorial language.

French art proved to Hopper that "a nation's art is greatest when it most reflects the character of its people." He belongs by choice to the tradition of American Realism. Nonetheless little is gained (excepting a few instances in which his people have a second-cousin resemblance to those painted by his friend Guy Pène du Bois) by thinking of him in the company of Luks, Sloan, Burchfield, Bellows or the American Scene painters. Now he should be seen against the broad panorama of Western art. In this context, even though his subjects are regional, both style and method of work place him within the classical tradition. Unlike Monet, Mondrian, Kandinsky or other artists whose manner evolved toward some nebulous goal, Hopper's development need not be apprehended as a sequence of alterations in concept, sensibility or style. Although minor changes can be noted, differences in date as wide as that between *Hotel Room* (1931), Plate B, and *A Woman in the Sun* (1961) are almost irrelevant. The Classicist is concerned with being rather than becoming. Hopper has maintained an enduring attachment to a single ruling concept of form unaffected, fundamentally, by developmental revisions. He is a Classicist also by virtue of an all but Davidian spareness and severity in his placing of objects, the immobility of his figures, and the severe rectilinear and parallel relationships that make up his characteristic compositional structure. His scrupulously disposed backgrounds, figures and objects, swept clean of the clutter of everyday life so dear to the genre painter, are embodiments of ideas as well as representations of nature and human situations. As a result his tableaux of life— suspended, silent and immobile—have a dramatic power truer to inner experience than the painting of any more anecdotal Realist.

No portrayal in art of a nation as vast and diverse as the United States can be anything but fragmentary, even in as embracing a form as the novel. Entirely different impressions, depending on period and locality as well as on individual viewpoint, arise from the works of F. Scott Fitzgerald, Sinclair Lewis, John Steinbeck, William Faulkner, John Dos Passos or Jack Kerouac. Painting cannot begin to handle a comparable variety of images, and for a more encyclopedic multiplication of subjects and aspects one must look to photography, the film, television or the press. Hopper's images ring so true because they reflect personal conviction and feeling rather than a program of social comment. The truth to which one responds is that of art distilled from

se bem que um edifício ou uma paisagem sejam às vêzes reproduzidos com uma transparência de cristal. "A maioria de minhas pinturas são compostas", disse êle a Katharine Kuh em 1962, "e não tiradas de alguma cena". Suas composições resultam de um conjunto de observaçoes, impressões e pensamentos, cuidadosa e intelectualmente planejados e tomam forma dentro de uma linguagem pictórica preconcebida.

A arte francesa provou a Hopper que "a arte de uma nação é superior quando reflete principalmente o caráter de seu povo". Êle pertence por escolha e tradição ao Realismo Americano. Entretanto, pouco se ganha (a não ser em raros exemplos onde as figuras apresentam uma semelhança de primo em segundo grau com aquelas pintadas por seu amigo Guy Pène du Bois) em imaginá-lo na companhia de Luks, Sloan, Burchfield, Bellows ou na dos pintores da "Cena da Vida Americana". Êle deveria ser visto contra o amplo panorama da arte Ocidental. E aqui, se bem que seus motivos sejam regionais, ambos estilo e método de trabalho o colocam dentro das tradições clássicas. Ao contrário de Monet, Mondrian, Kandinsky ou de qualquer outro artista cujo estilo evoluiu em direção a um objetivo vago, a evolução de Hopper não deve ser concebida como uma seqüência de alterações no conceito, sensibilidade ou estilo. Ainda que se possa notar pequenas mudanças, as diferenças de datas tão grandes quanto as dos quadros *Quarto de Hotel* (1931) e *Uma Mulher ao Sol* (1961), são quase que descabidas. O classicista se preocupa mais com o ser do que com o vir a ser. Hopper tem mantido uma duradoura devoção a um único conceito predominante de forma não essencialmente afetada por revisões evolucionárias. Êle é um clássico também graças a uma quase que Davidiana parcimônia e severidade, na colocação dos objetos, na imobilidade de suas figuras, nas intensas relações retilíneas e paralelas que formam sua característica estrutura de composição. A arrumação escrupulosa dos segundos planos, figuras e objetos, afastados da confusão da vida cotidiana (tão cara ao estilo do pintor) são personificações de imagens bem como representações da natureza e de situações humanas. Como resultado, seus quadros da vida—suspensos, silenciosos e imóveis—têm um poder dramático mais fiel à experiência interior do que a pintura de qualquer dos mais anedóticos Realistas.

Nenhuma reprodução artística de uma nação tão vasta e diversa como os Estados Unidos pode deixar de ser fragmentária, ainda que numa forma tão ampla como a do romance. Impressões inteiramente diversas, dependendo de

14. Edward Hopper
THE CAMEL'S HUMP
A CORCOVA DO CAMELO
32¼x50⅛" 1931

life, not that of sociology or journalism; yet the sense of objectivity and accuracy is inescapable as one factor contributing to his reputation as the most American of painters.

Hopper's portrayals of the terrain of the United States always convey a topographical convincingness, yet landscapes without buildings are rare among his oils, and one does not think of him as a landscape painter. Nevertheless, such works as *The Camel's Hump*—stark, unseductive and painted with consummate solidity and breadth—cannot be forgotten in considering the power and range of his art. The majestic *House by the Railroad* combines two of his favorite motifs: a mansard-roofed Victorian house and a railroad line. Only the postcard-blue sky and the strong light and shadow belong to nature.

Precise and dramatic illustrations for a study of American architecture during the early years of industrialization could be selected from among Hopper's paintings. They would include fine examples of those Victorian houses that only now, as they begin to disappear, are regaining the dignity that the original owners saw in them, and in which not long ago we could see only ugliness. Lloyd Goodrich has quoted Hopper concerning the "hideous beauty" of our na-

período e de localidade, bem como do ponto-de-vista individual, surgem dos trabalhos de F. Scott Fitzgerald, Sinclair Lewis, John Steinbeck, William Faulkner, John Dos Passos ou de Jack Kerouac. A pintura não pode empregar uma comparável variedade de imagens e para uma maior enciclopédica multiplicação de assuntos e aspectos deve-se procurar a fotografia, o filme, a televisão ou a imprensa. As imagens de Hopper soam tão bem porque refletem convicções e sentimentos pessoais em vez de um programa de observações sociais. A verdade que exerce reação é a da arte destilada da vida e não da sociologia ou do jornalismo; ainda assim, o sentido de objetividade e de exatidão é inevitável como um fator que contribui para sua reputação como o mais americano dos pintores.

As reproduções de Hopper do terreno dos Estados Unidos sempre transmitem uma topografia convincente, entretanto paisagens sem edifícios são raras entre seus óleos e não se pensa nele como um paisagista. No entanto, certas obras como *A Corcova do Camelo*—rígida, sem encanto, e pintada com uma consumada solidez e amplitude—não podem ser esquecidas considerando-se a fôrça e o alcance de sua arte. A majestosa *Casa à Beira da Estrada de Ferro* combina dois

18. Edward Hopper
EAST WIND OVER WEEHAWKEN
VENTO ESTE SÔBRE WEEHAWKEN
34½ x 50½″ 1934

24. Edward Hopper
ROUTE 6, EASTHAM
RODOVIA 6, EASTHAM
27 x 38″ 1941

tive architecture, with "its fantastic roofs, pseudo-Gothic, French mansard, Colonial, mongrel or whatnot . . . ." There are blocks of New York walk-ups (as in *Early Sunday Morning*, Plate A, with its mysterious light coming from far outside the picture, as in Corot's early Italian scenes), severe office-building facades, in *The Circle Theatre* an entire city square, as well as poor, boxlike habitations isolated beside country roads. One can find commanding lighthouses, sharply delineated homes of New England sea captains, clustered farm buildings, and, in such paintings as *East Wind over Weehawken*, entire neighborhoods of the "mongrel" houses that most Americans lived in before the years of far uglier suburbias made up of endlessly multiplied ranch-types and split-levels. Architectural minutiae are eliminated, but nothing is permitted to obscure the basic geometry of Hopper's buildings. They have a clarity and presence one experiences in actuality only during rare moments of heightened perception. Many of the paintings that include architecture (as well as most of the interiors) emphasize windows and doors. One looks into, or out of, buildings. "It's hard," Hopper has said, "to paint outside and inside at the same time."

Some landscapes are dominated by a highway. Its disappearance toward the horizon is accentuated, in *Route 6, Eastham*, by a dividing stripe. The presence of the road can also be suggested by a fence that one knows parallels it, or by a bridge over which the road passes. Highways and railroads have a somewhat similar meaning. An etching of 1920, *American Landscape* (five years before *House by the Railroad*), includes a bare house rising behind a horizontal cut of track over which three cows cross. Mr. and Mrs. Hopper are both rail and automobile travelers, and have therefore observed the United States from the same moving vantage points as have millions of other tourists. Watercolors painted directly on the site during auto trips served to impress specific images on the artist's memory. "To me the most important thing is the sense of going on," Hopper once said. "You know how beautiful things are when you're traveling." He has given repeated attention, as Sidney Tillim has emphasized, to "subjects which were also symbols of transience—railroads, cafeterias, gas stations, motels and hotels, rooming houses, some containing weary wanderers, others uninhabited by anything but the light of a particular hour . . . ."

Hopper is a master who magnifies the significance of the artifacts he represents: not only buildings, but also sections of buildings (such as the masonry blocks of apartment

dos seus motivos preferidos: uma casa da era vitoriana com telhado de mansarda e uma linha de estrada de ferro. Sòmente o céu de cartão postal e a intensa luz e sombra pertencem à natureza.

Ilustrações precisas e dramáticas para um estudo da arquitetura americana durante os primeiros anos da industrialização, poderiam ser escolhidas entre as pinturas de Hopper. Elas incluiriam bons exemplos daquelas casas da era vitoriana, que sòmente agora, quando começam a desaparecer, estão recobrando a dignidade que seus primeiros proprietários viam nelas e nas quais, até há pouco tempo, víamos sòmente feiura. Lloyd Goodrich citou Hopper no que diz respeito à "chocante beleza" de nossa arquitetura nacional, com "seus telhados fantásticos, pseudo-góticos, mansardas francesas, coloniais, mistura de estilos e não sei que mais . . .". Há grupos de prédios de moradia de Nova Iorque (como em *Domingo Cedinho*, com suas luzes misteriosas vindo longe, de fora do quadro, como nas primeiras cenas italianas de Corot); fachadas severas de edifícios de escritórios; na *Praça do Teatro* uma praça inteira da cidade, tão boa quanto pobre, habitações tipo caixotes, isoladas ao longo de pequenas estradas. Há imponentes faróis; casas de capitães do mar, na Nova Inglaterra, nìtidamente delineadas; agrupamentos de edificações de fazendas e, em pinturas como *Vento Este sôbre Weehawken*, bairros inteiros de casas de diversas "misturas" de estilos onde a maioria dos americanos morava antes dos muito mais feios subúrbios, formados de infindáveis multiplicações de casas tipo rancho e de casas modernas em vários planos ("split-level"). As minúcias arquitetônicas são eliminadas mas nada obscurece a geometria básica dos edifícios de Hopper. Êles têm clareza e presença, as quais se sente na realidade sòmente em raros momentos de exaltada percepção. Muitas das pinturas que mostram arquitetura (bem como interiores), acentuam janelas e portas. Olha-se ou para dentro, ou para fora dos edfícios. "É difícil", disse Hopper, "pintar a parte de fora e a parte de dentro ao mesmo tempo".

Algumas paisagens são dominadas por uma estrada. O desaparecimento da estrada em direção ao horizonte é acentuado em *Rodovia 6, Eastham* por uma linha divisora. A presença da estrada também pode ser sugerida por uma cêrca, que se sabe, corre paralelamente ou por uma ponte pela qual ela passa. Estradas de ferro e estradas de rodagem têm um significado um tanto análogo. Uma gravura de 1920, *Paisagem Americana* (cinco anos antes de *Casa à Beira da Estrada de Ferro*), mostra uma casa desguarnecida que surge detrás de um corte horizontal de trilhos através

houses and office façades), railroad cars, telephone and barber poles, gas pumps and hydrants, window frames and moldings, dressers, tables and chairs, cash registers, clocks and framed reproductions hanging on plain walls. As tragic drama is stripped of irrelevant chatter, Hopper's compositions are never contaminated by paraphernalia and litter. The objects he paints are not simply still-life representations or anecdotal props: they have been projected into the realm of ideas, distilled to their essence by a mind that has scrutinized the world of artifacts again and again. One knows that he has meditated on their form and function as well as on their relation to each other and to the beings to whose use they are dedicated. "He doesn't waste a thing," O'Doherty comments on Hopper, "a gesture, a brushstroke, a word, a thought." He has often said that what he is trying to paint is himself. This thought is expanded in one of his favorite quotations, from Goethe, which defines the goal of literature as "the reproduction of the world that surrounds me by means of the world that is in me, all things being grasped, related, re-created, moulded and reconstructed in a personal form and an original manner." Again: ". . . outside and inside at the same time."

Although Hopper never seems to romanticize, either in choice of themes or their treatment, the sense of need, of unfulfillment, of alienation from human companionship which his paintings can arouse is profound. (The opposite mood, one of embracing warmth and protectiveness, is compassionately expressed in Picasso's family groups of 1904–1905.) The types that make up Hopper's *dramatis personae* are drawn from various professional and social groups.

There are sedate members of the upper class, doing nothing in a hotel lobby or, formally attired, in a theater waiting for the curtain to rise; middle-class and poorer occupants of hotel and motel rooms, railroad compartments and restaurants; office workers, as typical as statistics; an ungainly teen-age couple leaning against the porch railing on a summer night; another couple, older, glued to stools of an all-night lunch room; a waitress, a gas station attendant, an old man in a Pennsylvania coal town raking his lawn; customers in the automat, the cafeteria and the barber shop.

Yet, important as these settings are for Hopper's poetry of the American environment, distinctions of class, occupation or activity are all but irrelevant to what his people seem to experience. Meditating, brooding—striving, it seems, to evolve a philosophy of acceptance—or momentarily diverted by books or magazines that free them from the weight of actuality, they are members of one psychic

dos quais passam três vacas. Hopper e sua mulher são ambos viajantes de estradas de ferro e estradas de rodagem, e por isso têm observado os Estados Unidos do mesmo ponto móvel favorável que milhões de outros turistas. Aquarelas pintadas diretamente no local, durante viagens de automóvel, serviram para fixar imagens específicas na memória do artista. "Para mim a coisa mais importante é a sensação do movimento", disse Hopper certa vez. "A gente só vê como as coisas são bonitas quando está viajando". Êle prestou repetida atenção, como acentuou Sidney Tillim, a "assuntos que também eram símbolos de transitoriedade—estradas de ferro, restaurantes (cafeterias), postos de gasolina, motéis e hotéis, pensões, algumas com vagabundos fatigados, outras habitadas sòmente pela luz de uma certa hora . . .".

Hopper é um mestre que exagera a significação dos artefatos que êle representa: não apenas edifícios, mas também fragmentos de edifícios (tais como grupos de edifícios de apartamentos de alvenaria e frontispícios de edifícios de escritório), vagões, postes de telefone e de barbeiro (poste de barbeiro nos E.U.A. é um poste listado de vermelho, azul e branco à porta da barbearia—símbolo do barbeiro), bombas de gasolina e hidrantes, molduras e cornijas de janela, cômodas, mesas e cadeiras, caixas registradoras, relógios e reproduções emolduradas penduradas em paredes lisas. Assim como o drama trágico é despido de tagarelices irrelevantes, as composições de Hopper nunca são contaminadas por accessórios pessoais ou objetos em desordem. Os objetos que êle pinta não são simples reproduções de natureza-morta ou sustentáculos anedóticos: êles foram projetados para a esfera de concepções, purificadas em sua essência por uma mente que tem muitas vêzes esmiuçado o mundo dos artefatos. Sabe-se que êle meditou sôbre suas formas e funções, assim como na relação existente entre si e entre os sêres para cujo uso êles são devotados. "Êle não perde nada", diz O'Doherty, de Hopper, "um gesto, uma pincelada, uma palavra, um pensamento". Êle tem frequentemente dito que o que está tentando pintar é a si mesmo. Êste pensamento alarga-se em uma de suas prediletas citações de Goethe, a qual define a finalidade da literatura como "a reprodução do mundo que me cerca através do mundo que está dentro de mim; tôdas as coisas captadas, relacionadas, recriadas, moldadas e reconstruídas de uma forma pessoal e de uma maneira original". Outra vez ". . . o exterior e o interior ao mesmo tempo".

Se bem que Hopper nunca pareça romantizar, quer na escolha dos temas ou no tratamento dos mesmos, o sentido de

17. Edward Hopper
ROOM IN NEW YORK
QUARTO EM NOVA YORK
29x36″ 1932

family, contemplative and melancholic. Almost never, as in *Conference at Night*, do more than two individuals try to communicate, and even in this case, it is evident, the three business associates confer on a coldly impersonal plane. Scenes in public places divide into couples, service personnel and loners. None of these, even man and wife, appear to share with each other the challenges of existence that often seem to burden them: one sleeps while the other ponders; one reads while the other stares dourly through the window holding a flameless cigarette. This solitariness, the imprisonment of the individual within his own body, thoughts and feelings, is specifically emphasized in *Room in New York*. Seen through the window from the outside, as on a stage, a husband reads his newspaper while his wife, separated from him by a circular table, sits at the upright piano and, in a charade of utter boredom, picks out a tune with her index finger. A subject often repeated is that of a solitary woman, unclothed, or almost so, and neither seductive nor ugly. In *Hotel Room*, Plate B, the female occupant sits primly on a neatly made bed in her slip, clothes and luggage beside her, a book that her eyes do not see held in both hands on her lap. *Girlie Show*—a surprising subject for

necessidade, de insatisfação, de alienação da companhia humana, que suas pinturas podem despertar, é profundo. (O sentimento oposto, o de calor envolvente e de proteção, é compassivamente expresso por Picasso nos grupos de família de 1904–1905). Os tipos que formam o *dramatis personae* de Hopper, são extraídos de vários grupos profissionais e sociais. Há representantes graves da classe aristocrática, sem fazer nada, em salões de hotéis ou vestidos a rigor, em teatros, esperando que comece o espetáculo; ocupantes de quartos de hotéis ou motéis, vagões de estradas de ferro e de restaurantes, da classe média ou pobre; empregados de escritórios, tão típicos quanto dados estatísticos; um casal desajeitado de adolescentes, debruçados na grade de um terraço, numa noite de verão; outro casal, mais velho, grudado nos bancos de um pequeno restaurante; uma garçonete, um empregado de pôsto de gasolina, um velho numa cidade de minas de carvão da Pensilvânia, ciscando a grama; fregueses de um restaurante automático, de restaurantes e de barbearias.

Contudo, embora êsses cenários sejam importantes para a poesia de Hopper do meio-ambiente americano, distinções de classe, ocupação ou atividade—não são descabidas pelo

a "puritan"—presents a flamboyant burlesque stripper who parades naked before an audience of shadowed heads. It could be this same performer, tall, voluptuous, her long hair now blond, who lolls (as Hopper's figures seldom do) in an overstuffed chair at the right of *Hotel Lobby*.

The compelling existential substance of Hopper's figure paintings, it goes without saying, comes about not because of backgrounds, objects, or even figures in isolation, but because of a nuanced complicity among all three, augmented by the abstractly beautiful compositions, the hard fluorescence of the lighting, the merciless description of the human body, the blunt forthrightness of the color, and the frugality of the paint surfaces. Such easily ignored peripheral details as corners and right-angular intersections are of immense importance, and the geometric dividing edges between light and shadow areas are far more significant than they may at first appear. The resulting patterns are as essential to creation of mood in the interior subjects as they are to the crisp definition of architectural detail in the exteriors.

que suas figuras parecem experimentar. Meditando, remoendo—lutando, parece, para evolver uma filosofia de aceitação—ou momentâneamente desviadas por livros ou revistas que as livram do peso da realidade, elas são membros de uma família psíquica, contemplativa e melancólica. Quase nunca, como em *Conferência à Noite*, mais de dois indivíduos tentam comunicar-se, e mesmo neste caso, é evidente que, os três sócios conferenciam num plano calculadamente impessoal. As cenas em lugares públicos dividem-se entre casais, empregados e solitários. Nenhum deles, nem mesmo marido e mulher, parecem compartilhar um com o outro do desafio de uma existência que freqüentemente parece oprimi-los: um dorme enquanto o outro medita; um lê enquanto o outro olha melancòlicamente pela janela, segurando um cigarro apagado. Essa solidão, o confinamento do indivíduo em seu próprio ser, pensamentos e sentimentos, são acentuados em *Quarto em Nova York*. Visto pela janela, do lado de fora, como num palco, um marido lê o jornal, enquanto sua mulher, separada dele por

26. Edward Hopper
HOTEL LOBBY / SAGUÃO DE HOTEL
32 x 48" 1943

As a result of these combined means, the spectator unconsciously makes a leap to the experience of Hopper's protagonists. Like their surroundings, their meditations (except for those who evade by work or divertisement) must be divested of everything meretricious, frivolous or superfluous. Essential to this implication—but immediately evident once it is noticed—is the absence of the surface ornamentation endemic to the actuality from which Hopper's subjects derive. Planes, volumes and shapes are never softened, confused or camouflaged by the patterned wallpaper, rugs, table and bed covers, lamp shades, dresses and hats that a reportorial Realist would feel compelled to include. (Equally personal, but at the furthest remove from Hopper, is the "intimism" of Vuillard's interiors, brought about by the interlocked patterns, stripes and pointillist brushwork that pad his rooms and embrace his figures, pressing them inward with a womblike contraction.) There is no superficial ornament in Hopper's world. Draperies are plain and hang straight; dresses, suits and hats are of unfigured materials, abstracted to an elemental simplicity of shape. Even in the baroque interior of *New York Movie*, ornament and pattern are barely discernible.

uma mesa redonda, senta-se ao piano de parede e, num gesto de absoluto tédio, toca uma melodia com o dedo indicador. Um assunto freqüentemente repetido é o de uma mulher solitária, despida ou quase despida, nem atraente e nem feia. Em *Quarto de Hotel*, a mulher de combinação, senta-se empertigadamente em uma cama caprichosamente arrumada, com roupas e malas ao seu lado e segura com ambas as mãos um livro que tem ao colo e que seus olhos não vêem. "Girlie Show"—um assunto surpreendente para um "puritano"—mostra uma vistosa artista de teatro de revistas, desfilando nua perante uma assistência de cabeças sombreadas. Poderia ser esta mesma artista, alta, volutuosa, seus longos cabelos agora louros, que se reclina (como raramente o fazem as figuras de Hopper) em uma cadeira estofada à direita do *Saguão de Hotel*.

A fôrça da substância existencial das figuras nas pinturas de Hopper, não é preciso dizer, não se encontra aí por causa do fundo, dos objetos ou mesmo das figuras em isolamento, mas por causa de uma cumplicidade matizada entre os três, aumentada pelas composições abstratamente bonitas, da forte fluorescência da iluminação, da impiedosa descrição do corpo humano, da brusca franqueza de côr e da fruga-

The mechanical impersonality of electric lighting, like his cold sunlight, is especially suitable to Hopper's clear delineation of figures and objects. One marvels, looking at such a work as *Office at Night*, that in 1940 any American painter devoted so much care and skill to the depiction of commercial activity and its utilitarian setting and equipment. The graceless walls, partitions and furnishings of the office are measured by the projection of electric lighting from both inside and out. The desk, the heavy office chairs, the umbrella stand, telephone and lamp, the typewriter and papers are given a psychedelic clarity. Against these artifacts the rounded body of the secretary is strikingly sensuous. By contrast with her strong form and assured stance, her employer is a hollow man, hardly human. Nevertheless an almost painful psychic, even sexual, tension results.

Although the nuances of interaction in Hopper's art cannot profitably be analyzed in detail, its primary elements

23. Edward Hopper
OFFICE AT NIGHT
ESCRITÓRIO À NOITE
22⅛x25" 1940

lidade das superfícies pintadas. Certos detalhes periféricos facìlmente esquecíveis como ângulos e cantos em ângulo reto, são de imensa importância, e as geométricas margens divisoras entre as áreas de luz e sombra, são muito mais importantes do que podem parecer à primeira vista. As formas que resultam são tão essenciais à criação de uma atmosfera nos temas interiores, como o são à clara definição dos detalhes arquitetônicos nos temas exteriores.

Como resultado dêsses meios combinados, o espectador inconscientemente aproxima-se das experiências dos protagonistas de Hopper. Como seus ambientes, suas meditações (a não ser daquêles que se evadem através o trabalho ou o divertimento) devem ser despojadas de qualquer coisa vulgar, frívola ou supérflua. Indispensável a êste comprometimento mas imediatamente evidente uma vez notada— é a ausência da ornamentação superficial, endêmica à realidade da qual os temas de Hopper originam-se. Planos, volumes e formas nunca são suavizados, confundidos ou camuflados por papéis de parede desenhados, tapetes, cobertas de mesa ou de cama, quebra-luzes, vestidos e chapéus, que um Realista sentir-se-ia compelido a incluir. (Igualmente pessoal, mas muito afastado de Hopper, é o "intimism" dos interiores de Vuillard, causado pelo entrelaçamento de desenhos, pinceladas em listas e pontilhistas que enchiam seus quartos e envolviam suas figuras, empurrando-as para dentro em uma contração de útero). Não há ornamentos superficiais no mundo de Hopper. As cortinas são lisas e caem retas; vestidos, costumes e chapéus são de fazendas lisas, numa pura simplicidade de forma. Mesmo no interior barroco de *Cinema em Nova York*, ornamento e desenho são difìcilmente visíveis.

A mecânica impersonalidade da luz elétrica, como sua fria luz do sol, é particularmente apropriada aos contornos puros das figuras e objetos de Hopper.

Fica-se admirado, vendo-se um trabalho como *Escritório à Noite*, que, em 1940, um pintor americano tivesse devotado tanto cuidado e habilidade na descrição de atividades comerciais e em sua estrutura e equipamentos utilitários. As paredes deselegantes, divisões e móveis do escritório são equilibrados pela projeção da luz elétrica tanto de dentro quanto de fora. A escrivaninha, as pesadas cadeiras de escritório, o porta-guarda-chuva, o telefone e o quebra-luz, a máquina-de-escrever e papéis recebem uma claridade "psychedelic". Contra êsses objetos, o corpo arredondado da secretária é extremamente sensual. Em contraste com sua forte constituição e confiante postura, seu patrão é um homem encovado, difìcilmente humano. Entretanto,

EDWARD HOPPER by William C. Seitz

can at least be stated. First of all he is a Realist, but one concerned with essentials, not incidentals or accidents. His procedure from idea to form could be summarized by quoting the Cubist Juan Gris: "I start with an abstraction in order to arrive at a true fact. Mine is an art of synthesis, of deduction."

Because of this procedure, and also by virtue of his predisposition toward structure and essentialization, Hopper belongs among the Classicists. Yet, not only in figure subjects, but in paintings of interiors—and even in those exteriors seen in early morning or late afternoon light, some surrounded by dark shadows or woods—he is an existential painter as well. Edvard Munch painted extremes of love, anxiety, death and terror. Hopper's themes are never so melodramatic, and are closer to ordinary life. The familiar tension that he presents to us of human aspiration confronted with mortality, monotony and the inability to communicate is not comforting but it meets the test of subjective experience. Whether such responses to existence are characteristically Western, American or contemporary is difficult to determine.

uma quase que penosa, mesmo sensual tensão, resulta.

Se bem que as nuanças da interação na arte de Hopper não possam ser proveitosamente analisadas em detalhe, seus elementos básicos podem, pelo menos, ser expressos. Antes de tudo êle é um Realista, mas um Realista preocupado com o essencial e não com o incidental ou com circunstâncias. Seu procedimento, da concepção à forma, poderia ser sumarizado citando-se o cubista Juan Gris: "começo com o abstrato para chegar a um fato verdadeiro. Minha arte é uma arte de síntese, de dedução". Por causa dêste procedimento, e também graças a sua predisposição para com a estrutura e a essencialidade, Hopper faz parte dos Classicistas. Todavia, não sòmente nos motivos do desenho, como nas pinturas de interiores—e mesmo naqueles exteriores vistos à luz do amanhecer ou do entardecer, alguns cercados por sombras escuras ou bosques—êle é igualmente um pintor existencial. Edward Munch pintou extremos de amor, ansiedade, morte e horror. Os temas de Hopper nunca são tão melodramáticos e estão mais próximos da vida comum. A tensão familiar, que êle nos apresenta, da aspiração humana confrontada com a mortalidade, a monotonia e a incapacidade de comunicação, não é confortante, mas satisfaz ao teste da experiência subjetiva. Se tais reações à existência são caracterìsticamente do Oeste, americanas ou contemporâneas, é difícil de ser determinado.

BIOGRAPHICAL NOTE

by Lloyd Goodrich

EDWARD HOPPER was born July 22, 1882, at Nyack, N.Y., son of Garrett Henry Hopper and Elizabeth Griffiths Smith Hopper. He was educated at a local private school, then in the Nyack High School. In the winter of 1899–1900 he studied illustration at a commercial art school in New York; from 1900 to about 1906 he studied at the New York School of Art, at first illustration, then painting under Robert Henri and Kenneth Hayes Miller.

In the fall of 1906 he went abroad for about nine months, visiting England, Holland, Germany and Belgium, but spending most of his time in Paris, where he painted city scenes. He went again in the summer of 1909 for about six months, spent entirely in France, chiefly in Paris, again painting city scenes. His last trip was in the summer of 1910 for about four months, to France and Spain, with little or no painting.

He lived in New York from 1908 until his death in 1967. After leaving art school he made his living by commercial art and some illustration, painting in his free time, and in the summers; at Gloucester, Massachusetts, in 1912, at Ogunquit, Maine, about 1914 and 1915, and at Monhegan, Maine, about 1916. He exhibited for the first time in March 1908 with other Henri students at the Harmonie Club, New York. Included in the Armory Show, 1913, he sold an oil, *Sailing*. Because of lack of opportunities to exhibit he painted little from 1915 to 1920.

· In 1915 he took up etching, producing about fifty plates in the next eight years. His prints were admitted to exhibitions from 1920 on and won two prizes in 1923.

The Whitney Studio Club gave him his first one-man show, of Paris oils, in January 1920; and in 1922 a show of Paris watercolor caricatures. From about 1920 he worked more in oil, and in 1923 began to paint watercolors. In November 1924 Frank K. M. Rehn, New York, gave the first exhibition of recent watercolors, which was a success. Four one-man shows were held in the next few years: at the St. Botolph Club, Boston, thirty prints and ten watercolors, in April 1926; the Rehn Gallery, four oils, twelve watercolors, and prints, in February 1927; the Morgan Memorial, Hartford, twelve watercolors, in November 1928; and the Rehn Gallery, twelve oils, ten watercolors, and drawings, in January 1929. He was included in "Paintings by Nine-

NOTA BIOGRÀFICA

por Lloyd Goodrich

EDWARD HOPPER nasceu a 22 de julho de 1882, em Nyack, Estado de Nova York. Seus pais foram Garrett Henry Hopper e Elizabeth Griffiths Smith Hopper. Fez o curso primário em uma escola particular e o secundário no Ginásio Nyack. No inverno de 1899–1900 estudou ilustração em uma escola de arte industrial de Nova York; de 1900 a cêrca de 1906 estudou primeiro ilustração e depois pintura com Robert Henri e Kenneth Hayes Miller, na Escola de Arte de Nova York.

No outono de 1906 viajou para o exterior, onde permaneceu durante nove meses, tendo percorrido a Inglaterra, Holanda, Alemanha e Bélgica. A maior parte do tempo, porém êle passou em Paris, onde pintou cenas da cidade. Tornou a visitar a Europa em 1909 tendo dessa vez ido apenas à França, onde durante seis meses permaneceu a maior parte do tempo em Paris, pintando novamente cenas da cidade. Sua última viagem foi no verão de 1910.

Hopper morou em Nova York desde 1908 até sua morte em 1967. Ao deixar a Escola de Arte começou a ganhar a vida trabalhando em arte comercial e fazendo algumas ilustrações. Pintava sempre nas horas vagas e durante os meses de verão, os quais passou em Gloucester, Estado de Massachusetts (1912); Ogunquit, Estado do Maine (1914 e 1915) e em Monhegan, Estado do Maine (1916). Expôs pela primeira vez no "Harmonie" Club de Nova York, em março de 1908, juntamente com outros alunos de Henri.

Em 1913, expôs no "Armory Show", tendo na ocasião vendido um quadro a óleo "Sailing." Por dificuldade em expor, êle pouco pintou de 1915 a 1920.

Em 1915 êle começou a trabalhar em gravação, tendo feito cêrca de cinqüenta gravuras durante os oito anos que se seguiram.

O "Whitney Studio Club" deu-lhe a primeira oportunidade para uma mostra individual. Aí foram expostos em 1920 seus óleos de Paris. Em 1922, no mesmo local, êle expôs suas caricaturas em aquarela, feitas também em Paris. A partir de 1920 mais ou menos, êle dedicou-se mais à pintura a óleo e em 1923 começou a pintar aquarelas. Em novembro de 1924, a galeria Frank K. M. Rehn, de Nova York, patrocinou a primeira mostra de suas últimas aquarelas, a qual foi um sucesso. Nos anos que se seguiram êle expôs individualmente quatro vêzes. Em abril de 1926,

teen Living Americans" at the Museum of Modern Art, December 1929. A number of articles on or by him appeared in these years, especially in *The Arts*.

He married the painter Josephine Verstille Nivison, July 9, 1924. From that time on, they lived in the winters at 3 Washington Square North, New York, where Hopper had lived since 1913. Summers were spent mostly in New England: at Gloucester in 1923, 1924, 1926 and 1928; at Rockland, Maine, in 1926; and at Cape Elizabeth, Maine, in 1927 and 1929. In 1925 they made their first trip West, to Santa Fé; and in 1929 they visited Charleston, S.C. In 1930 they built a house in South Truro, Cape Cod, which has been their summer home since then. They visited the White River Valley of Vermont in 1936, 1937 and 1938. In 1941 they made an automobile trip to the West Coast; and in the summers of 1943, 1946 and 1953 they travelled to Mexico. Hopper painted watercolors on all these trips. Six months, December 1956 to June 1957, were spent at the Huntington Hartford Foundation, Pacific Palisades, California.

From the late 1920's he was represented regularly in the chief national exhibitions in the United States. Since 1930 the most important one-man exhibitions have been: Museum of Modern Art, New York, Retrospective Exhibition, November 1933, most of it shown at the Arts Club of Chicago, January 1934. Carnegie Institute, Paintings, Water Colors and Etchings, March 1937. Art Institute of Chicago, twenty-one oils included in the 54th Annual Exhibition of American Paintings and Sculpture, October 1943. Whitney Museum of American Art, Retrospective Exhibition, February-March 1950, later shown at the Museum of Fine Arts, Boston, April 1950, and the Detroit Institute of Arts, June 1950. Currier Gallery of Art (November 1959), Rhode Island School of Design (December 1959), and Wadsworth Atheneum (January 1960), Watercolors and Etchings. Philadelphia Museum of Art, Complete Graphic Work, October 1962, later shown at the Worcester Art Museum. University of Arizona Art Gallery, Retrospective Exhibition, 1963. Munson-Williams-Proctor Institute, Oils and Watercolors, May 1964. In New York, Frank K. M. Rehn, Inc., held a series of one-man shows in the 1940's: early paintings, January 1941; watercolors, December 1943; and paintings, January 1948. Hopper was one of four artists chosen by The American Federation of Arts to represent the United States in the Venice Biennale of 1952, the others being Calder, Davis and Kuniyoshi. In September-November, 1964, the Whitney Museum of American Art held a

no "St. Botolph Club", em Boston: trinta e seis gravuras e dez aquarelas; em fevereiro de 1927 na galeria Rehn, em Nova York: quatro óleos, doze aquarelas e gravuras; em novembro de 1928, no "Morgan Memorial", em Hartford: doze aquarelas; em janeiro de 1929, na galeria Rehn, em Nova York: doze óleos, dez aquarelas e desenhos. E em 1929 figurou entre os que expuseram na mostra "Pinturas de Dezenove Americanos Vivos", no Museu de Arte Moderna, em dezembro de 1929. Durante êsses anos apareceram nas revistas vários artigos dele ou sôbre êle, especialmente na revista "The Arts".

Casou-se com Josephine Verstille Nivison, a 8 de julho de 1924, passando o casal a morar, durante os meses de inverno, no número 3 da "Washington Square," onde Hopper já morava desde 1913. Os verões eram passados quase sempre na Nova Inglaterra. Assim, passaram os verões de 1923, 1924, 1926 e 1928 em Gloucester; o verão de 1926 em Rockland, Maine; os de 1927 e 1929 em Cape Elizabeth, Maine. Em 1925 êles fizeram sua primeira viagem ao Oeste, até Santa Fé e em 1929, visitaram Charleston, Carolina do Sul. Em 1930 êles construiram uma casa em South Truro, Cape Cod, a qual passou a ser sua casa de verão daí em diante. Em 1936, 1937 e 1938, visitaram o vale "White River" do Estado de Vermont. Em 1941 fizeram uma viagem de automóvel até a costa oeste. Nos verões de 1943, 1946 e 1953, viajaram para o México. Durante tôdas essas viagens, Hopper pintou aquarelas. Êle dedicou os meses de dezembro de 1956 a junho de 1957 à Fundação "Huntington Hartford", no Pacific Palisades, California.

De fins de 1920 em diante passou a participar regularmente das principais mostras nacionais dos Estados Unidos. De 1930 para cá, suas mostras individuais mais importantes foram: em novembro de 1933, Exposição Retrospectiva no Museu de Arte Moderna de Nova York; uma grande parte dessa mostra foi exposta no Clube de Arte de Chicago, em janeiro de 1934; em março de 1937, no Instituto Carnegie, pinturas, gravuras e aquarelas; em outubro de 1943, no Instituto de Arte de Chicago, vinte e um óleos incluídos na 54ª Exposição Anual de Pinturas e Esculturas Americanas; em fevereiro e março de 1950, Exposição Retrospectiva no Museu de Arte Americana "Whitney". Essa mostra foi exposta mais tarde no Museu de Belas Artes de Boston (abril de 1950) e no Instituto de Arte de Detroit (junho de 1950); Galeria de Arte "Currier" (novembro de 1959); Escola de Desenho de Rhode Island (dezembro de 1959) e Wadsworth Atheneum (janeiro de 1960), aquarelas e gravuras; Museu de Arte de Filadélfia, "Exposição Completa

large retrospective exhibition, shown later at the Art Institute of Chicago, December, 1964-January, 1965; Detroit Institute of Arts, February-March, 1965; and City Art Museum of St. Louis, April-May, 1965.

He was elected a member of the National Institute of Arts and Letters in 1945, and of the American Academy of Arts and Letters in 1955.

Awards and honors: U.S. Shipping Board Poster Prize, 1918. Logan Prize, Chicago Society of Etchers, 1923. W. A. Bryan Prize, Fourth International Print Makers Exhibition, Los Angeles, 1923. Honorable Mention and cash award, First Baltimore Pan-American Exhibition, 1931. Temple Gold Medal, Pennsylvania Academy of the Fine Arts, 1935. First Purchase Prize in watercolor, Worcester Art Museum, 1935. First W. A. Clark Prize and Corcoran Gold Medal, Corcoran Gallery of Art, 1937. Ada S. Garrett Prize, Art Institute of Chicago, 1942. Logan Art Institute Medal and Honorarium, Art Institute of Chicago, 1945. Honorable Mention, Art Institute of Chicago, 1946. Honorary degree, Doctor of Fine Arts, Art Institute of Chicago, 1950. Honorary degree, Doctor of Letters, Rutgers University, 1953. First Prize for Watercolor, Butler Art Institute, 1954. Gold Medal for Painting presented by the National Institute of Arts and Letters in the name of the American Academy of Arts and Letters, 1955. Huntington Hartford Foundation fellowship, 1956. New York Board of Trade, Salute to the Arts Award, 1957. First Prize, Fourth International Hallmark Art Award, 1957. *Art in America* Annual Award, 1960. Award, St. Botolph Club, Boston, 1963. M. V. Kohnstamm Prize for Painting, Art Institute of Chicago, 1964. Honorary degree, Doctor of Fine Arts, Philadelphia College of Art, 1965.

Edward Hopper died on May 15, 1967.

de Gravuras" (outubro de 1962). Essa mostra foi exposta mais tarde no Museu de Arte de Worcester; Exposição Retrospectiva na Galeria de Arte da Universidade de Arizona (1963); Óleos e Aquarelas no Instituto "Munson-Williams-Proctor" (maio de 1964). Em Nova York, a galeria "Frank K. M. Rehn, Inc", patrocinou uma série de exposições individuais na década de 1940: primeiras pinturas, janeiro de 1941; aquarelas, dezembro de 1943 e pinturas, janeiro de 1948. Hopper foi um dos quatro artistas escolhidos pela Federação Americana de Artes, para representar os Estados Unidos na Bienal de Veneza em 1952. Os outros três foram Calder, Davis e Kuniyoshi. De setembro a novembro de 1964, o Museu de Arte Americana "Whitney" patrocinou uma grande exposição retrospectiva, exposta mais tarde: no Instituto de Arte de Chicago, de dezembro de 1964 a janeiro de 1965; Instituto de Arte de Detroit, de fevereiro a março de 1965 e no Museu de Arte da Cidade de St. Louis, de abril a maio de 1965.

Foi eleito em 1945, membro do Instituto de Artes e Letras e em 1955 da Academia Americana de Artes e Letras.

Prêmios e Títulos honoríficos: Prêmio de Cartazes "U.S. Shipping Board", 1918; Prêmio "Logan", Sociedade de Gravadores de Chicago, 1923; Prêmio "W. A. Bryan", Quarta Exposição Internacional de Gravadores, Los Angeles, 1923; Menção Honrosa e prêmio em dinheiro, Primeira Exposição Pan-Americana de Baltimore, 1931; Medalha de Ouro "Temple", Academia de Belas Artes da Pensilvânia, 1935; Primeiro Prêmio de Aquisição em aquarela, Museu de Arte de Worcester, 1925; Primeiro Prêmio "W. A. Clark" e Medalha de Ouro "Corcoran", Galeria de Arte "Corcoran", 1937; Prêmio "Ada S. Garrett", Instituto de Arte de Chicago, 1942; Medalha e prêmio em dinheiro do Instituto de Arte "Logan", Instituto de Arte de Chicago, 1945; Menção Honrosa, Instituto de Arte de Chicago, 1946; Grau de Doutor *Honoris Causa* em Belas Artes, Instituto de Arte de Chicago, 1950. Grau de Doutor *Honoris Causa* em Letras, Universidade Rutgers, 1953; Primeiro Prêmio em aquarela, Instituto de Arte "Butler", 1954; Medalha de Ouro para pintura, conferida pelo Instituto Nacional de Artes e Letras, em nome da Academia Americana de Artes e Letras, 1955; Prêmio Anual da revista "Art in America", 1960; Prêmio do clube "St. Botolph", Boston, 1963; Prêmio de Pintura "M. W. Kohnstamm", Instituto de Arte de Chicago, 1964. Grau de Doutor *Honoris Causa* em Belas Artes, "College of Art" de Filadélfia, 1965.

Edward Hopper morreu a 15 de maio de 1967.

BIBLIOGRAPHY / BIBLIOGRAFÍA

by Irma B. Jaffe

EDWARD HOPPER

Books / Livros

Barker, Virgil, *From Realism to Reality in Recent American Painting*, University of Nebraska, Lincoln, Nebraska, 1959.

Barr, Alfred H., Jr., *Masters of Modern Art*, Museum of Modern Art, New York, 1954.

——— *What Is Modern Painting?*, Museum of Modern Art, New York, 1947.

Baur, John I. H., ed., *New Art in America: Fifty Painters of the Twentieth Century*, Harvard University Press, Cambridge, Massachusetts, 1957.

——— *Revolution and Tradition in Modern American Art*, Harvard University Press, Cambridge, Massachusetts, 1951.

Boswell, Peyton, Jr., *Modern American Painting*, American Artists Group, Inc., New York, 1939.

Brown, Milton W., *American Painting from the Armory Show to the Depression*, Princeton University Press, Princeton, New Jersey, 1955.

Burroughs, Alan, *Limners and Likenesses*, Harvard University Press, Cambridge, Massachusetts, 1936.

Cahill, Holger, and Barr, Alfred H., Jr., ed., *Art in America in Modern Times*, Reynal and Hitchcock, New York, 1934.

Cheney, Martha Candler, *Modern Art in America*, Whittlesey House, New York, 1939.

Current Biography, V. 11, No. 11, H. W. Wilson Co., New York, Dec. 1950.

du Bois, Guy Pène, *Edward Hopper*, Whitney Museum of American Art, New York, 1931.

Eliot, Alexander, *Three Hundred Years of American Painting*, Time Inc., New York, 1957.

The Encyclopedia Britannica Collection of Contemporary American Painting, Duell, Sloan and Pearce, New York, 1945.

Encyclopedia of World Art, V. 7, McGraw Hill, New York, 1959.

Faulkner, Ray; Ziegfeld, Edwin; and Hill, Gerald, *Art Today*, Holt, Rinehart and Winston, New York, 1963.

Flanagan, George A., *Understand and Enjoy Modern Art*, Crowell, New York, 1962.

Flexner, James T., *The Pocket History of American Painting*, Houghton Mifflin Co., Boston, Massachusetts, 1950.

Geldzahler, Henry, *American Painting in the Twentieth Century*, Metropolitan Museum of Art, New York, 1965.

Goldwater, Robert, and Treves, Marco, ed., *Artists on Art*, Pantheon Books, New York, 1945.

Goodrich, Lloyd, *American Watercolor and Winslow Homer*, Walker Art Center, Minneapolis, Minnesota, 1945.

——— *Edward Hopper*, (The Penguin Modern Painters), Harmondsworth, Middlesex, England, 1950.

——— and Baur, John I. H., *American Art of Our Century*, Frederick A. Praeger Publishers, New York, 1961.

Haftmann, Werner, *Painting in the Twentieth Century*, Harry N. Abrams, Inc., New York, 1960.

Hunter, Sam, *Modern American Painting and Sculpture*, Dell Publishing Co., New York, 1959.

Kuh, Katharine, *The Artist's Voice*, Harper and Row, New York, 1962.

La Follette, Suzanne, *Art in America*, Harper & Brothers, London, England, 1929.

Larkin, Oliver W., *Art and Life in America*, Rinehart & Co., New York, 1949.

Mellon, Gertrud A., and Wilder, Elizabeth F., ed., *Maine and Its Role in American Art 1740–1963*, Viking Press, New York, 1963.

Mellquist, Jerome, *The Emergence of an American Art*, Scribner & Sons, New York, 1942.

Mendelowitz, Daniel M., *A History of American Art*, Holt, Rinehart and Winston, New York, 1960.

Nordness, Lee, ed., *Art USA Now*, Viking Press, New York, 1962.

Phillips, Duncan, *A Collection in the Making*, E. Weyhe, New York, 1926.

Richardson, E. P., *A Short History of Painting in America*, Crowell, New York, 1963.

——— *Painting in America*, Crowell, New York, 1956.

Rodman, Selden, *Conversations with Artists*, Devin-Adair, New York, 1957.

Soby, James Thrall, *Contemporary Painters*, Museum of Modern Art, New York, 1948.

——— *Modern Art and the New Past*, University of Oklahoma Press, Norman, Oklahoma, 1957.

Watson, Forbes, *Edward Hopper*, The Arts Portfolio Series, 1930.

Wight, Frederick S., *Milestones of American Painting in Our Century*, Chanticleer Press, New York, 1949.

Zigrosser, Carl, "The Etchings of Edward Hopper," *Prints*, New York; Chicago, Illinois; San Francisco, California, 1962.

Exhibition Catalogs / Catálogos da Exposição

American Realists and Magic Realists, Museum of Modern Art, New York City. 1943.

A Retrospective Exhibition of Oils and Watercolors by Edward Hopper, University of Arizona, Tucson, Arizona. 1963.

Edward Hopper Retrospective Exhibition, Museum of Modern Art, New York City. 1933. Articles by Alfred H. Barr, Jr., Charles Burchfield and Edward Hopper.

Edward Hopper Retrospective Exhibition, Whitney Museum of American Art, New York City. 1950. Text by Lloyd Goodrich.

Edward Hopper, Whitney Museum of American Art, New York City. 1964. Text by Lloyd Goodrich.

Esposizione Biennale Internazionale d'Arte, Venice, Italy. 1952. Text by Herman More.

Paintings by Nineteen Living Americans, Museum of Modern Art, New York City. 1929–1930.

Paintings, Water Colors and Etchings by Edward Hopper, Carnegie Institute, Pittsburgh, Pennsylvania. 1937.

Robert Henri and Five of his Pupils, The Century Association, New York City. 1946.

Romantic Painting in America, Museum of Modern Art, New York City. 1943.

The Fifty-fourth Annual Exhibition of American Paintings and Sculpture (including a one man show of Hopper's work), The Art Institute of Chicago, Chicago, Illinois. 1943. Foreword by Frederick A. Sweet.

The Museum and Its Friends, Whitney Museum of American Art, New York City. 1959.

Water Colors of Edward Hopper with a Selection of His Etchings, The Currier Gallery of Art, Manchester, New Hampshire. Introduction by Charles E. Buckley. 1959.

Periodicals / Periódicos

American Artist, V. 14, "Edward Hopper: Drawings from the Artist's Portfolio," p. 28–33, May 1950.
—— V. 19, "Recent Art Awards," p. 85, June 1955.

Art Digest, V. 11, "Carnegie Traces Hopper's Rise to Fame," p. 14, Apr. 1, 1937.
—— V. 6, "Hopper to Decline?," p. 4, Apr. 1932.
—— V. 8, "New York Criticism," p. 12, Nov. 15, 1933.
—— V. 11, "Progressives Win All Honors at Corcoran's Fifteenth Biennial," p. 5, Apr. 1, 1937.
—— V. 15, "The Early Roots of Edward Hopper's Art," p. 13, Jan. 15, 1941.

Art in America, V. 48, "The Art in America Annual Award," p. 3, Winter, 1960.

Art News, V. 27, "Exhibitions in the New York Galleries," p. 11, Jan. 26, 1929.
—— V. 30, "Exhibitions in New York, The Spring Academy," p. 9, Apr. 2, 1932.

Arts and Decoration, V. 6, "Walkowitz and Hopper," p. 190–191, Feb. 1916.

Barker, Virgil, "Exhibitions Coming and Going," *The Arts*, V. 15, p. 112–115, Feb. 1929.
—— "The Etchings of Edward Hopper," *The Arts*, V. 5, p. 322–327, June 1924.

Benson, E. M., "Of Many Things," *American Magazine of Art*, V. 27, p. 21, Jan. 1934.

Berenson, Bernard, Letter to Edward Hopper, *Reality*, V. 1, p. 3, Spring 1953.

Bernard, Sidney, "Edward Hopper, Poet Painter of Loneliness," *Literary Times*, V. 4, p. 11, Apr. 1965.

Bojcum, Ania, "Nyacker shows 180 canvases at Whitney," *Nyack Journal News*, Oct. 15, 1964.

Brace, Ernest, "Edward Hopper," *Magazine of Art*, V. 30, p. 274–280, May 1937.

Breuning, Margaret, "The Whitney Hails Edward Hopper," *Art Digest*, V. 24, p. 10, Feb. 15, 1950.

Brown, Milton W., "The Early Realism of Hopper and Burchfield," *College Art Journal*, V. 7, p. 3–11, Autumn 1947.

Bruner, Louise, "The Lonesome Road to Fame," *The Black Sunday Magazine*, Toledo, Ohio, Feb. 14, 1964.

Burchfield, Charles, "Hopper: Career of Silent Poetry," *Art News*, V. 49, p. 14–17, Mar. 1950.

Burrey, Suzanne, "Edward Hopper: The Emptying Spaces," *Art Digest*, V. 29, p. 8–10, Apr. 1, 1955.

Campbell, Lawrence, "Hopper: Painter of 'thou shalt not'," *Art News*, 63:42–45, Oct. 1964.

Coates, Robert M., "Edward Hopper," *The New Yorker*, V. 26, p. 77–78, Feb. 25, 1950.

—— "Edward Hopper and Others," *The New Yorker*, V. 16, p. 64, Jan. 18, 1941.

Crowninshield, Frank, "A Series of American Artists, No. 3—Edward Hopper," *Vanity Fair*, V. 30, p. 11, 30, June 1932.

Design, V. 51, "The Story Behind Eight Famous Painters," p. 174, Mar. 1958.

du Bois, Guy Pène, "Edward Hopper, Draughtsman," *Shadowland*, V. 7, p. 22–23, Oct. 1922.
—— "The American Paintings of Edward Hopper," *Creative Art*, V. 8, p. 187–191, Mar. 1931.

Frankfurter, Alfred M., "Spotlight on: Tchelitchew, Marin, Hopper," *Art News*, V. 46, p. 25, Jan. 1948.

Geldzahler, Henry, "Edward Hopper," *The Metropolitan Museum of Art Bulletin*, V. 21, p. 113–117, Nov. 1962.

Getlein, Frank, "American Light: Edward Hopper," *The New Republic*, V. 19, p. 27–28, Jan. 9, 1965.

Goodrich, Lloyd, "The Paintings of Edward Hopper," *The Arts*, V. 11, p. 134–138, Mar. 1927.
—— "Portrait of the Artist," *Woman's Day*, Feb. 1965.

Gregory, Horace, "A Note on Hopper," *The New Republic*, V. 77, p. 132, Dec. 13, 1933.

Hatch, Robert, "At the Tip of Cape Cod," *Horizon*, V. 3, p. 10–11, July 1961.

Hopper Edward, "Charles Burchfield: American," *The Arts*, V. 14, p. 5–12, July 1928.
—— "Edward Hopper Objects," (Letter to Nathaniel Pousette-Dart.) *The Art of Today*, V. 6, p. 11, Feb. 1935.
—— "Review of 'The Art and Craft of Drawing' by Vernon Blake," *The Arts*, V. 11, p. 333–334, June 1927.
—— "John Sloan and the Philadelphians," *The Arts*, V. 11, p. 168–178, Apr. 1927.

Index of Twentieth Century Artists, V. 1, No. 10:157, "Edward Hopper—Painter and Graver."
—— V. 2, No. 12, "Edward Hopper—Painter and Graver."
—— V. 3, Nos. 11–12, "Edward Hopper—Painter and Graver."

Kramer, Hilton, "An American Vision," *The New Leader*, V. 47, p. 28–29, Oct. 12, 1964.
—— "Realists and Others," *Art Digest*, V. 38, p. 18–23, Jan. 1964.

Lane, James W., "New Exhibitions of the Week," *Art News*, V. 39, p. 13, Feb. 1, 1941.

Lanes, Jerrold, "Retrospective of Edward Hopper at the Art Institute of Chicago and at the Whitney Museum in New York," *The Burlington Magazine*, London, 107:42–46, Jan. 1965.

Lewis, Emory, "Painter Edward Hopper Has Show at Whitney," *Cue*, V. 19, p. 16–17, Feb. 4, 1950.

Lewison, Florence, "Going Around in Art Circles," *Design*, V. 51, p. 24, Apr. 1950.

Life, Advertisement of Powers Reproduction Corporation, p. 6, Aug. 1935.
—— V. 2, "Edward Hopper," p. 44–47, May 3, 1937.
—— V. 28, "Edward Hopper," p. 100–105, Apr. 17, 1950.

Meyer, Walter C., "Always in Style," *New York Sunday News*, p. 4–5, Jan. 3, 1965.

Morse, John, "Edward Hopper: An Interview," *Art in America*, V. 48, p. 60–63, Apr. 1960.

Morsell, Mary, "Hopper Exhibition Clarifies a Phase of American Art," *Art News*, V. 32, p. 12, Nov. 4, 1933.

Myers, Bernard, "Scribner's American Painters Series, No. 7," *Scribner's*, V. 102, p. 32–33, Sept. 1937.

Mumford, Lewis, "Two Americans," *The New Yorker*, V. 34, p. 76–78, Nov. 11, 1933.

New York Times, CXVI, No. 3,926, Edward Hopper Obituary, May 18, 1967.

O'Connor, John, "Edward Hopper, American Artist," *Carnegie Magazine*, V. 10, p. 303–306, Mar. 1937.

———— "From Our Permanent Collection: Cape Cod Afternoon by Edward Hopper," *Carnegie Magazine*, V. 24, p. 351–352, May 1950.

Pearson, Ralph M., "A Modern Viewpoint," *Art Digest*, V. 24, p. 15, Mar. 1, 1950.

———— and Barr, Alfred H., Jr., "Why 'Modern'?" and letter in reply, *The New Republic*, V. 77, p. 104–105, Dec. 6, 1933.

Read, Helen Appleton, "Brooklyn Museum Emphasizes New Talent in Initial Exhibition," *The Brooklyn Daily Eagle*, p. 2B, Nov. 18, 1923.

———— "Edward Hopper," *Parnassus*, V. 5, p. 8–10, Nov. 1933.

Reece, Childe, "Edward Hopper's Etchings," *Magazine of Art*, V. 31, p. 226–228, Apr. 1938.

Reed, Judith Kaye, "The Enduring Realism of Edward Hopper," *Art Digest*, V. 22, p. 12, Jan. 15, 1948.

Richardson, E. P., "Three American Painters: Sheeler-Hopper-Burchfield," *Perspectives USA*, No. 16:111–119, Summer 1956.

Riley, Maude, "New Watercolors by Edward Hopper," *Art Digest*, V. 18, p. 20, Dec. 15, 1943.

Ritchie, Andrew C., "Maturité de l'art américain," *Arts* (Paris), No. 407:7, Apr. 1953.

Rowland, Benjamin, "American Painting Since 1900," *Phoenix*, V. 4, p. 98, 100, Apr. 1949.

Sandberg, John, "Some Traditional Aspects of Pop Art," *Art Journal*, XXVI No. 3:228–231, Spring 1967.

Smith, Jacob Getlar, "Edward Hopper," *American Artist*, V. 20, p. 22–27, Jan. 1956.

Soby, James Thrall, "Arrested Time by Edward Hopper," *Saturday Review*, V. 33, Mar. 4, 1950.

Squirru, Rafael, "Edward Hopper," *Americas*, (Washington, D. C.), V. 17, p. 11–17, May 1965.

Tillim, Sidney, "Edward Hopper and the Provincial Principle," *Art Digest*, V. 39, p. 24–31, Nov. 1964.

Time, V. 51, "Art: Traveling Man," p. 59–60, Jan. 19, 1948.

———— V. 55, "By Transcription," p. 60, Feb. 20, 1950.

———— V. 65, "Gold for Gold," p. 72–73, May 30, 1955.

———— V. 68, "The Silent Witness," p. 28–39, Dec. 24, 1956.

Tyler, Parker, "Edward Hopper: Alienation by Light," *Magazine of Art*, V. 41, p. 290–295, Dec. 1948.

———— "Hopper/Pollock," *Art News Annual*, V. 26, p. 86–107, 1957.

Vogue, V. 123, "The America of Edward Hopper," p. 48–49, June 1954.

Washington Post, "Artist Edward Hopper Dead," May 18, 1967.

Watson, Forbes, "A Note on Edward Hopper," *Vanity Fair*, V. 31, p. 64, 98, 107, Feb. 1929.

———— "The Carnegie International," *The Arts*, V. 14, p. 255–256, Nov. 1928.

Wolf, Ben, "Edward Hopper," *Jewish Exponent*, (Philadelphia), Oct. 30, 1964.

Woman's Day, "Edward Hopper's America," p. 37–40, Feb. 1965.

Yale University Art Gallery Bulletin, (New Haven, Connecticut) V. 28, "Recent Gifts and Purchases," p. 22–23, Dec. 1962.

Zigrosser, Carl, "The Prints of Edward Hopper," *American Artist*, V. 27, p. 38–43, 64–65, Nov. 1963.

(Biographical Notes and Bibliography reprinted, with additions, by permission of the Whitney Museum of American Art from Lloyd Goodrich, *Edward Hopper*, Whitney Museum of American Art, New York, 1964.)

(Notas Biogràficas e Bibliografía reproduzidas da publição, Lloyd Goodrich, *Edward Hopper*, Whitney Museum of American Art, New York, 1964, con acrèscimos, con permissão do Museu de Arte Americana Whitney.)

ENVIRONMENT U.S.A. / MEIO-NATURAL U.S.A.

1957-1967

ENVIRONMENT U.S.A.
1957-1967

by William C. Seitz

THE IDEA of the "environment" is many-sided and multi-leveled. It is an all but inexhaustible concept that, even in its simplest connotations, can embrace the inorganic elements of rock, soil, water, air and climate; the botanical and biological environment of plants, animals and human beings; and the "physicosocial" environment of structures and other artifacts. On a less material stratum of meaning the social environment, and everything related to human activity, can be added. Finally, the concept can expand to include the "psychosocial" environment of behavior, customs and symbols. In the ecology of art, even time becomes environmental, for its passage can totally realign not only the conditions and influences from which the arts arise, but the response to them as well. More conspicuously than ever before, because of the accelerated, recurrent and often convulsive redirections of contemporary life, artists of each succeeding generation bear witness to new circumstances, and the premises and modes of their art pass through corresponding changes.

To landscapists of the nineteenth-century Hudson River School, who painted panoramic vistas not only of the Hudson Valley but also of mountains, cliffs and rivers in other regions, the United States was a sublime wilderness. To the so-called Ash Can School, early in the twentieth century, and to such pioneers of the hard image as Joseph Stella, the dynamism, glamour and colorful squalor of New York City epitomized America. Edward Hopper accepted industrialization and urbanization as the setting for modern existence without either idealization or criticism, and the American Scene painters of the 1930's enshrined the provincial life of the Middle West. The levels of the environment represented in this exhibition are physical, social and temporal, and their focus is the 1960's. The theme presupposes not only the current appearance of things and the psychosocial situation, but also a factor formerly of minor importance but now dominant: the media of mass communication.

This is an exhibition of figurative art, yet it differs from the Realism of the past. The complete physical environment of objects, persons and activities existing in deep space is seldom directly represented unless, as in Segal's *The Gas Station*, Wesselmann's *Interior No. 4* and Oldenburg's *Bedroom*, it is reconstituted as an actuality in the new art form known

---

MEIO-NATURAL U.S.A.
1957-1967

por William C. Seitz

A NOÇÃO de "meio" é multiforme e estratiforme. É quase que um conceito inesgotável, que mesmo na sua conotação mais simples, pode abranger os elementos inorgânicos como rochas, solo, água, ar e clima; o meio botânico e biológico das plantas, animais e seres humanos; e o meio "físico-social" de estruturas e artefatos diversos. Em uma esfera de significação menos material, pode ser acrescentado o meio social, e tudo que esteja relacionado com a atividade humana. Finalmente, a noção pode expandir-se para incluir o meio "psicossocial" do comportamento, costumes e símbolos. Na ecologia da arte, mesmo o tempo torna-se meio, pois sua passagem pode recompor totalmente não sòmente as condições e influências que dão origem à arte, como também a reação que esta possa produzir. Mais notadamente do que nunca, por causa da reorientação acelerada da vida contemporânea, artistas de cada geração sucessiva, presenciam situações novas e os postulados e maneiras de sua arte sofrem mudanças correspondentes.

Para os paisagistas da escola do século dezenove "Hudson River," que pintavam vistas panorâmicas não sòmente do vale do Hudson, mas também de montanhas, penhascos e rios de outras regiões, os Estados Unidos eram uma sublime vastidão. Para a chamada "Ash Can School," do começo do século vinte e para tais pioneiros da imagem ríspida como Joseph Stella, o dinamismo, o encanto e a sordidez colorida da cidade de Nova York, resumiam a América. Edward Hopper aceitou a industrialização e a urbanização como cenário a uma existência moderna sem idealização ou criticismo e os pintores da "Cena da Vida Americana," da década de 1930, veneravam a vida provinciana do meio-oeste americano. Os estratos do meio, representados nesta mostra, são físicos, sociais e temporais e focalizam a década de 1960. A temática pressupõe não sòmente o aspecto atual das coisas e situação psicossocial, mas também um outro fator de pouca importância mas dominante agora: o meio de comunicação das massas.

Esta é uma exposição de arte figurativa; contudo ela difere do realismo do passado. O meio físico total de objetos, pessoas e atividades existentes na profundeza do espaço é poucas vêzes apresentado diretamente, a não ser que; como em *O Pôsto de Gasolina* de Segal ou em *Interior No 4* de

as an "environment." Between the world and the work stand the stereotypes—already ironed flat by the camera or the printing press—generated by "the media." These subjects, neutral as a close-up view of a dish of spaghetti, diverting as Wesselmann's "Great American Nudes" or horrendous as the bomb, have been selected from the barrage of visual matter that ceaselessly bombards the eyes from billboards, magazines, newspapers and the television screen. Among the many additional sources are road signs, emblems and other schematic forms of public information and propaganda, technological structures and devices, and the sub-architecture of restaurants, filling stations, hotels and motels. Most often, as in the employment of flags, maps, advertising clichés and portraits of luminaries from politics and the theater, the pictorial image is not a true representation but has been directly fabricated by the artist, adapted by him from a photograph or reproduction, or duplicated mechanically. In certain cases reproductions and even actual objects have been introduced whole into the final work.

The media at the core of this intervening source material, printed, manufactured or built to provide a powerful, if temporary, impact, are those which (as Marshall McLuhan has repeatedly emphasized in his writings and in the slogan "the medium is the message") tend to level all subjects, however antithetical, to a common vernacular. They collide or blend in our eyes and minds, heightened and compounded by the disconcerting collage of sights, movements and sounds—an unresolved mixture of ugliness with a new kind of beauty—that make up our cities and the super-urban complexes that surround them.

However justified or relevant the theme, it is risky to assemble a diverse group of art works under a single heading, for it can jeopardize every participant's personal vision and achievement. Some of these artists have been placed by art critics and the press under the Pop banner; but neither they nor the entire group have banded together as an internally organized phalanx as did the Italian Futurists, "The Eight" in the United States, the Fauvist painters, or the Expressionists of *Die Brücke* in Dresden. The association of certain works and artists is therefore entirely the responsibility of the organizer of the exhibition. Yet it is instantly evident that they have much in common, in the subjects they have chosen, in the nature of their sources and images, in their aesthetic attitudes and in their technical procedures. They are all modernists in whose work figuration is retained in the face of the increasing dominance of abstract painting and sculpture. It must be acknowledged, indeed, that certain of these

Wesselmann, ou em *Quarto*, de Oldenburg, êle seja reconstituido como um fato na nova forma de arte conhecida como "meio-natural." Entre o mundo e a obra estão os esteriótipos—já achatados pela máquina fotográfica ou pela prensa—originados do "meio." Êsses assuntos neutros como uma vista em "close-up" de um prato de espaguete, divertidos como "Os Grandes Nus Americanos" de Wesselmann ou horrendos como a bomba, foram selecionados de obstáculos de coisas visuais, que incessantemente ferem os olhos, de cartazes, revistas, jornais e telas de televisão. Entre as várias fontes adicionais estão os sinais de estrada, emblemas e outras formas esquemáticas de informação e propaganda públicas, aparelhos e estruturas tecnológicas e a sub-arquitetura de restaurantes, postos de gasolina, hotéis e motéis. Mais freqüentemente, como no emprêgo de bandeiras, mapas, clichês de anúncios e retratos de astros políticos e do cinema; a imagem pictórica não é uma representação verdadeira, mas foi diretamente executada pelo artista, adaptada por êle de uma fotografia ou de reprodução, ou duplicada mecânicamente. Em certos casos, reproduções e mesmo objetos verdadeiros foram introduzidos em seu todo no trabalho final.

Os meios no centro desta fonte material intermédia impressa, manufaturada ou construída para proporcionar um impacto poderoso, mesmo que temporário, são aqueles que, como Marshal McLuhan repetidamente acentuou em seus trabalhos e no lema "o meio é a mensagem" tendem a nivelar todos os assuntos, por mais antitéticos que sejam, num vernáculo comum. Êles se chocam ou harmonizam-se em nossos olhos e em nossas mentes, intensificados e combinados pela desconcertante colagem de vistas, movimentos e sons—uma vaga mistura de feiura com uma nova espécie de beleza—de que são feitas nossas cidades e os conjuntos super-urbanos que as cercam.

Por mais justificado ou relevante que seja o tema, é arriscado reunir um grupo diverso de obras de arte sob um único rótulo porque isso pode prejudicar a visão geral e a realização de cada participante. Alguns dêstes artistas foram agrupados pelos críticos de arte e pela imprensa sob a denominação de "Pop" mas nem êsses, nem o grupo todo, associaram-se a uma falange intrìnsecamente organizada como o fizeram os futuristas italianos, "Os oito," nos Estados Unidos, os pintores "fauvist," ou os expressionistas de *Die Brücke* de Dresde. A reunião de certos trabalhos e artistas é, portanto, inteiramente da responsabilidade do organizador da mostra. Todavia, é imediatamente evidente que êles têm muito em comum, nos assuntos que escolheram, na

15. Jasper Johns
MAP / MAPA
60x93" 1962

same artists are now working abstractly, and in different media. Nevertheless, the very existence of such a sophisticated, informed and period-conscious group, to which many others could be added, attests to the exuberance and relevancy of image-making as a viable art form. It can also be said, with certain qualifications concerning the open brushwork of Rauschenberg and Johns, Thiebaud's syrupy impasto and the uneven surfaces of Segal's sculpture, that the group shares a flatness and sharpness of form and pattern quite at variance with the art of the previous decade. Lloyd Goodrich tells us that, early in the century, Hopper's work was regarded, even by his friends, as "too hard." An intensified hardness, in viewpoint as well as in style, is everywhere in this exhibition. In contrast with both the Realism and the Abstract Expressionism of the fifties, but quite in harmony with the new "minimal" abstraction, certain of these works seem metallic, unpainterly and pointedly inexpressive.

As for the kinds of subjects, or non-subjects, which these artists choose, there is almost unanimity. They share a reaction against not only the idealized representation of models and studio bric-a-brac, and the nature-love of traditional landscape, but also against the heroic commitment of the Ab-

natureza de suas fontes de inspiração e imagens, em suas atitudes estéticas e em seus processos técnicos. São todos modernistas, em cujos trabalhos a representação figurativa é retida, a despeito da crescente preponderância da pintura e escultura abstratas. É verdade que deve ser reconhecido que alguns dêstes mesmos artistas estão agora trabalhando abstratamente e em processos diferentes. Não obstante, a mera existência dêsse grupo sofisticado, instruído e consciente da época em que vive, e no qual muitos outros poderiam ser incluídos, atesta a exuberância e a relevância da produção de imagens como uma forma viável de arte. Também pode ser dito com certas reservas com relação aos trabalhos de pinceladas livres de Rauschenberg e Johns, ao empaste açucarado de Thiebaud e às superfícies irregulares das esculturas de Segal, que o grupo compartilha uma determinação e rispidez de forma e motivos inteiramente opostos à arte da década anterior. Lloyd Goodrich nos diz que no começo do século, a obra de Hopper era considerada, mesmo entre seus amigos, como "muito rígida." Uma rigidez intensificada, em ponto-de-vista, bem como em estilo, encontra-se no todo desta mostra. Em constraste com ambos o realismo e o expressionismo abstrato da década de 1950, mas perfeita-

32. Robert Rauschenberg, BARGE / BATELÃO, 80 x 389" 1962

stract Expressionists. Their subjects are neither elevated nor idealistic but are invariably topical and related to ordinary life, and their images are often intentionally banal, vulgar or offensive to what used to be regarded as cultivated taste. Certain of the divergencies, which can be explained in terms of the position of each artist in a rapid historical development, even reinforce the unifying traits of the group, for the exhibition spans almost a decade.

Among the twenty-one exhibitors in "Environment U.S.A.: 1957-1967" only Robert Rauschenberg and Jasper Johns utilize Abstract-Expressionist techniques. In the 1960's the idea of the brushstroke as an expressive sign has been expunged and even caricatured. For these brilliant innovators, moreover, Abstract Expressionism served only as a springboard for a neo-Dada art of iconoclasm, performance and feverish playfulness on the part of Rauschenberg, and a cool, disengaged metaphysical questioning of both the means and the ends of art on the part of Johns. Their painterly styles stand midway between Abstract Expressionism and the hard image of the other painters. It is almost a distortion of Johns' intent to make his work a part of this "New American Scene" presentation, for a set of numbers, a target or a wire coat

mente em harmonia com a nova "minimal" abstração, alguns dêsses trabalhos parecem metálicos, quebradiços, não pictóricos e incisivamente inexpressivos. Quanto ao assunto ou à falta de assunto, escolhido por êsses artistas, há quase que uma unanimidade. Êles compartilham de uma reação contra não apenas à sublimada representação de modelos e bricabraques de estúdio e ao amor à natureza da paisagem tradicional, mas também contra o heróico compromisso dos expressionistas abstratos. Seus assuntos não são nem elevados nem idealísticos, mas são invariàvelmente lugares-comuns e relacionados com a vida comum e suas imagens são muitas vêzes intencionalmente banais, vulgares ou desagradáveis ao que se costumava considerar como gôsto refinado. Certas das divergências, que podem ser explicadas em têrmos da posição de cada artista em uma rápida evolução histórica, até reforçam a união característica do grupo, pois a mostra abarca quase que uma década.

Entre os vinte e um expositores da mostra "O Meio-Natural dos Estados Unidos da América: 1957-1967," sòmente Robert Rauschenberg e Jasper Johns usam a técnica abstrato-expressionista. Na década de 1960 a idéia do trabalho de pincel como um gesto expressivo, tem sido elimi-

hanger serves him as well as a map or a flag of the United States. The motifs he chooses are commonplaces we had almost ceased to see before they were used in this way. Flatness, which in endless degrees and qualities has been a sacred goal for painters from the Cubists to the Color-Field Painters, is for Johns a point of departure. Opening to question the revered principle of the transformation of three-dimensional nature into two-dimensional art, Johns, still using the tradisional brushwork "that hovers midway between opaque canvas and spatial illusion," as Leo Steinberg says, "does the reverse: allowing an atmospheric suggestion to things which the mind knows to be flat. In fact, he relies on his subject matter to find and retain the picture plane for him, leaving him free to work, as he puts it, *on other levels.*" Johns's art can make distinctions between fact and illusion as delicate as those in Picasso and Braque's plastic speculations of 1910-1912; and these, so important to his metaphysics, have little connection with the American environment as such. But (aside from the popular images that give his work entrance to this exhibition) his presence here is essential because it was Johns who, with more intelligence than anyone else but with the example of Marcel Duchamp, pioneered the cool stance of

nada e até mesmo caricaturizada. Para êsses brilhantes inovadores, ademais, o expressionismo abstrato serviu sòmente como um trampolim para a arte "neo-data" de iconoclasmo, execução e apaixonada brincadeira por parte de Rauschenberg e de uma fria, audaciosa indagação metafísica por parte de Johns. Seus estilos não pictóricos situam-se a meio caminho do expressionismo abstrato e da imagem rígida dos outros pintores. O propósito de Johns de fazer de seu trabalho parte da representação desta "Nova Cena da Vida Americana," é quase que uma perversão, pois um jôgo de números, um alvo, um cabide de arame, são tão úteis para êle quanto um mapa ou uma bandeira dos Estados Unidos. Os motivos que êle escolhe, são lugares-comuns que quase tínhamos deixado de ver antes de serem usados desta maneira. O nivelamento que em diferentes graus e qualidades tem sido a meta sagrada dos pintores, do cubismo aos "Color Field Painters" é para Johns um ponto de partida. Aberto a conjecturas o venerado princípio da transformação da natureza tridimensional, em arte de duas dimensões, Johns ainda usando o tradicional trabalho de pincel "que paira a meio caminho entre as telas opacas e a ilusão espacial," como diz Leo Steinberg, "faz o inverso: permitindo uma sugestão

the 1960's. *Three Flags* is not for him a patriotic motif; but neither (unlike later artists who have challenged the prescribed rules for displaying the American flag) does he desecrate it or attack its national symbolism. The flag becomes as banal a configuration as a map: a pointedly neutral pretext, subversive aesthetically but not politically, for two-dimensional shapes and changes in color or tone.

Rauschenberg's dazzling sorties from within the world of art into the chaos of life, in paint, collage, assemblage and theatrical events, are now familiar. For the most part they were directed toward other goals than portrayal of the social landscape; but the thirty-two foot, black-and-white *Barge*, rendered in both brush and photographic silk-screen, could be described as an "environmental montage." Rauschenberg is a master of striking juxtapositions in both subject and style. Interspersed between feverishly applied brush gestures, rains of dripping paint, and geometric figures that hollow the canvas into deep space, a football game, an interlaced superhighway cloverleaf, a space capsule, what seems to be a radar installation, an army truck, a cloud-filled sky, a building under construction and other images of the current world impinge, compete for attention, overlap or merge. *Buffalo II*, in golden yellow, red, blue and green, as well as photographic grisaille,

atmosférica a coisas que a mente sabe serem planas. De fato, êle confia em seus temas para achar e reter o plano do quadro, deixando-o livre para trabalhos, como êle explica, *em outros níveis*." A arte de Johns pode fazer distinções entre fatos e ilusão tão delicados quanto as especulações *plásticas* de Picasso e Braque de 1910-1912; e elas, tão importantes para sua metafísica, têm pouca relação com o meio americano, como tal. Mas à parte das imagens populares que dão acesso a suas obras nesta mostra, sua presença aqui é essencial porque foi Johns que, com mais inteligência do que qualquer outro, e com o exemplo de Marcel Duchamp, agiu como precursor na ousada posição da década de 1960. *As Três Bandeiras*, para êle, não é um motivo patriótico; mas êle (ao contrário de artistas mais recentes que têm desafiado as regras que determinam o uso da bandeira americana), nem a profana nem ataca seu simbolismo nacional. A bandeira tornou-se uma configuração tão banal quanto um mapa: um pretexto claramente neutro, estèticamente mas não polìticamente subversivo, pelas formas em duas dimensões e mudanças de côr e tom.

As fascinantes surtidas de Rauschenberg em pintura, colagem, montagem e acontecimentos teatrais, de dentro do mundo da arte para o caos da vida, são agora bem conheci-

34. James Rosenquist, F-111, 10x86' 1965 (Illustration continues on following two pages. / Continuação das ilutraçoes nas duas pàginas seguintes.

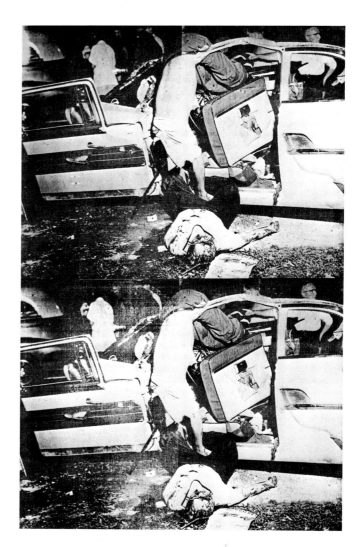

is dominated by the earnest face of John F. Kennedy and, twice represented, his admonishing hand. Since the years of Futurism and Dada, the "mode of juxtaposition" has been a means of re-creating in art the dynamic confrontations that make up the twentieth-century environment. Used very differently in each case this method is also employed by Warhol, Raffaele and Rosenquist; but these three reject Expressionist brush for non-painterly styles—or perhaps better, anti-styles—drawn from "the media": modes of pigment application plainly out of sympathy with the previous art of sensibility. As in his films, Warhol (the first to assemble compositions from silk-screened photographs) devitalizes the concussion of forces built up by Rauschenberg, compounding another effect of the present-day proliferation of images—the boring redundancy to which one's senses are subjected—by repeating the same image over and over again. It is the serious rather than the "camp" side of Warhol's mechanized painting that is seen here. The grim *Saturday Disaster* reminds us that in 1965 (the most recent A.A.A. statistic) 49,000 Americans died in automobile accidents. *Orange Disaster No. 5* multiplies the sickening and controversial custom of capital punishment into horror or meaninglessness. In *Jackie* the universally recognized features of Jacqueline Ken-

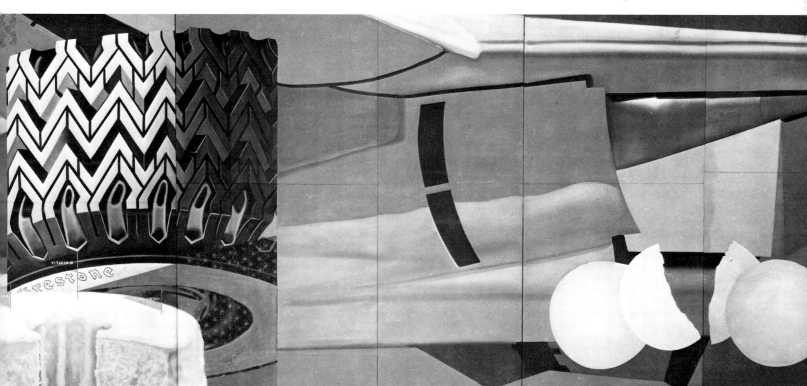

nedy are once more dunned into one's consciousness. The best of these works somehow become more than multiplications of identical or similar photographs, by variations resulting from intentional imperfections in the use of the silk-screen medium (emulating the shoddiness of rapid commercial reproduction) and by suggesting the granular unclarity of the "cool" medium of television.

Rosenquist, who was a professional billboard painter before his success in the salons of art, acquired his anti-style as legitimately as Warhol, who was an advertising illustrator. His modular mural *F-111*, (eighty-six feet long in its entirety) combines close-up shots of an airplane, electric bulbs, the nonskid tread of a Firestone tire, a beribboned child under a hair dryer and a Redi-mix angel-food cake— its synthetic nutriments identified by means of colored pennants. These fragmented icons of commerce in the sixties, impinging on each other as they do on television or along the highway, epitomize the new environment. The image that overshadows the entire mural is that of the controversial multipurpose aircraft F-111, experimental in 1965 but now on order in two versions, one of them said to be "the most expensive fighter bomber the Air Force has ever produced." It is a symbol of war, in part, and of the dis-

das. Na maior parte das vêzes elas tinham como objetivo outros fins que a representação de uma paisagem social; porém o quadro *Batelão*, de trinta e dois pés, em preto e branco, apresentado em pincel e "silk-screen" fotográfico, poderia ser descrito como uma "montagem do meio." Rauschenberg é um mestre extraordinário em justaposições ambos em tema e em estilo. Entremeados com pinceladas aplicadas com gestos febricitantes, torrentes de tinta fluida e figuras geométricas que conduzem a tela para a profundeza do espaço, um jôgo de futebol, um entrelaçado trêvo de estrada de rodagem, uma cabine espacial, uma figura que parece ser uma instalação de radar, um caminhão do exército, um céu nublado, um edifício em construção, e outras imagens do mundo atual, chocam-se, competem para chamar atenção, sobrepõe-se ou fundem-se. *Buffalo II*, em amarelo ouro, vermelho, azul e verde, bem como em "grisaille" fotográfico, é dominado pelo grave semblante de John F. Kennedy e pela sua admoestadora mão, duas vêzes-retratada. Desde os tempos do futurismo e do dadá, o costume da justaposição, tem sido uma maneira de recriar na arte as confrontações dinâmicas que formam o ambiente do século XX. Usado muito diferentemente em cada caso, êsse método também é empregado por Warhol, Raffaele e

taste for militarism characteristic of artists. But more importantly, like the other shots from "the media," the F-111 fighter plane symbolizes, as Rosenquist says, the dominion of technology and rapid obsolescence over human destiny:

I think of the picture as being shoveled into a boiler. The picture is my personal reaction as an individual to the heavy ideas of mass media and communication and to other ideas that affect artists. I gather myself up to do something in a specific time, to produce something that could be exposed as a human idea of the extreme acceleration of feelings. The way technology appears to me now is that to take a stance—in a painting, for example—on some human qualities seems to be taking a stance on a conveyor belt: the minute you take a position on a question or on an idea, then the acceleration of technology, plus other things, will in a short time already have moved you down the conveyor belt. The painting is like a sacrifice from my side of the idea to the other side of society.

Certain of these ideas on new technologies are extended by Lowell Nesbitt's paintings of computers. Rosenquist writes, "I can only hope to grasp things with the aid of a companion like an IBM machine; and myself and it, this extreme tool, would go forward." Nesbitt's hard-edge style, in flat tones of black-and-white or color, is adapted from the computer manufacturer's advertisements. *IBM 1440 Data Processing System* and *IBM 6400* show the styled package—so similar to

Rosenquist; mas êstes três rejeitam a pincelada expressionista para estilos não pictóricos—ou, melhor ainda, anti-estilos—tirados dos processos: uso de aplicação de pigmento simplesmente, por solidariedade com a arte de sensibilidade anterior. Como em seus filmes, Warhol (o primeiro a armar composições de fotografias em "silk-screen") enfraquece o choque de fôrças estabelecido por Rauschenberg, compondo um outro efeito da proliferação atual de imagens—a enfadonha redundância à qual os sentidos estão expostos—repetindo sempre as mesmas imagens. É antes o lado sério das pinturas mecanizadas de Warhol, do que o lado "camp" que é aqui exposto. O sinistro *Desastre de Sábado* nos faz lembrar que em 1965 (estatística mais recente da Associação Automobilística da América—AAA) 49 000 americanos morreram em desastres de automóveis. *Cadeira Elétrica*, amplia o costume revoltante e controverso da pena de morte em horror e em coisa sem sentido. Em *Jackie* as feições universalmente reconhecíveis de Jacqueline Kennedy, são mais uma vez impostas à nossa consciência. O melhor dêstes trabalhos, de alguma maneira, torna-se mais do que meras multiplicações de fotografias idênticas ou semelhantes por variações resultantes de imperfeições propositadas no uso do processo "silk-screen" (competindo com a inferioridade

those of electric toasters, air conditioners or, for that matter, New York office buildings—in which the magical mechanisms are encased. The media-derived manner of painting is precisely appropriate to the subject. Henry Martin, writing of the IBMs in 1965, observes that

Lowell Nesbitt's humanist rather than technological understanding of the IBM machine extends the arbitrariness of the instrument's surface into a questioning of the reality of the processes behind it. Lowell Nesbitt has accepted the obsolescence of the machine's surface and pulled this surface into the realm of the aesthetic object, thus acknowledging and emphasizing the unapproachability of the thing in itself.

The space within Lowell Nesbitt's painting has nothing to do with the real ambience of the objects within it. It is airless, without light and specific to the canvas. . . .

It is hard not to see these paintings as extensions of Hopper's office interiors into the present, human figures properly excluded.

The domination of technology is at issue, also, in the canvases of Joe Raffaele. Meticulously painted in thin oil pig-

28. Lowell Nesbitt
IBM 6400
80x80" 1965

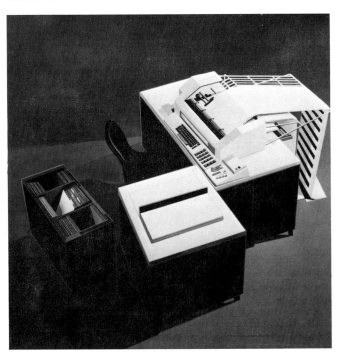

das rápidas reproduções comerciais) e sugerindo a granular falta de clareza da "frieza" do meio de comunicação da televisão.

Rosenquist que era um pintor profissional de cartazes antes de seu sucesso nos salões de arte, adquiriu seu anti-estilo, tão legìtimamente quanto Warhol, que era um ilustrador de anúncios. Seu mural modular *F-111* (86 pés de comprimento ao todo) combina instantâneos em "close-up" de um avião, lâmpadas, a banda antiderrapante de um pneu Firestone, uma criança coberta de fitas sob um secador de cabelos, um pré-confeccionado bolo de anjo com seus alimentos sintéticos indentificados por meio de bandeirolas coloridas. Essas imagens fragmentadas do comércio da década de 1960, colidindo umas contra as outras, como na televisão ou ao longo das estradas, resumem o nôvo meio. A imagem que domina todo o mural é a do controverso avião *F-111*, que tem muitas finalidades e que estava em fase experimental em 1965, mas que agora acha-se em produção em duas versões, uma delas considerada "o avião de bombardeio mais caro que a Fôrça Aérea já produziu." É, em parte, um símbolo da guerra e também da aversão ao militarismo, característica dos artistas. Mas, mais notadamente, como as outras figuras do meio, o avião F-111, simboliza, como diz Rosenquist, o domínio da tecnologia e a rápida obsolescência sôbre o destino humano:

Eu penso no quadro como se estivesse sendo atirado dentro de uma caldeira. O quadro é minha reação particular, como indivíduo, às pessoas, idéias do meio de comunicação das massas e de outras idéias que afetam os artistas. Concentro-me para fazer alguma coisa num tempo determinado, para produzir alguma coisa que pudesse ser exposta como uma idéia humana de aceleração extrema de sentimentos. A maneira como a tecnologia revela-se para mim agora é a de tomar uma posição—numa pintura por exemplo—em algumas qualidades humanas que parecem estar tomando a posição num tapete rolante: no momento que se toma uma posição sôbre um assunto ou uma idéia, então a aceleração da tecnologia e mais outras coisas nos levarão em pouco tempo através do tapete rolante. A pintura é como um sacrifício da idéia de minha parte para o outro lado da sociedade.

Algumas dessas idéias sôbre a nova tecnologia são propagadas pelas pinturas de computadores de Lowell Nesbitt. Escreve Rosenquist, "eu só posso esperar agarrar as coisas com a ajuda de um companheiro como a máquina IBM; e eu e ela, êste instrumento máximo, iríamos avante." O estilo "hard-edge" de Nesbitt, em tons lisos de preto e branco ou em côres, é adaptado dos anúncios do fabricante de computadores. *IBM 1440 Sistema de Processamento de Dados* e *IBM 6400* mostram a embalagem estilizada—tão parecida

31. Joe Raffaele
HEADS, BIRDS / CABEÇAS, PÁSSAROS
76x50″ 1966

ment on immaculate white grounds, they simulate, at an enlarged size, pasted sections from colored photographic illustrations which could have been clipped from *Life*. Placed on the canvas with plainly noncompositional emphasis, each image, independently of the surface extent it covers, demands equal examination. Often Raffaele includes several subjects in one picture, but *Face, Monkey* has only two: a monkey imprisoned in a laboratory apparatus of metal, plastic and tubing, and, on a separate panel above, an expressionless human nose and mouth. The tiny pink face gazes imploringly upward, bewildered and powerless but painfully aware. William Wilson believes "this monkey in the machine cannot help being a metaphor for the mind in the body," for the monkey "clearly has a mind of its own, although it is in a machine that represents the iron-clad will of someone else...." It is hard not to place the human being (of whom only a

com as de torradores elétricos, aparelhos de ar refrigerado ou, por isso mesmo, com os prédios de escritório de Nova York—nos quais as máquinas mágicas estão encaixadas. O processo de pintura utilizado é inteiramente apropriado ao assunto. Henry Martin, escrevendo em 1965 sôbre as máquinas IBM, observou que:

A compreensão de Lowell Nesbitt, mais humanística do que tecnológica, das máquinas IBM, prolonga a arbitrariedade da superfície do instrumento numa interrogação sôbre a realidade dos processos atrás dela. Lowell Nesbitt aceitou o obsoletismo da superfície da máquina e trouxe esta superfície para o reino do objeto estético, reconhecendo e acentuando, desta maneira, a inacessibilidade da coisa em si. O espaço na pintura de Lowell Nesbitt não tem nada a ver com o ambiente real dos objetos dentro dela. É sem ar, sem luz e limitado à tela . . .

É difícil deixar de ver essas pinturas como uma continuação no presente, dos interiores dos escritórios de Hopper, devidamente excluídas as figuras humanas.

O domínio da tecnologia entra também em questão, nas telas de Joe Raffaele. Meticulosamente pintada com finos pigmentos de óleo em superfícies imaculadamente brancas, elas simulam, em tamanho grande, fragmentos colados, de ilustrações fotográficas coloridas que poderiam ter sido tirados da revista "Life." Colocada na tela, simplesmente, sem dar relêvo à composição, cada imagem independentemente da superfície que ocupa, exige igual atenção. Freqüentemente, Raffaele inclui diversos assuntos em um só quadro, mas *Rosto, Macaco* tem sòmente dois: um macaco aprisionado num aparelho de laboratório, de metal, plástico e tubulação, e, num painel separado, acima, um nariz e uma boca humanos, sem expressão. O pequenino focinho côr de rosa, olha para cima implorando, aturdido e impotente, mas dolorosamente consciente. William Wilson acredita que "êsse macaco na máquina não pode deixar de ser uma metáfora da mente dentro do corpo," pois o macaco "vìsivelmente tem uma mentalidade própria, se bem que esteja numa máquina que representa a vontade de ferro de outra pessoa . . . ." É difícil deixar de colocar o ser humano (do qual só é visível um fragmento acima, à esquerda) na mesma categoria do macaco, cuja situação e posição parecem-se muito com a de um astronauta da NASA. *Cabeças, Passáros*, justapõe fragmentos semelhantes. Acima, há partes de duas cabeças, os olhos de uma, ocultos por óculos escuros; abaixo há uma moça com um suéter azul e luvas de trabalho segurando uma ave do mar, enquanto ela é pulverizada de vermelhão, pelas mãos que pertencem a um segundo técnico. A equipe prossegue metòdicamente em seu trabalho. Por

fragment is visible at the upper left) in the predicament of the simian, whose position and situation so closely resembles that of a NASA astronaut. *Heads, Bird* juxtaposes similar fragments. Above are sections of two heads, the eyes of one masked by sunglasses; below is a girl in a blue sweater and work gloves who restrains a sea bird as it is sprayed with vermilion coloring by hands belonging to a second technician. The team proceeds methodically with its work. Because of the dark gloves, sanguine associations with red pigment, and the unnaturally obscured face of the female technician the experiment resembles some fearful ritual. Both the animal and the blind-eyed bird are being exploited, it would appear, for some socially useful purpose; yet one identifies entirely with the helpless subjects.

Attitudes taken toward the United States by artists who employ an environmental image can be negative, positive or neutral, implying distaste, admiration or neither. Gerald Laing, who now lives in New York, began his American subjects in England, captured by the attraction for popular culture that began there before 1955. The English artists rejected the distinction between fine and commercial or popular art, and placed a special premium on new technology, science fiction, pop music and the images of cheap advertising. "Hollywood, Detroit and Madison Avenue were, in terms of our interest, producing the best popular culture," Lawrence Alloway writes, in retrospect. Laing's *C. T. Strokers* (Plate H), a drag racer plunging forward in a cloud of dust and exhaust, and painted in flat, formalized shapes and poster bright hues, is a product of the admiration felt by English artists for the United States. "That Utopian dream of USA which I held, in common with most of my contemporaries in London, made it inevitable that I should eventually choose to depict these gleaming exotic images and extravagant attitudes which were so heavily propagandized in Europe and which, for us, implied not only an optimistic classless society, but also that every American had his hot-rod and his surfboard." Along with the flat, heraldic organization, which he associates with Uccello's representations of mounted knights, Laing employed a technique of tonalities built up with painted dots which resemble the screens used in coarse newspaper reproduction. The race driver is seen as hero, like a medieval knight in the lists. Heroic also is the pilot, represented losing consciousness during three successive moments, in *G Force*. His bodily changes are "accentuated by the beat of the orange/silver pulse along the lower part of the painting." That Laing's figurative paintings evolved, by 1965, into entirely abstract sculpture relating brilliant colors with reflective

causa das luvas escuras, da associação sanguínea do pigmento vermelho e da face obscura da moça, a experiência assemelha-se a um terrível ritual. Ambos o animal e o pássaro vendado estão sendo explorados, nos parece, para algum propósito socialmente útil, entretanto nos identificamos completamente com as criaturas indefesas.

As atitudes tomadas para com os Estados Unidos pelos artistas que empregam o meio, como imagem, podem ser negativas, positivas ou neutras, indicando aversão, admiração ou nenhuma das duas coisas. Gerald Laing, que atualmente mora em Nova York, começou com seus temas americanos na Inglaterra levado pela atração da cultura popular, que começou naquele país antes de 1955. Os artistas inglêses rejeitaram a distinção entre arte pura, comercial ou arte popular e exaltaram a nova tecnologia, a ciência de ficção, a música "pop" e tipos de publicidade barata. "Hollywood, Detroit e Madison Avenue, estavam para nosso interêsse, apresentando a melhor cultura popular," escreve Lawrence Alloway, em retrospecto. O quadro de Laing *C. T. Strokers*, um carro de corrida arrancando numa nuvem de poeira e de escapamento e pintado em formas planas e formalizadas e em heráldicos tons brilhantes, é um produto da admiração dos artistas inglêses pelos Estados Unidos. "Êste sonho visionário sôbre os Estados Unidos, que eu tinha, em comum com a maioria de meus contemporâneos em Londres, tornou inevitável que eu finalmente escolhesse retratar essas cintilantes imagens exóticas e atitudes extravagantes tão abundantemente propagadas na Europa e as quais, para nós, sugeriam não sòmente uma sociedade otimista, sem diferenças de classe, mas também que cada americano tinha seu 'carro' e seu 'aquaplano.'" Ao lado da absoluta organização heráldica com a qual êle associa a apresentação dos cavaleiros montados de Ucello, Laing usou uma técnica de tonalidades, constituída de salpicos pintados, que se assemelham às telas usadas na reprodução ordinária de jornal. O az do carro de corrida é visto como um herói; assemelhando-se a um cavaleiro medieval num torneio. Herói, também, é o piloto, que aparece perdendo a consciência em três momentos consecutivos no quadro *G Force*. Suas mudanças físicas são "acentuadas pela pulsação laranja-prateada ao longo da parte inferior do quadro." Que as pinturas figurativas de Laing evoluiram, por volta de 1965, em uma escultura inteiramente abstrata, relacionando as côres brilhantes com o cromo reflexivo, chama atenção à conotação do meio e às técnicas influenciadas pela tecnologia de muito da arte atual sem representação.

Rígido e completamente sem sentimento o quadro de

2. Allan D'Arcangelo
GUARD RAIL / GRADIL
65 x 80″ 1964

chrome, calls attention to the environmental connotations and technologically influenced techniques of much current non-representational art.

Hard and entirely unsentimental, Edward Ruscha's *Standard Station, Amarillo, Texas (day)* (Plate G), exemplifies a cool Los Angeles style shared by abstract as well as figurative painters and sculptors, and admired by many English and European artists. Suspended at the upper right in the unmodulated blue sky, like a tuba or chair in a painting by René Magritte, hangs a copy of *Western Stories*. It not only complements the sweeping diagonal perspective, but provides the sharpest possible confrontation between the fictitious and the real Far West. Ruscha is an avid photographer of the American Scene, as well as a painter. Among the photographic surveys he has published are: *Twenty-Six Gasoline Stations*, *Some Los Angeles Apartments*, and *Every Building on the Sunset Strip*, in which, by means of a foldout, each building on both sides of the street is illustrated and identified by its correct street number. Representations of gas stations by Ruscha, Segal and Hopper, Warhol's *Saturday Disaster*, and works by Laing, Indiana and Foulkes belong to an insufficiently investigated tradition to which Lawrence Alloway has

Edward Ruscha *Pôsto de Gasolina Standard, Texas (dia)*, exemplifica um estilo frio de Los Angeles compartilhado por pintores e escultores abstratos, bem como figurativos, e admirado por muitos artistas inglêses e europeus. Suspenso na parte superior do lado direito, no céu azul sem modulações, como uma tuba ou uma cadeira numa pintura de Revé Magritte, acha-se pendurada uma cópia da História do Oeste. Isso não sòmente completa a ampla perspectiva diagonal, mas oferece o confronto mais claro possível entre o fictício e o verdadeiro "Far-West." Ruscha é um ávido fotógrafo da Cena da Vida Americana, bem como um pintor. Entre os estudos fotográficos que publicou estão *Vinte e Seis Postos de Gasolina* e *Todos os Edifícios do Sunset Strip*, nos quais, por meio de "foldent", cada edifício nos dois lados da rua, é ilustrado e identificado pela numeração correta dos mesmos.

Os postos de gasolina representados por Ruscha, Segal, Hopper, o quadro de Warhol *Desastre de Sábado* e trabalhos de Laing, Indiana e Foulkes, pertencem a uma tradição insuficientemente pesquisada à qual Lawrence Alloway deu o nome de "Cultura de Estrada." Allan D'Arcangelo também usou a estrada como um tema periódico, reduzindo sua

4. Llyn Foulkes
THE CANYON / O CANYON
65 x 108″ 1964

given the name "Highway Culture." Allan D'Arcangelo has also made the highway a recurrent theme, reducing his pictorial language, as have many abstract painters, to a very few areas of color, hard-edged and unmodulated. The automobile itself is usually not visible but is omnipresent, for the vantage point of his perspectives—made specific in certain pictures which include a rear-view mirror—is that of an automobile driver or passenger. *U.S. Highway 1, No. 2* belongs to a related series of pictures in which large SUNOCO emblems and US 1 route signs, suspended in the air and silhouetted against dark trees, punctuate movement toward a distant vanishing point which is speared by the edges of the road and the dividing strip. *Guard Rail* includes a similar roadscape, in orange, blue, black and white, seen, as in passing, through an actual section of link fence. *Proposition No. 9* (the most abstract picture in the exhibition) makes of road signs (which we all observe carefully at peril of life and limb) a directional anagram with the presence and scale of a public monument. By comparison with Ruscha's *Standard Station* the viewpoint, at least in D'Arcangelo's earlier, less abstract highway pictures, is romantic and retrospective, continuing the folklore of the endless highway. It harks back

linguagem pictórica, como o fizeram muitos pintores abstratos, a muito poucas áreas de côr, sem modulações e com contornos ásperos. Geralmente o automóvel em si não é visível, mas é onipresente, pois o ponto vantajoso de suas perspectivas—especialmente em certas pinturas que incluem um espelho retrovisor—é o de um motorista ou o de um passageiro no carro. *U.S. Highway 1, no 2* pertence a uma série de quadros onde grandes emblemas da SUNOCO e sinais da estrada U.S. 1, suspensos no ar e recortados de encontro às árvores escuras, acentuam o movimento em direção a um ponto de fuga distante, o qual é cortado pelas margens da estrada e pela faixa divisora. O quadro *Gradil* tem uma paisagem de estrada semelhante, em alaranjado, azul, preto e branco, vista como se se passasse por um vão da cêrca. *Projeto no 9* (a pintura mais abstrata de tôda a mostra) transforma os sinais de estrada (que todos nós observamos cuidadosamente à vista do perigo de vida), em um anagrama direcional com a presença e a dimensão de um monumento público. Em comparação com o quadro de Ruscha *Pôsto de Gasolina Standard*, o ponto de vista, de D'Arcangelo pelo menos nas suas primeiras pinturas de estradas, menos abstratas, é romântico e retrospectivo, continuando o folclore

to the thirties, recalling the wanderings of the Joads in Steinbeck's *The Grapes of Wrath*, the beckoning freedom of a Greyhound Bus, and the years when youth traveled America by thumb rather than sports car. The future of the highway may not be so inviting. "Assuming that America's marriage to its automobile will . . . continue in the same course it has followed these last fifty-eight years," John Keats wrote in *The Insolent Chariots* in 1958, "simple arithmetic can easily determine the precise moment in time when the last square inch of our continent becomes paved; at what pregnant moment everything is one huge, smooth surface from Hudson's Bay to the Gulf of Mexico."

Although they represent natural vantage points and never the highway or even anything mechanical, Llyn Foulkes's views of mountains, hills and rocks nevertheless also postulate transportation as the occasion of their visualization. Characteristically, as in *The Canyon*, they reproduce the same scene twice, as do the doubled photographs viewed in antique stereoscopic devices. Why is it that Foulkes's pictures, painted in monochromatic schemes of brown, green or rose, belong to the age of the automobile? In *The Canyon* it is in part the ruled green border along the top and right side of the composition that unites the almost identical shots, and also their asymmetry and lack of small detail. It is as if the barren scene were glimpsed twice, from the corner of the eye, while traveling at sixty-five miles per hour. The large *Untitled*, also painted mainly in green and gray, accomplishes this automotive association by different means. The great, ugly protuberance of rock, its forms disquietingly resembling the body of a lion, dog or horse, head toward the right, has been marked (as rocks along the highway so often are) by a pigment-and-brush inscription, and is spattered with paint which, in dripping, emphasizes both the flat canvas and the rounded surface of the boulder within the picture space. Form is modeled in translucent glazes, in this case with the consistency of creosote or oil drippings, calling to mind again the road, rather than the "natural wonder" which is Foulkes's primary subject.

Robert Indiana and Sante Graziani share a sympathetic regard for American tradition, but in the work of both painters it is mixed with a disenchanted recognition of current realities. Indiana's hard-edge style is a distillation of the brutal flatness of billboards, road signs, and insignia. *USA 666* is an heraldic tribute to a cross-country highway, but it carries a harsh warning for those who seek its kicks: EAT/HUG/ERR/DIE. Certain of Indiana's paintings make purely romantic and poetic references—in one case to the

da estrada infinita. Volta à década de 1930, relembrando as andanças de Joads no livro de Steinbeck, "As Vinhas da Ira," o aceno de liberdade do ônibus da "Greyhound," e os anos em que os jovens viajavam pela América pedindo carona em vez de no volante de carros esportes. O futuro das estradas poderá não ser tão sedutor. "Presumindo-se que o casamento da América com os automóveis... continuará a mesma marcha que tem seguido nestes últimos cinqüenta e oito anos," escreveu John Keats no livro *The Insolent Chariots*, em 1958, "a simples aritmética pode fàcilmente determinar o momento exato no tempo quando a última polegada quadrada de nosso continente será pavimentada; e nesse momento significativo tudo será uma imensa superfície lisa, da baía de Hudson ao Golfo do México."

Se bem que apresentem panoramas vantajosos e nunca estradas ou mesmo qualquer coisa mecânica, as vistas de Llyn Foulkes, de montanhas, morros e rochas, contudo, também admitem o meio de transporte como uma ocasião para sua visualização. Caracterìsticamente, como em *O Canyon*, elas reproduzem a mesma cena duas vêzes, como o fazem as fotografias duplas, vistas nos antigos aparelhos esterioscópicos. Por que é que as pinturas de Foulkes, pintadas em esquemas monocromáticos de marron, verde e rosa, pertencem à era do automóvel? Em *O Canyon*, é, em parte, a margem verde regulada na parte de cima, do lado direito da composição, que une os quase idênticos instantâneos, além de sua assimetria e falta de pequenos detalhes. É como se a cena árida fôsse vista duas vêzes de relance, do canto dos olhos, por uma pessoa viajando a sessenta e cinco milhas por hora. O grande quadro *Sem Título*, também pintado principalmente em verde e cinza realiza essa associação automobilística por meios diferentes. A grande e feia protuberância da rocha que se assemelha pertubadoramente ao corpo de um leão, cachorro ou cavalo, a cabeça para a direita, foi marcada (como acontece muitas vêzes com as rochas ao longo das estradas) por uma inscrição feita com pigmento e brocha, e está salpicada de tinta que, ao escorrer, acentúa ambas a tela plana e a superfície arredondada da pedra no espaço pictórico. A forma é modelada em verniz translúcido, neste caso, com a consistência do creosôto ou de pingos de óleo, invocando novamente a estrada, em lugar da "maravilha natural," que é um dos principais temas de Foulkes.

Robert Indiana e Sante Graziani compartilham um respeito compassivo à tradição americana, mas nas obras dos dois pintores, êsse respeito acha-se mesclado de um reconhecimento desencantado das realidades atuais. O estilo "hard-edge" de Indiana é uma distilação do brutal nivelamento de

Brooklyn Bridge, previously enshrined by Joseph Stella and
Hart Crane. Other works directly denounce American bigotry; but the *Demuth American Dream No. 5* (Plate F)
merges the two attitudes. The warning of life and death on
the highway is repeated, along with a star and an homage to
the American painter Charles Demuth: an enigmatic "5"
occurring three times in a receding perspective, borrowed
from his well-known *I Saw the Figure 5 in Gold* of 1928. Au-
tobiographical and historical nostalgia are merged, decora-
tively, amusingly and campily, in *A Mother Is a Mother/A
Father Is a Father*. Each parent poses stiffly beside the family Model "T" Ford, as if in the lens of an old Brownie No. 2
Kodak. Father is fully attired, except for bare legs and feet,
and the entire canvas is painted in a dignified gray-blue mon-
ochrome. By contrast, Mother is an Oedipean fantasy: her
hair is exotically coifed, her ample, creamy-white breast is
bare, and she is erotically gowned in brilliant red, set off by
green shoes and the bright yellow of her Art-Nouveau purse
and the wooden spokes of the ancient Ford. A heroine worthy
of Aubrey Beardsley, she is an intimidating symbol of what
Philip Wylie called "Momism."

More gently introduced, both sympathy and criticism in-
fuse the art of Sante Graziani. National images are not his
only subjects. More broadly, his art is a confrontation of
historical with contemporary art. He has spent his life near
great museums, and his painting is a juxtaposition of images
from many periods: Ghirlandaio, Uccello or Van Eyck against
Op Art; the well-known portraits of the Freake Family by
an anonymous American limner, "reunited" under a color-
chart rainbow; enlargements of Ingres pencil portraits. "The
resulting tension," Graziani comments, "is like walking a
tightrope." His delicately modeled Americana often seems
patriotic—yet Lincoln is painted against a background half
black and half white, and the flag and rainbow images that
surround the portrait fail to integrate. Speaking of the two
pictures in this exhibition, the artist confesses that "at times,
ironic or gently subversive things happen in my work." *Rainbow over Inness' Lackawanna Valley* is a schematized transcription of a George Inness landscape, symmetrically doubled by the addition of a mirror image: "there are two steam
engines slowly chugging away in the distance towards each
other, on the same track." *Red, White and Blue* includes portraits of Washington, Jefferson, Franklin and Lincoln on
raised panels, painted in a delicate Pop style and alternated
with stars. At the center is a large red, white and blue star
illuminated with blinking lights, which, with their operating
system, were made in Japan.

52

cartazes, sinais de estradas e de emblemas. *U.S.A. 666* é um
tributo heráldico a uma estrada que atravessa o país, mas
o quadro traz um aviso àqueles que procuram a excitação
das estradas: EAT/HUG/ERR/DIE (COMA/AGARRE/
ERRE/MORRA). Algumas das pinturas de Indiana fazem
referências puramente românticas e poéticas—no caso por
exemplo, da Ponte de Brooklyn, anteriormente venerada por
Joseph Stella e Hart Crane. Outros trabalhos denunciam
diretamente o fanatismo americano; mas *O Sonho Americano Nº 5 de Demuth* combina as duas atitudes. O aviso
sôbre a vida e morte nas estradas, é repetido, junto com
uma estrela e uma homenagem ao pintor americano Charles
Demuth: um enigmático "5" repetido três vêzes numa perspectiva recuada, tirado de seu quadro muito conhecido *Vi o
Número 5 em Ouro*, de 1928. Uma nostalgia autobiográfica e
histórica funde-se, decorativa e divertidamente em *Uma
Mãe é Uma Mãe/Um Pai é um Pai*. Cada um, pai e mãe,
posam tesos ao lado do carro da família, Ford Modêlo "T,"
como se vistos através de lentes de uma velha máquina fotográfica Brownie Nº 2 da Kodak. O pai está inteiramente
vestido, excepto pelas pernas e pés nus e tôda a tela é pintada
em um majestoso monocromo cinzento-azulado. Em contraste, a mãe é uma fantasia edípica: seus cabelos estão
exòticamente penteados, seus seios abundantes, de um branco
leitoso estão nus e ela está eroticamente envolta em uma bata
de um vermelho brilhante, realçado pelos sapatos verdes e
pelo amarelo vivo de sua bôlsa estilo "Art-Nouveau" e pelos
raios de madeira das rodas do Ford antigo. Uma heroina
digna de Aubrey Beardsley, ela é um símbolo intimidante
do que Phillip Wylie chamou de "Momism."

Mais suavemente apresentados, ambos simpatia e criticismo, ocupam a arte de Sante Graziani. Imagens nacionais
não são seus únicos temas. De um modo mais geral sua arte
é uma confrontação da arte histórica com a arte contemporânea. Êle passou a vida junto a grandes museus e suas
pinturas são justaposições de imagens de muitos períodos:
Ghirlandaio, Uccello ou Van Eych contra a arte "Op;" os
muito conhecidos retratos da família Freake de um pintor
americano anônimo, "reunidos" sob uma tabela de côres do
arco-iris; ampliações de retratos a lápis de Ingres. "A tensão
resultante," comenta Graziani, "é como a de andar numa
corda de acrobacia." Sua "Americana," apresentada de uma
maneira delicada, parece muitas vêzes patriótica—entretanto Lincoln é pintado contra um fundo metade prêto e
metade branco e a bandeira e as imagens multicores que
rodeiam o retrato, não se ajustam. Falando dos dois quadros desta exposição, o artista confessa que "ocasionalmente,

8. Sante Graziani
RED, WHITE AND BLUE / VERMELHO, BRANCO E AZUL
73x73" 1966

If the attitude toward current American life revealed in the works here assembled could be accurately measured on a scale graduated between love and hate, there would be a few marks close to both poles, a love/hate compound in some cases, and a less extreme mixture of identification and irony would be characteristic. Yet the balance would be tipped in favor of L-O-V-E: the letters that comprised the subject matter and form for an entire exhibition by Indiana, and are a slogan for hippie and psychedelic groups. For the first time, moreover, certain artists seem acquiescent to our commercial culture. Critics of Pop Art resented what they saw as a wholesale capitulation—a sellout to vulgar merchandising. One of the first Americans to appropriate both mass-media style and subjects was Roy Lichtenstein, an originator of Pop Art, Common-Image Art and what Ivan C. Karp appropriately called "Anti-Sensibility Painting." The designation is apt for Lichtenstein, for since the first of his comic-strip paintings, before 1960, his replacement of the content and form of fine art by the strident colors, slick techniques and inert flat shapes of the cheapest commercial illustration

irônica ou delicadamente, coisas subversivas acontecem no meu trabalho." *Arco-Iris sôbre o Vale Lackawanna, de Inness,* é uma transcrição esquematizada de uma paisagem de George Innes simètricamente duplicada com o acréscimo de uma imagem no espelho: "há duas locomoticas movendo-se vagarosamente à distância, uma em direção à outra, no mesmo trilho." O quadro *Vermelho, Branco e Azul* inclui retratos de Washington, Jefferson, Franklin e Lincoln em painéis levantados, pintados num delicado estilo "Pop" e alternados com estrelas. No centro há uma enorme estrela vermelha, branca e azul iluminada por luzes pisca-pisca, as quais, juntamente com seu sistema de funcionamento, foram feitas no Japão. "Para mim," diz Graziani, "isto é contar como as coisas são."

Se a atitude para com a vida atual americana, revelada nos trabalhos aqui reunidos, pudesse ser medida com exatidão numa escala graduada de amor e ódio, haveria poucas marcas perto de ambos os polos, uma combinação de amor-ódio em alguns casos, e uma mistura menos exagerada de identificação e ironia seria o característico. Ainda assim, a balança penderia a favor do A-M-O-R: as letras abrangem o tema e forma de tôda uma exposição de Indiana e que são o lema dos grupos da ala "hippie" e dos psicadélicos. Além disso, pela primeira vez, certos artistas parecem submissos à nossa cultura comercial. Os críticos da arte "Pop" ressentem-se do que viram como uma capitulação por atacado—um sucesso de mercadoria barata. Um dos primeiros americanos a apossar-se do estilo e temas dos meios de comunicação das massas foi Roy Lichtenstein, um iniciador da arte "Pop," da arte da Imagem-Comum e do que apropriadamente chamou Ivan C. Karp de "Pintura Anti-Sensitiva." A designação é adequada para Lichtenstein, porque desde suas primeiras pinturas de histórias em quadrinhos, antes de 1960, a substituição do volume e da forma das belas-artes pelas côres estridentes, pelas técnicas do lustroso e pelos inertes contornos planos das ilustrações comerciais mais ordinárias, têm sido constantes e têm sido acentuadas por suas caricaturas de Cézanne, Picasso, Mondrian, de Kooning e por pinceladas de um expressionismo-abstrato. Seus detratores afirmam que êle simplesmente plagiou livros cômicos fora de moda; seus defensores, tais como Robert Rosenblum, ressaltam a transformação creativa de suas fontes de inspiração e comparam seu papel histórico ao de Courbet e seu estilo de meios de comunicação de massas, aos de Léger. É preciso ser dito em 1967, que as telas anti-arte de Lichtenstein em vermelhos, amarelos, azuis, brancos, pretos e em meios tons de livros cômicos e supermercados, pintadas em

has been constant, and has been underscored by his caricatures of Cézanne, Picasso, Mondrian, de Kooning and the
Abstract-Expressionism brushstroke. His detractors contend that he merely plagiarized out-of-date comic books;
his defenders, such as Robert Rosenblum, call attention to
the creative transformation of his sources, and compare his
historical role to Courbet and his mass-media style to
Léger. It must be said, in 1967, that Lichtenstein's anti-art
canvases, in comic book and supermarket red, yellow,
blue, white, black, and stenciled half tones imitating dotted Ben Day screens, are more admired today, with the
Pop Art wave in the past, than they were five years ago. Already, moreover, the lily innocent but erotic doll-face of
Girl and the synthetic drama of *O.K. Hot Shot* are beginning
to acquire a retrospective charm. That the artist recognizes
the nostalgic appeal of his primary images is clear in *Modern
Painting with Green Segment*, which compresses the compass
curves, acute angles and undulations of the "Futuristic"
style of movie palaces and nightclubs in the 1930's into a
capsule return to what now (as Laing realized in painting
his boudoir-lavender-tinted *Jean Harlow*) seems like a brave
but distant old world. In the power with which they em-

22. Roy Lichtenstein
MODERN PAINTING WITH GREEN SEGMENT
PINTURA MODERNA COM SEGMENTO VERDE
68 x 68″ 1967

estêncil, imitando as telas pontilhadas de Ben Day, são mais
apreciadas hoje, que a onda da arte "Pop" já passou, do que
o eram há cinco anos atrás. De mais a mais, o rosto de boneca
inocente como o lírio, mas erótico de *Menina* e o drama
sintético de *O.K. Hot Shot* já começam a adquirir um encanto retrospectivo. Que o artista reconhece o encanto
nostálgico de suas imagens primárias, está claro em *Pintura Moderna Com Segmento Verde*, que condensa as
curvas de compasso, os ângulos agudos, as ondulações do
estilo "Futurista" de cinemas e cabarés da década de 1930,
de volta ao que agora (como compreendeu Laing ao pintar
sua *Jean Harlow* côr de lavanda de "boudoir") parece como
um esplêndido mas remoto mundo velho. Na fôrça com que
personificam o aspecto do meio, suas pinturas nesta mostra
têm, não há dúvida, um paralelo, se não uma afinidade esti-
lística com Léger. Lichtenstein demonstrou, como o fizeram
outros artistas antes dêle, que a convicção, habilidade e o
preciso julgamento estético, podem ser tão executáveis
dentro de um idioma propositadamente descuidado, como
nas pinturas mais "difíceis" que se apegam ao idealismo
romântico, à sensibilidade e ao mundo esotérico da arte
pura. Se bem que a batalha entre a cultura popular e a
cultura intelectual esteja resolvida, é evidente que Lichtenstein e outros têm refletido o meio americano mostrando
pelo menos uma de suas faces "tal como ela é," e que a
imagem tem se refletido em todos os "Pows," "Zowies" e
"Blams," dos filmes de televisão em série "Batman."

A declaração de Rauschenberg de que êle procura agir no
espaço entre a vida e a arte, tem um paralelo no desejo de
Claes Oldenburg de produzir objetos "a meio caminho entre
o mundo real e o mundo da arte." Desde os dias da exposição
"Novas Formas—Nôvo Meio," aberta em 1960, na galeria
Martha Jackson (na qual Oldenburg expôs uma silhueta de
papelão e cuja capa de catálogo êle desenhou), de seus acon-
tecidos anteriores e apetrechos de teatro, de suas declara-
ções bruscas, que os curadores de museus recusaram-se a
imprimir, de seus quadros "Companhia Manufatureira de
Revólveres Ray" e "Loja," Oldenburg colocou em museus
e em coleções particulares, um número e uma variedade
espantosos de seus objetos difíceis de definir e por vêzes
deselegantes. Entre êles encontravam-se chocantes almôn-
degas esmaltadas, nauzeantes caricaturas de bolos e tortas,
refrescos e sorvetes, peças grotescas de vestuário. Seguiram-
se enormes cones de sorvete, cones de gêlo colorido, almôn-
degas e novamente bolos e tortas. Alguns eram macios—
estofados e costurados—e em desenho espontâneo, outros
eram colocados como monumentos em lugares proeminentes

body the look of "the media," his paintings in this exhibition surely have a parallel, if not a stylistic affinity, with Léger. Lichtenstein has demonstrated, as have other artists before him, that conviction, skill and precise aesthetic judgment can be just as operable within an intentionally blatant idiom as in the more "difficult" painting that clings to romantic idealism, sensibility and the esoteric world of pure art. However the battle between popular and intellectual culture is resolved, it is clear that Lichtenstein and others held up a mirror to the American environment that shows at least one of its faces "like it is," and that the image has reverberated with all the Pows, Zowies and Blams of the now ailing television serial, "Batman."

Rauschenberg's assertion that he tries to act in the gap between life and art has a parallel in Claes Oldenburg's desire to make objects "halfway between the real world and the world of art." Since the days of the "New Forms-New Media" exhibition, held in 1960 at the Martha Jackson Gallery (in which Oldenburg exhibited a burnt-edged cardboard silhouette and for which he designed the catalogue cover), his early happenings and theater pieces, the bluntly worded statements that museum curators refused to print, his "Ray Gun Manufacturing Company" and his "Store," Oldenburg has produced and placed in museums and private collections an astonishing number and diversity of his hard-to-define and often ungainly objects. Among them were luridly enameled hamburgers, sickeningly caricatured cakes and meringue pies, sodas and sundaes, and grotesque objects of wearing apparel. They were followed by huge ice cream cones, Popsicles, hamburgers and, again, pie and cake. Some were soft—stuffed and sewn—and in fluent drawings others were placed as monuments on salient New York sites. There were also outsize pants, soft maps of Manhattan, sagging automobiles and engines, orange juicers, and the complete equipment for a modern bathroom: an oversize bathtub, sink, toilet and medicine cabinet, flabbily drooping but gleaming with the vinyl of which they were expertly sewn by the artist's wife and assistants. Such ribald deformity is an important aspect in the strength of Oldenburg's work. Humor, irony, an imagination as hard as the objects are soft, a healthy hostility and technical skill make him, artist or non-artist, a man to contend with. "The American urban landscape is fantastically ugly. . ." Ivan Karp writes. "The packaged horror of the super shopping center inspires at its worst (or best) a degree of revulsion instructive to the open eye." Oldenburg delights, even more than Warhol with his Brillo boxes and Lichtenstein with his Rotobroilers and washing

de Nova York. Havia também calças de tamanhos enormes, mapas de Manhattan, automóveis e motores caindo aos pedaços, aparelhos de suco de laranja e um aparelhamento completo de um banheiro moderno: uma enorme banheira, pia, privada e armarinho, em estado de declínio, mas brilhando por causa do vinil com que foram hàbilmente costurados pela mulher e pelos assistentes do artista. Tal irreverente deformidade, constitui um aspecto importante na obra de Oldenburg. O humor, a ironia e a imaginação tão fortes, quanto macios são os objetos, fazem dêle, artista ou não, um homem com quem se pode argumentar. "A paisagem urbana americana é fantàsticamente feia . . ." escreve Ivan Karp. "O horror condicionado do super "shopping center" no pior dos casos (ou melhor) provoca uma repulsão instrutiva aos olhos atentos." Oldenburg encanta, ainda mais do que Warhol com suas caixas de Brilho e Lichtenstein com suas grelhas rotativas e máquinas de lavar roupa, ao "tornar visível o desprezível." O que êle nos tem mostrado é um espelho capaz de aumentar a imagem refletida com uma insistência de um super-modulado vídeo comercial.

Quarto, o principal trabalho de Oldenburg incluído nesta exposição, é de um tipo diferente de seus agora-familiares objetos. Num ambiente completo êle arremeda os interiores modernos da moda. Os móveis em tamanhos monumentais (cuja origem podemos ver em vitrines de qualquer rua comercial) são arranjados numa perspectiva refratária, òticamente deformada, que (ao contrário da perspectiva linear tradicional que cria o efeito de espaço e volume num plano liso) faz com que o verdadeiro volume e espaço pareçam irreais. Tôdas as superfícies visíveis são de materiais falsos: o toucador e as mesas de cabeceira são de fórmica, imitando mármore; o espelho não é de vidro, mas de metal; o tapete branco é de pele artificial, o exótico divã é acolchoado de "Zebravelour"; em cima dêle, jogados, acham-se um casaco de pele de leopardo, de vinil, e uma enorme bôlsa de um prêto espelhoso. Os altos abajures (menores, deve ser dito, do que os de alguns hotéis de Beverly Hills) são "marmorizados"; a coberta acolchoada da cama, é de plástico, e os lençóis em vinil branco, brilham vivamente (como o banheiro de Oldenburg). As pinturas nas paredes são de tecidos que imitam o estilo cacête de Jackson Pollock. Puros e comedidos são sòmente as bases das lâmpadas, de um branco pastoso; a caixa de pó, o vidro de perfume, o cinzeiro, o rádio e o relógio: abstrações de acessórios verdadeiros.

Malcolm Morley, como lembrou Lawrence Alloway, tira proveito de dois meios de comunicação: das reproduções fotográficas como uma fonte de inspiração e de transatlânti-

machines, in "rendering visible the despicable." What he has held before us is a mirror capable of enlarging its reflection with the insistence of an overmodulated video commercial.

Bedroom, the major work by Oldenburg included in this exhibition, is of a different order than his now-familiar objects. A complete environment, it parodies a contemporary interior. The king-size furnishings (of which one can see the origins in windows along any shopping street) are constructed in a perverse, optically-distorted perspective which (unlike traditional linear perspective that creates the effect of space and bulk on a flat plane) makes actual bulk and space seem unreal. Every visible surface is false to its material: the dresser and the paired night tables are of formica which imitates marble; the mirror is not glass but metal; the white rug is artificial fur; the outlandish lounge is upholstered with "Zebravelour;" thrown on it is a vinyl leopard-skin coat and an immense, mirror-black handbag. The towering lamp shades (smaller, it should be noted, than those in some Beverly Hills hotels) are "marbleized;" the quilted bedspread is plastic, and the sheets shine luridly (like Oldenburg's soft toilet) in white vinyl. The paintings on the walls are textiles that imitate the drip style of Jackson Pollock. Pure and restrained are only the plaster-white lamp bases, powder box, perfume bottle, ash tray, radio and clock: ab-

26. Malcolm Morley, SHIP'S DINNER PARTY
JANTAR DE GALA NO NAVIO, 83½ x 63½" 1966

29. Claes Oldenburg
BEDROOM (detail)
QUARTO DE DORMIR (detalhe)
17 x 20 x 10' 1963

stractions of real accessories. *Bedroom* is a scathing indictment of ostentation and gaudy modernism.

Malcolm Morley derives, as Lawrence Alloway has noted, from two media of communication: photographic reproductions as a source and ocean liners as a subject. His pictures are carefully enlarged by the ancient grid system, and completed a square at a time, as Morley says, keeping "a square-by-square correspondence with the photographic source...." The squares are painted "upside down or sideways," so that their subject will not interfere with precise tone-for-tone relations, and the painter will "stay as neutral as possible and just do it." Morley was formerly an abstract painter; yet, at first seeing, the mechanistic literalness of such a picture as *"United States" with (NY) Skyline* provides a jolt combining both pleasure and distaste. It is superbly painted in its commercialistic style, extending postcard precision by controlled modulations, closely adjusted values and a vocabulary of touches and bright dots recalling the Venetian scenes of Canaletto or the paintings of Vermeer. Every building of the New York skyline (as of the shore at Rotterdam behind the liner "Amsterdam" in a work not eligible for this exhibition) sparkles with a live precision no photograph could achieve. The monstrously unappealing couples celebrating in *Ship's Dinner Party* might well be the affluent owners of

cos como tema. Seus quadros são cuidadosamente ampliados pelo antigo sistema de grade e ele faz um quadrado de cada vez, conservando, como diz Morley, "uma correspondência de quadrado a quadrado com a fonte fotográfica...."Os quadrados são pintados "de cabeça para baixo ou lateralmente;" a fim de que o tema não interfira com a relação precisa de tom para tom, e para que o pintor "permaneça tão neutro quanto possível." Morley era anteriormente um pintor abstrato; ainda assim, à primeira vista, o mecanismo prosáico de um quadro como *"Estados Unidos" com (NY) Horizonte*, proporciona um choque que casa a satisfação com a aversão. É magnìficamente pintado, em estilo comercializado, mostrando uma precisão de cartão postal por meio de uma modulação controlada, de valôres ìntimamente ajustados e por uma série de toques e pontos brilhantes lembrando as cenas venezianas de Canaletto ou as pinturas de Vermeer. Cada edifício do horizonte de Nova York (como o da costa, em Rotterdam, atrás do transatlântico "Amsterdam" em um trabalho não qualificado para esta exposição) cintila com uma precisão natural que nenhuma fotografia poderia atingir. Os casais, extremamente desinteressantes, que se divertem em *Jantar de Gala no Navio*, poderiam muito bem ser os ricos donos, do quadro *O Quarto;* na realidade os dois trabalhos—um, uma transcrição neutra e o

40. Wayne Thiebaud
DELICATESSEN COUNTER
O BALCÃO DE MERCEARIA
5x6' 1963

Oldenburg's *Bedroom;* indeed the two works—one a neutral transcription and the other a distorted caricature—plunge the same barb into clean-scrubbed American flesh. This crassly festive spectacle is triumphantly ugly, so that lovely passages of painting such as the optically sparkling glass of champagne in the foreground can be appreciated only by control of one's response to the total Kodachromistic ensemble.

Wayne Thiebaud's machine-age still lifes of soda fountain concoctions, commercial pastries, hors d'oeuvres and other processed foods are all but painted equivalents of Oldenburg's caricatured facsimiles. Yet there is an important difference between them. Thiebaud's canvases of drug store, bakery, confectionery and delicatessen products are not overtly distorted or exaggerated. Whether they attract or repel, as is the case with Morley's ship interiors, depends more on the subject chosen than on the artist's transformation of it. Thiebaud's earlier figure paintings were in the freely impressionist "Bay Area" style centered in San Francisco, and he has never abandoned a thickly pigmented manner for a hard style like that of Indiana, Lichtenstein or Ruscha. Especially in his paintings of overrefined carbohydrate foods, he has found an appropriate pigmentation which includes just the right delectable, whitish and acidly pastel tints to simulate the artificial coloration of mass-produced desserts, and a paint surface resembling ice cream, frosting or meringue. In such canvases as *Cakes* the rosettes, rings and swags of frosting rise from the canvas in an oleaginous relief approaching that achieved in the bakery. By contrast, the cheeses and meats in *Delicatessen Counter* have a lean, dry, brushed-out stroke suited to protein motifs. It may seem contradictory that rich pigment is used to represent a pinball machine; in color, however, the areas are unmodulated, and the strokes, following the contours of objects and patterns rather than moving in space—an illustrator's technique far from that of Cézanne or the Impressionists—reinforce the anti-art, common-object, bias.

Unlike "Social Realism," or any art that criticizes society on the basis of a strongly held doctrinal or political position, the work discussed above, which comments within the domain of aesthetics and manners, contains as much identification and good humor as it does acrimony, and often revels in the pleasure of its sophisticated and intentional vulgarity—a reaction in part to a period in which "high" art tended to become pretentious and mawkish. It is hard to find even an undertone of disfavor in the "Great American Nudes" by Tom Wesselmann, who tries to work, as he has said, in the gap between beauty and ugliness. Their subject, one feels, is

outro uma caricatura deturpada—enterram o mesmo arame farpado na asseada pele americana. Êste espetáculo grosseiramente festivo é triunfantemente feio, de modo que os trechos encantadores de pintura, como o espumante copo de champanhe no primeiro plano, podem ser apreciados sòmente pela reação de cada um a todo o conjunto cromático.

As naturezas mortas de Wayne Thiebaud, reproduzindo copos de refrescos preparados no balcão, doces, "hors d'oeuvres" e outros alimentos preparados, da idade das máquinas, são quase que equivalentes em pintura aos facsímiles caricaturizados de Oldenburg. Contudo há uma diferença importante entre êles. As telas de Thiebaud de balcões de refrescos de drogarias, de padarias e de produtos de confeitarias, não são intencionalmente deformadas ou exageradas. Se elas atraem ou repelem, como no caso das cenas interiores de navios, de Morley, depende mais do tema escolhido do que da transformação dos objetos, pelo artista. As primeiras pinturas de Thiebaud eram no estilo impressionista independente "Bay Area" concentrado em São Francisco e êle nunca abandonou a técnica de pigmento espêsso para adotar o estilo rígido como o de Indiana, Lichtenstein ou Ruscha. Especialmente em suas pinturas de aprimorados alimentos carbohidratados, êle encontrou uma pigmentação apropriada que contém os tons esbranquiçados e pastéis, justamente adequados para simular a coloração artificial das sobremesas confeccionadas em massa e uma mão de tinta assemelhando-se a sorvete, glace ou suspiro. Em tais telas como *Bolos;* as rosetas, os "perlés" e os festões sobressaem da tela num relêvo oleaginoso, semelhante àquele conseguido pelas padarias. Em contraste, os queijos e carnes em *O Balcão de Mercearia*, têm uma pincelada sêca, monótona e superficial condizente com os motivos de alimentos que contêm proteína. Pode parecer contraditório que um pigmento vivo seja usado para representar uma máquina de jogar bolas; contudo, em côr, as áreas não apresentam modulações, e as pinceladas, seguindo o contôrno dos objetos e das formas, em lugar de moverem-se no espaço—uma técnica de ilustradores muito distante da de Cézanne ou da dos impressionistas—reforçam a tendência da anti-arte e a do objeto-comum.

Ao contrário do "realismo social" onde qualquer arte que critica a sociedade com base em uma posição de doutrina ou política profundamente defendida, o trabalho acima discutido, observado dentro do domínio da estética e do estilo, contém tão bom humor e identificação quanto acrimônia, e freqüentemente revela no prazer de sua vulgaridade sofisticada e intencional—uma reação, em parte, a um período no

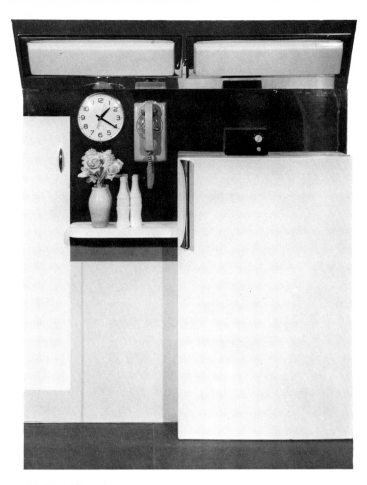

45. Tom Wesselmann
INTERIOR NO. 4
5½'x4½'x9" 1964

not the human body or even firsthand eroticism (such as that of Modigliani, Schiele or Pascin), but the commercially provoked American obsession with breasts, nudity and semi-nudity. The earliest of these nudes recline in settings that include large household color reproductions of paintings by Matisse and Modigliani, the *Mona Lisa* and portraits of Washington and Kennedy, as well as patriotic symbols. Those that came later are surrounded by the ordinary furnishings of the bedroom and bathroom. *Great American Nude No. 53*, although it is not as flagrantly exhibitionistic as certain of the later female figures, is one of the finest of the series. Certain areas are modeled and others are flat and abstracted, but the composition, which adroitly fuses ugliness with beauty, is unified, and careful relationships lift color from harshness into lightness and piquant harmony. The smiling mouth—a collage insertion—provides the hedonistic note around which the composition is built. The division of the surface is well managed and powerful, and the shapes are

qual a arte "elevada" tendia a tornar-se pretenciosa e senti-mentalista. É difícil de encontrar-se mesmo um laivo de desagrado nos "Os Grandes Nus Americanos" de Tom Wesselmann, que procura trabalhar, como êle disse, no inter-valo entre a beleza e a feiura. Seus temas, sente-se, não são o corpo humano, ou nem mesmo o erotismo direto (como os de Modigliani, Schiele ou Pascin) mas a obsessão americana, comercialmente provocada, com seios, nudez e semi-nudez. Os primeiros dêsses nus reclinam-se em cenários que enqua-dram grandes reproduções familiares em côres, de pinturas de Matisse e Modigliani, a *Mona Lisa* e retratos de Wash-ington e de Kennedy, bem como de símbolos patrióticos. Os que os seguiram, são rodeados de mobiliário comum de quarto e de banheiro. *O Grande Nu Americano nº 53*, se bem que não seja tão flagrantemente exibicionista como algumas das últimas figuras femininas, é um dos melhores da série. Algumas áreas são modeladas, outras são planas e abstratas, mas a composição, que hàbilmente combina a feiura com a beleza, tem união e uma relação cuidadosa que leva a côr da aspereza à leveza e à harmonia. A boca sorridente—um encaixe de colagem—fornece a nota hedonística em tôrno da qual a composição é planejada. A divisão da superfície é bem conduzida e forte e as formas são harmoniosamente ajustadas. A atmosfera realçada por uma colagem de quatro rosas tiradas de um cartaz de uísque, uma vista do mar e detalhes em vermelho, branco e azul, em cima, no canto direito, é animada e festiva. O mundo evocado não é aquêle da vida, mas o da publicidade de uma estação de águas e o conselho que sugere é, sem dúvida, o de "Divirta-se, Divirta-se!" Nas naturezas mortas de cozinhas e supermercados de Wesselmann (das quais grava-se na memória os rótulos de latas de "Del Monte"), reproduções em côres, em tamanhos de quadro de cartazes, objetos pintados e provisões abarro-tam as prateleiras exageradas, resultando em composições transbordantes mas muitas vêzes formalmente fortes. *Inte-rior nº 4*, é contudo uma parede completa de cozinha, em prêto, branco, cinza e cromo, onde estão pregados acessórios verdadeiros como uma luz fluorescente e um relógio elétrico, ambos funcionando e um rádio que não funciona. No entanto essa montagem de utensílios resplandescentes, transforma-se numa obra de arte e não num modêlo em tamanho natural, não só por causa da ordenada e pura conexão entre seus ele-mentos, mas também porque, como nas figuras de emplastro de Segal e nos acessórios de *Quarto* de Oldenburg, êsses objetos que só são encontrados em côres—um vaso, flôres e duas garrafas de coca-cola—são apresentados em réplicas em branco e marfim. Êsse desvio da realidade dá à obra uma

10. Paul Harris, WOMAN LOOKING OUT TO SEA
MULHER OLHANDO O MAR
Life size / Tamanho natural, 1964–65

harmoniously adjusted. The mood, enhanced by a collage of four red roses taken from a whisky poster, a seaside view and red, white and blue details in the upper right-hand corner, is buoyant and gay. The world elicited is not that of life but resort publicity, and the admonition it implies is surely, "Enjoy, enjoy!" In Wesselmann's supermarket and kitchen still lifes (from which the "Del Monte" label remains in one's mind), billboard-size color reproductions as well as painted objects and provisions stock the magnified shelves, to make crowded but often formally strong compositions. *Interior No. 4*, however, is a complete kitchen wall, in black, white, gray and chromium, incorporating actual fixtures, including fluorescent lighting and an electric clock, both operative, and an inoperative radio. Yet this assemblage of glittering appliances becomes a work of art rather than a mockup, not only because of the ordered, purist relationship of its elements, but also because, like Segal's plaster figures or the

distância estética e assim ela torna-se um monumento ao amor americano pela eficiência insinuante, em vez de uma mera exposição de objetos caseiros.

Com uma insinuação mais aristocrática do que os nus de Wesselmann, as roliças, mas elegantes senhoras de Paul Harris, em tamanho natural, reclinam-se em móveis verdadeiros de terraço, sala de estar e quarto, transpirando uma atmosfera de volúpia e abundância cômicas. *Mulher Rindo* e *Mulher Olhando o Mar* são fabricados de fazendas com linhas e agulhas. Elas podem ser aceitas com prazer, como divertidas, espirituosas e decorativas. Se há alguma crítica social, ela deve encontrar-se na completa submissão da individualidade a um estilo de vida. Assim como pessoas de certos grupos parecem incorporar-se ao meio em que vivem, os estampados floridos dos vestidos, os penteados esquemáticos, o prolongamento dos braços e as pernas invisíveis, unem-se, como uma camuflagem, às formas estofadas que envolvem as figuras. A aparência delas é nova e elegante, mas sua sensualidade e a fusão curvelínea dos corpos com o cenário, estão de acôrdo com a fusão atual das artes "Pop" e "Op" com a "Art Nouveau" que, na costa oeste, onde mora Harris, tem sido o modêlo para a decoração dos cultos de "LSD" como o de Ken Kesey, e para os cartazes de concertos psicadélicos de "rock 'n' roll" de Wes Wilson apresentados em conjunto com os turbilhantes "light-shows," no auditorium Fillmore, em São Francisco.

Certa verdade sôbre o contraste da idade psicológica com a idade cronológica e sôbre o que pode adeqüadamente ser chamado de "americano" poderia ser deduzida ao se saber que Richard Lindner, o artista desta mostra que melhor representa o espírito refratário da mocidade americana de hoje, tem sessenta e cinco anos de idade e é europeu de nascimento. Até recentemente Lindner era visto como um pintor de fantasias inteiramente pessoais, nas quais sua admiração e amor por mulheres bizarras e agressivas transformam-se em telas que incluem homens e animais, mas que são entretanto dominadas por mulheres vestidas num guarda-roupa grotesco de matizados coletes, meias, ligas, saias, capacetes, braçadeiras, luvas de couro, cintos, óculos, fivelas e outras vestimentas e objetos fora do comum, mas que sugerem sexo e agressão. A extraordinária temática de Lindner e seu estilo explícito desenvolveram-se vagarosamente através de camadas de experiências que começaram na Alemanha antes de Hitler e apresentavam familiaridade com o expressionismo, o dadá e o surrealismo. Enamorado, como outros europeus, com os objetos coloridos e baratos encontrados em lojas de lembranças, de jogos e de quebra-

accessories in Oldenburg's *Bedroom*, those objects not available without color—a vase, flowers and two Coca-Cola bottles—are introduced in white or off-white replicas. This deviation from actuality gives the work aesthetic distance, so that it becomes a monument to the American love of sleek efficiency rather than a mere household exhibit.

With a more upper-class reference than Wesselmann's nudes, Paul Harris' plump but chic ladies recline, life-size, in actual terrace, living-room or bedroom furniture, exuding an atmosphere of comic voluptuousness and affluence. *Woman Laughing* and *Woman Looking out to Sea* are fabricated from materials of the needle trade. They can be accepted with pleasure as amusing, witty and decorative. If any social comment is intended, it must lie in the complete submersion of individuality by a style of life. Just as people of certain groups seem to melt into their environment, the floral patterns of the garments, the schematic hair-dos, the appendageless arms and invisible legs merge like camouflage with the stuffed forms that embrace the figures. Their look is new and fashionable, and their sensuousness and curving fusion of body and setting is in keeping with the current blend of Pop and Op Art with Art Nouveau which, on the west coast where Harris lives, has been the model for the decorations of LSD cults like that of Ken Kesey, and Wes Wilson's posters for psychedelic rock 'n' roll concerts presented in conjunction with swirling "light shows" in San Francisco's Fillmore Auditorium.

Some truth about psychological as opposed to chronological age, and what can properly be called "American," could be drawn from the knowledge that Richard Lindner, the artist in this exhibition who best embodies the refractory spirit of American youth today, is sixty-five years old, and a European by birth. Until recently, Lindner had been seen as a painter of entirely personal fantasies in which his admiration and love for bizarre and predatory women take form in canvases that include men and animals but are dominated by females dressed in grotesque wardrobes of multihued corsets, stockings, garter belts, skirts, helmets, braces, leather gloves, belts, goggles, buckles and other garments and objects far from ordinary dress but suggestive of sex and aggression. Lindner's extraordinary subject matter and explicit style developed slowly, through layers of experience that began in pre-Hitler Germany, and included a familiarity with Expressionism, Dada and Surrealism. Enamoured, as other Europeans have been, with bright, cheap objects to be found in souvenir, game and puzzle emporiums along Times Square and in other tourist centers, he became a collector of

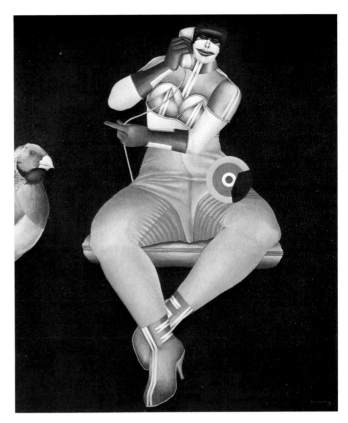

24. Richard Lindner
HELLO
70x60" 1966–67

cabeças, ao longo do Times Square e em outros centros turísticos, êle se tornou um colecionador de brinquedos mecânicos, de extravagantes fotografias de garotas, de tôda a sorte de insígnias e de outros objetos notáveis que servem de "estimulantes" à sua arte. Recentemente a sociedade dos adolescentes de mini-saias, de "rock 'n' roll," de trans-sexualidade e de LSD—pelo menos como ela é retratada nos meios de comunicação de massas—começa a assemelhar-se às invenções de Lindner. "Não é o caso da arte estar se tornando mais realista," escreveu recentemente o crítico Hilton Kramer, num artigo sôbre Lindner, "mas da vida estar se tronando mais fantástica . . . ." No quadro *A Cidade de Nova York III*, a colisão de letras de fôrma, fisionomias grosseiras esquemáticas, óculos grandes, desenhos abstratos e detalhes desumanos, resultam numa imagem de alta tensão que faz lembrar o ritual e a violência associados com as quadrilhas ilegais de motociclistas. Se o quadro *Hello* tivesse sido pinta-

mechanical toys, odd "girlie" pictures, insignia of all kinds and other striking objects, which serve as "stimulators" for his art. But recently the teen-age society of miniskirts, rock 'n' roll, trans-sexuality and LSD—at least as these strata are portrayed in the mass media—has begun to resemble Lindner's inventions. "It is not a case of art becoming more realistic," the critic Hilton Kramer recently wrote in an article on Lindner, "but of life becoming more fantastic...." In *New York City III* the collision of block lettering, coarse diagrammatic faces, goggles, abstract patterns and dehumanized detail results in a high-tension image that now calls to mind the ritual and violence associated with the outlaw motorcycle gangs. If *Hello* had been painted in 1960 rather than 1967, this grotesque and oddly costumed cult goddess, telephoning while observed by an exotic bird, could have found a counterpart only in fantastic or science fiction, or in the imagination of some modern-age de Sade; but in the wake of the changes that have so rapidly come about in American social attitudes, sexual mores, dress and modes of amusement, Lindner's daemonic apparitions have a connection with real life on more than one level of our society.

James Gill's triptych, *Marilyn*, already belongs to a period which has passed. Its flattened and curving shapes recall the original (rather than the currently reinterpreted) Art Nouveau, and the painting of Edvard Munch and Francis Bacon. In 1954, when the Monroe legend was being established, Willem de Kooning painted a *Marilyn Monroe*, and later this unique film star became an idol of artists and intellectuals. Adoration changed to grief with her shocking death. During 1962, but beginning before Marilyn's suicide in August, Warhol produced a series of silk-screened Monroe portraits, all from the same photograph but in a range of Pop colors, and Gill painted this moving triptych. In 1963, Stanley Kauffmann wrote that "Miss Monroe had a special sex appeal, not of the bedroom but of the back seat of a parked car; and she had humorous, transparent, mock-innocence. ... As for her sad death, it tells nothing we did not already know about Hollywood and American culture." Gill's triptych is different in spirit from the other pictures in this exhibition not only because of its almost expressionist style, but also because he cuts through "the media," trying to find a psychological reality beneath the brittle artificiality of Hollywood and Madison Avenue. The three large portraits, one gay, one fear-stricken and the other sullen-faced and naked, relate to the contradictions of Marilyn's fascinating career. In the cinematically changing photographic images in the background, the tragedy of her descent from iridescent en-

do em 1960 em lugar de em 1967; essa deusa vestida grotesca e singularmente, telefonando enquanto é observada por um passáro exótico, poderia encontrar uma correlação sòmente na ciência fantástica ou de ficção ou na imaginação de alguma era moderna de Sade; mas na seqüência dos acontecimentos que tão ràpidamente se deram nas atitudes sociais americanas, nos costumes sexuais, nos vestidos e maneiras de divertimento, as aparições demonìacas de Lindner têm ligação com a vida verdadeira em mais de um nível de nossa sociedade.

O quadro tríptico de James Gill, *Marilyn*, já pertence ao passado. Suas formas achatadas e onduladas, lembram a original (em lugar da atual reinterpretada) "Art Nouveau" e as pinturas de Edvard Munch e Francis Bacon. Em 1954, quando a lenda sôbre Monroe estava sendo firmada, Willem de Kooning pintou uma Marilyn Monroe, e mais tarde essa extraordinária estrêla de cinema tornou-se o ídolo de artistas e intelectuais. A adoração transformou-se em dor com sua morte chocante. Durante o ano de 1962, mas começando antes do suicídio de Marilyn em agôsto, Warhol produziu uma série de retratos dela em "silk-screen," todos de uma mesma fotografia, mas numa série de côres "Pop," e Gill pintou êste comovente tríptico. Em 1963, Stanley Kauffman escreveu que "a senhorita Monroe exercia uma atração especial, não de quarto, mas de banco traseiro de um carro estacionado; e tinha uma inocência jocosa, transparente, simulada ... Quanto à sua triste morte, ela não nos diz nada que já não soubessemos sôbre Hollywood e a cultura americana." O tríptico de Gill é diferente em espírito, dos outros quadros desta mostra, não sòmente por causa de seu estilo quase que expressionista, mas também porque êle penetra no "meio" tentando encontrar uma realidade psicológica sob a frágil artificialidade de Hollywood e de Madison Avenue. Os três grandes retratos, um alegre, um medroso e o outro tristonho e nu, narram a fascinante carreira contraditória de Marilyn. Na mudança de imagens fotográficas à maneira cinematográfica, no segundo plano, a tragédia de sua descida da exaltada veneração como deusa americana da sexualidade, para o tormento e a morte é planejada cena por cena.

Um comentário sôbre a escultura do "meio," de George Segal, foi reservado para o fim desta introdução, porque, se bem que não se pudesse pensar nesta mostra sem êle, sua obra precisa ser vista separadamente. Seu conceito e processo incomparáveis não têm qualquer ligação com os meios de comunicação das massas. Na verdade, o espaço entre a arte e a vida poucas vêzes tem sido tão estreitamente unido. Se

6. James Gill, MARILYN, EACH PANEL / CADA PAINEL 48x35⅞" 1962

shrinement as the American goddess of sexuality toward torment and death is plotted stage by stage.

A comment on the environmental sculpture of George Segal has been reserved for the end of this introduction because, although the exhibition would have been unthinkable without him, his work must be seen separately from it. His unique concept and procedure have no connection whatsoever with the mass media. Indeed, the gap between art and life has seldom been so tightly closed. Although the actual objects that make up his environments are carefully selected, with major sections often constructed by the artist, they still can be said to be drawn from the real world. The sculptured figures placed within these settings represent individual persons whom the sculptor knows well, often intimately, and their situations and activities are those which he has observed in actuality. Totally unselfconscious, they place a call in a telephone booth; ride a bicycle; operate a pinball machine; drive a truck or bus, or descend from it; sit at a lunch counter or a kitchen table; wait in a laundromat; bathe, shave, dress, sleep, relax or meditate at home. Segal's groups are an inventory of ordinary human activities. His figure sculpture is sometimes thought of, erroneously, as cast from

bem que os objetos verdadeiros que adornam seus ambientes sejam cuidadosamente escolhidos, e que as partes principais sejam muitas vêzes construídas pelo artista, ainda se pode dizer que os mesmos foram tirados do mundo real. As figuras esculpidas, colocadas dentro dessas montagens representam indivíduos bem conhecidos do artista, muitas vêzes ìntimamente e suas atitudes e atividades são as que êle observou na realidade. Completamente à vontade êles fazem uma chamada numa cabine telefônica: andam de bicicleta; fazem funcionar uma máquina de jogos; guiam um caminhão ou um ônibus, ou descem dêles; sentam-se num balcão para almoçar ou numa mesa de cozinha; esperam numa lavanderia automática; tomam banho, barbeiam-se, vestem-se, dormem, descansam ou meditam em casa. Os grupos de Segal são um inventário das atividades normais humanas. Pensam, às vêzes, errôneamente, que suas figuras esculpidas, são moldadas do corpo. Na realidade as figuras são produzidas enrolando o modêlo com ataduras embebidas em gêsso molhado. Depois de endurecida, a camada é cortada e removida em pedaços, para ser remontada em uma figura completa. O molde negativo—a impressão exata da pele e da vestimenta—portanto, nunca é visto e é enterrado

37. George Segal
THE GAS STATION
PÔSTO DE GASOLINA
10x10x20' 1963

the body. The figures are in fact produced by wrapping the sitters with bandages soaked in wet plaster. After hardening the coating is cut and removed in sections, to be reassembled into an entire figure. The negative cast—the exact impression of the skin and clothing—is therefore never seen but buried within the work of art. Both the final alignment of the sections and the entire surface treatment are established by the sculptor's judgment and touch. Within their literal settings, these dead-white figures also close the gap between the general and the particular. They have been compared to mummies and (as an idea rather than a visual association) with the Romans of Pompeii whose routine activities were arrested and preserved by the sudden flow of lava. Segal has been seen by Robert Pincus-Witten as "the wholly unanticipated heir of Edward Hopper;" as "the sculptor of incommunicativeness at once dulled and contemplative." A parallel between these artists cannot be evaded. It is surely true that the morose, heavy figure seated beside the Coke machine in *The Gas Station* seems drawn to earth by an inertia too powerful to resist, and that the figure dressing in *Girl Sitting on a Bed* demands comparison with the similar nudes in Hopper's hotel paintings. These similarities are illuminat-

com a obra de arte. O alinhamento final dos pedaços e todo o tratamento da superfície, são feitos segundo o julgamento e toque do escultor. Dentro de suas montagens literais, essas figuras brancas de mármore também unem o espaço entre o genérico e o específico. Elas têm sido comparadas a múmias e (como uma idéia, mais do que uma associação visual) com os romanos de Pompéia, cujas atividades rotineiras foram retidas e preservadas pelo súbito derramamento de lava. Segal foi considerado por Robert Pincas-Witten como "o completamente imprevisto herdeiro de Edward Hopper;" como "o escultor da incomunicabilidade, ao mesmo tempo sombrio e contemplativo." Não se pode evitar um paralelo entre êsses artistas. É certamente verdade que a figura triste e pesada, sentada ao lado da máquina de coca-cola no quadro *Pôsto de Gasolina* que parece ter sido levada à terra por uma inércia muito grande e que a figura se vestindo em *Moça Sentada na Cama*, exigem comparação com nus semelhantes das pinturas de hotéis de Hopper. Essas semelhanças são esclarecedoras mas acidentais. Se bem que Hopper tenha usado sua mulher como modêlo, suas figuras de homens e mulheres são generalizadas e anônimas. Sendo assim, as emoções que elas revelam são as do pintor. Ambos os

ing, but accidental. Although Hopper has used his wife as a model, both his male and female figures are generalized and anonymous. This being true, the emotions they reveal are those of the painter. Both artists present moments of life frozen into immobility, and (one by the simplicity of his settings and the other by the sepulchral whiteness of his figures) relate transiency to universality. But Hopper arrives at what seem to be actual events through preliminary thought and synthesis, whereas Segal selects from the people and events in his own environment, re-creating them, as it were, from the outside; restoring the forms that, like the shell of a locust, record the imprint of inner life. Each artist, perhaps, is a victim of his method, but both have shown us truths about life and the real world.

IN AN ARTICLE ON "Art as Anti-Environment," Marshall McLuhan writes that "environments as such are imperceptible;" that they "assume and impose a set of ground rules for the perceptual life that mostly elude recognition." New art, he believes, is a radar that makes us "aware of the psychic and social consequences of the new environment." Unless the combined impact of the works assembled for this exhibition results wholly from whims and peculiarities of its organizer, it can be seen as such an "early warning system." With exceptions that have been pointed out, these paintings, assemblages and works of untraditional sculpture draw more from the "image" of the United States—to give that word the Madison Avenue flavor it has in the title of a book by Daniel J. Boorstin—than from the underlying realities of American life. Many of these images correspond with the rigged activities that Boorstin refers to as "pseudo-events." ("We have become so accustomed to illusions that we mistake them for reality.") One is reminded of the proud mother who, on exhibiting her infant son to a guest, remarked: "This is nothing, you should see him in his photographs;" or of the disappointment of several university art-history students who, at a New York exhibition of paintings by Soutine, complained because the colors were washed out compared to the slides and reproductions from which they had learned of the artist's existence. As Boorstin says, television made the Western cowboy into an inferior replica of John Wayne, and "the Grand Canyon itself became a disappointing reproduction of the Kodachrome original."

Whatever social symptoms, encouraging or disquieting, are to be found in "Environment U.S.A.: 1957-1967," they are surely worth investigating. In dramatizing important segments of the man-made world that surrounds most of us,

artistas apresentam momentos de vida paralizados numa imobilidade e, (um pela simplicidade de seus cenários e o outro pela brancura sepulcral de suas figuras) relacionam a transitoriedade à universalidade. Mas Hopper chegou ao que parece ser acontecimentos verdadeiros, através de reflexões e síntese preliminares, ao passo que, Segal seleciona pessoas e acontecimentos de seu próprio meio, recriando-os como eram, do lado de fora; restaurando-lhes as formas que, como a fava de certos legumes, guardam a impressão da vida interior. Cada um dos artistas é vítima, talvez, de seu método, mas todos os dois nos têm mostrado as realidades da vida e o mundo real.

EM UM ARTIGO SÔBRE "Arte como Anti-Meio," Marshall McLuhan declara que "o meio como tal é imperceptível;" que êle "adota e impõe um conjunto de regras fundamentais para a vida perceptiva que muitas vêzes elude o reconhecimento." Êle acredita que a arte nova seja um radar que nos faz "conscientes das conseqüências psíquicas e sociais do nôvo meio." A menos que no todo o impacto dos trabalhos reunidos nesta mostra provenha inteiramente de extravagâncias e excentricidades de seus organizadores, ela pode ser vista como "um sistema de aviso prévio." Com as excessões aqui apontadas, essas pinturas, montagens e esculturas sem tradição, são tiradas mais da "imagem" dos Estados Unidos —para dar a essa palavra o sabor de Madison Avenue que ela tem no título de um livro de Daniel J. Boorstin—do que das realidades fundamentais da vida americana. Muitas dessas imagens correspondem a atividades ilusórias, às quais Boorstin se refere como "pseudo-acontecimentos." ("Estamos tão acostumados com ilusões que as confundimos com a realidade.") Faz lembrar a mãe orgulhosa que ao mostrar seu filho a uma visita exclamou: "Isto não é nada, você precisava vê-lo nas fotografias;" ou o desapontamento de alguns universitários, estudantes de história da arte que, numa exposição de pinturas de Soutine, em Nova York, queixaram-se das côres desmaiadas dos quadros, em comparação com os diapositivos e reproduções, através dos quais haviam tomado conhecimento do artista. Como diz Boorstin; a televisão fêz do "cowboy" do oeste uma réplica inferior a John Wayne e "o Grand Canyon tornou-se uma reprodução decepcionante do original em Kodacromo."

Qualquer sintoma animador ou desinquietante que possa ser encontrado na mostra "Meio-Natural U.S.A.: 1957-1967," será digno de pesquisa. A exposição, ao dramatizar

the exhibition is truly environmental, especially inasmuch as relatively little is revealed, except obliquely, of inner experience—of the response of the individual to the "real" world or even to the surrogate world of "the media" that, it sometimes seems, may entirely blot out what used to be thought of as reality. However a sociologist might inteprert the works as a group, we should be grateful to the artists for placing before us informed, satiric, humorous and—either openly or subliminally—dead-serious insights. "Comedy," the drama critic Walter Kerr observes in a recent book, "is never the gaiety of things; it is the groan made gay." The same might be said of humor in art. There is a gap in the transaction between artist and spectator which Marcel Duchamp, basing his thoughts on an essay by T. S. Eliot, called "the personal 'art coefficient':" a missing link that represents "the inability of the artist to express fully his intention." It is "like an arithmetical relation between the unexpressed but intended and the unintentionally expressed."

The formalist art criticism of the 1960's carries with it the implication that totally abstract art is intrinsically more crucial, more serious, more within the "mainstream" than art concerned with the events, objects and feelings of which life is composed. (The more so, it should follow, for the commerical icons raised in their stead!) On the strength of this contention, a half-dozen bars of pure color borrowed from the spectrum have more significance than any picture of a mountain, a pinball machine or an automobile crash. Yet any attentive student of art history willing to look at all the evidence knows that the electrifying and anguishing diversity of existence and the unpredictability of human creativity cannot be coerced into any one track, however central it may be or however extraordinary are the works it may produce. The future holds many alternatives, not just one. Although it is constantly threatened both from within and without, the pluralistic and sometimes dangerous openness of American society is at the core of its greatness. The achievements, delights and criticisms that come from both abstract and figurative art are among the glories of this freedom, not yet abnegated, to move in almost any direction.

importantes segmentos do mundo construído pelo homem e que nos cerca a quase todos, é verdadeiramente uma mostra do meio principalmente, visto que, relativamente pouco é revelado, exceto indiretamente—da reação do indivíduo ao mundo "real" ou mesmo ao mundo substituto dos meios de comunicação, que parece, às vêzes, eliminar completamente o que antes se pensava ser realidade. Um sociologista poderá interpretar as obras como um grupo, mas nós deveríamos agradecer aos artistas por nos apresentarem visões instrutivas, satíricas, humanísticas—quer abertamente quer subconscientemente—absolutamente sérias. "A comédia" observa o crítico de teatro Walter Kerr, em um livro recente, "nunca é a alegria, mas o gemido proferido alegremente." O mesmo pode ser dito do humor na arte. Há um hiato nas relações entre o artista e o observador, ao qual Marcel Duchamp, baseando suas considerações em um ensaio de T. S. Eliot, chamou de "o 'coeficiente artístico' pessoal;" um elemento de ligação em falta, que representa "a incapacidade do artista de revelar inteiramente sua intenção." É "como uma relação aritmética entre o não manifestado mas intencionado e o manifestado sem intenção."

O criticismo formalista de arte da era de 1960, traz consigo a dedução de que a arte totalmente abstrata é intrìnsecamente mais decisiva, mais séria, mais dentro da "corrente" do que a arte preocupada com acontecimentos, objetos e emoções, dos quais a vida é constituída. (Mais ainda, deve dizer-se, por causa das imagens comerciais erguidas em lugar dêles!) Reforçando esta alegação, uma meia dúzia de faixas de côres primárias, emprestadas do spectrum, tem mais significação do que as pinturas de uma montanha, de uma máquina de jôgo ou de um desastre de carro. Contudo, qualquer atento estudante da história da arte, disposto a estudar tôda a evidência, sabe que a eletrizante e angustiante diversidade da existência e a imprevizível creatividade humana, não podem ser impelidas para um curso só, por mais central que êle seja ou por mais extraordinárias que sejam as obras por êle produzidas. O futuro encerra muitas alternativas, não sòmente uma. Se bem que constantemente ameaçada de dentro e de fora, a pluralista e às vêzes perigosa sinceridade da sociedade americana está no auge de sua grandeza.

As realizações, deleites e criticismos que provêm de ambas as artes abstrata e figurativa, acham-se entre as glórias dessa liberdade, ainda não renunciada, para mover-se em quase tôdas as direções.

THE ARTISTS
Biographies and Statements

OS ARTISTAS
Notas Biogràficas e Descritivas

ALLAN D'ARCANGELO
LLYN FOULKES
JAMES GILL
SANTE GRAZIANI
PAUL HARRIS
ROBERT INDIANA
JASPER JOHNS
GERALD LAING
ROY LICHTENSTEIN
RICHARD LINDNER
MALCOLM MORLEY
LOWELL NESBITT
CLAES OLDENBURG
JOE RAFFAELE
ROBERT RAUSCHENBERG
JAMES ROSENQUIST
EDWARD RUSCHA
GEORGE SEGAL
WAYNE THIEBAUD
ANDY WARHOL
TOM WESSELMANN

ALLAN D'ARCANGELO

Born June 16, 1930, Buffalo, New York. B.A. in History, University of Buffalo, 1953; studied City College of New York, New York City; New School for Social Research, New York City, 1953–54; Mexico City College, Mexico City, 1957–59, (with Dr. John Golding and Fernando Belain); studio work with Boris Lurie, New York City, 1955–56. Commissioned to do exterior mural for Transportation and Travel Pavilion, New York World's Fair, 1963. Artist-in-Residence, Aspen Institute of Humanistic Studies, Aspen, Colorado, 1967. List Art Poster Program Commission, 1967. Teaches at School of Visual Arts, New York, and lives in New York City.

Highway Culture: Theory

Highway culture is the hardware and sociology generated by automotive transport and the road system. In a sense, highwaymen who held up English stagecoaches were symptoms of such a sub-culture, and so were the inns where long-distance coaches stopped, as in *The Pickwick Papers*. However, it is not the early forms that I mean by the term which is more usefully reserved for the later specialization and proliferation on and off the road. We can now speak of a specific culture of the highway, compounded of traffic laws and speed, adaptive commerce and technology . . .

Highway Culture as Subject Matter

The highway is not only geared for speed and momentary cessations, as signs convince drivers to eat, sleep, spend, it is also an arena of timeless projects. It is the place where designers who dream of fixed international symbols, a platonic

Nasceu a 16 de junho de 1930, em Buffalo, Nova York. Diplomou-se em História, na Universidade de Buffalo, em 1953; estudou no City College de Nova York, em Nova York; na "New School" de Pesquisas Sociais, em Nova York, de 1953 a 1954. De 1957 a 1959, estudou na cidade do México, com o Dr. John Golding e o Sr. Fernando Belain, no "Mexico City College". De 1955 a 1956 trabalhou no estúdio de Boris Lurie, em Nova York. Em 1963, foi encarregado de executar o mural externo do Pavilhão de Transportes e Viagens da Feira Mundial de Nova York. No corrente ano encontra-se no Instituto Aspen para Estudos Humanísticos, em Aspen, Colorado, como Artista-Residente. Faz parte do "List Art Poster Program". É professor da Escola de Artes Visuais de Nova York. Mora em Nova York.

Cultura de Estrada: Teoria

Cultura de estrada são as ferragens e a sociologia gerada pelo transporte automotor e o sistema de rodovias. De certo modo, os ladrões de estrada que assaltavam as diligências inglêsas, eram sintômas de uma espécie de subcultura, como o eram as estalagens onde essas diligências paravam, como em *The Pickwick Papers*. Contudo, não é aos primeiros costumes que quero me referir com o têrmo, o qual é melhor aplicado à última especialização e proliferação na estrada e fora dela. Podemos agora falar em uma cultura específica de estrada, constituída de leis de tráfego e velocidade, comércio adequado e tecnologia . . . .

Cultura de Estrada como Temática

A estrada não é só para velocidade ou sensações momentâneas enquanto os cartazes convencem os motoristas a comer, dormir, gastar, ela é também uma arena de projetos

esperanto understood by all, work out their ideals. (I mean the kind of designers who go to conferences, like Aspen, and tell each other how better codes more neatly presented would provide an alternative to the 'throes,' 'tentacles,' or 'sprawl' of urban and highway chaos.) In fact, perfectly transmitting symbols don't exist, but traffic signs, as opposed to ads, hanker after universality . . .

D'Arcangelo . . . never uses the sign for control. His street signs provide no governing structure, but act as an emblem within a summary scenic space. In his serial paintings, for instance, the sign grows larger in the night landscape; we read its expansion as succession, as approaching, as speed, but each view is uniform in finish and unblurred . . .

Notes on D'Arcangelo

D'Arcangelo's highway paintings are always hard, new and clean. The paint surface itself has a kind of blankness, a finish that involves the spectator neither in admiring high finish nor in awareness of a sensuous surface. It is, maybe, the analogue of the unnoticed but pervasive newness of highway engineering, of smooth surfaces (and U.S. road surfaces are smooth compared to, say, the autobahn) and clear enameled signs. The plunge of the perspective back to a mandatory vanishing point is the minimal way of establishing recession (every child draws converging railroad tracks). However, D'Arcangelo does not supplement linear thrust with atmospheric perspective. In fact, he simultaneously prunes both near and remote detail and keeps the horizon as hard as the foreground's nearest mark. The effect is somewhere between a streamlined tunnel, pulling us in, and a flat wall, the painting of which is as much an obstacle to entrance as the actual barriers painted or built across some of the paintings. His vista is as unelaborated, and unsupported by auxiliary spatial cues, as a rudimentary perception diagram. His perspective is like the raw material for perceptual judgment . . .

Excerpts from
"Hi-way Culture: Man at the Wheel"
by Lawrence Alloway
from *Arts Magazine*
Vol. 41, No. 4, 1967

infinitos. É um lugar onde os projetistas que sonham com símbolos internacionais fixos, um esperanto platônico compreendido por todos, resolvem seus ideais. (Estou falando do tipo de projetistas que vão às conferências, como Aspen, e dizem uns aos outros como códigos melhores, mais concisamente apresentados, forneceriam alternativas às "angústias", "tentáculos" ou "congestionamento" do caos urbano e rodoviário). Na realidade, símbolos de advertência perfeitos não existem, mas os sinais de tráfego, em contraste com os anúncios, ansiam pela universalidade . . . .

D'Arcangelo . . . nunca usa o sinal para contrôle. Seus sinais de ruas não contêm estrutura ordenada, mas agem como um emblema dentro de um espaço cênico sumário. Nas suas pinturas em série, por exemplo, o sinal vai aumentando na paisagem noturna; a gente vê essa expansão como sucessão, como proximidade, como velocidade, mas cada visão é uniforme em acabamento e nítida . . . .

Notas sôbre D'Arcangelo

As pinturas de rodovias de D'Arcangelo são sempre ásperas, novas e limpas.

A superfície de tinta em si tem uma espécie de clareza, um acabamento que não envolve o observador, nem em alto acabamento apreciativo, nem em consciência de uma superfície sensual. É, talvez, análoga à beleza imperceptível, mas persuasiva, da engenharia rodoviária, de superfícies lisas (as superfícies das estradas americanas são lisas, digamos, comparadas com a *autobahn*), e aos claros e esmaltados sinais. O recúo da perspectiva a um ponto de fuga obrigatório é o mínimo meio de fixar a distância (tôdas as crianças desenham trilhos de estradas de ferro convergentes). Contudo, D'Arcangelo não suplementa a fôrça linear com perspectiva atmosférica. Na verdade êle corta simultâneamente detalhes próximos e remotos e conserva o horizonte tão rígido quanto o traço mais próximo do primeiro plano. O resultado fica entre um tunel aerodinâmico, puxando-nos para dentro, e uma parede plana, cuja pintura é tanto um obstáculo à entrada quanto o são as verdadeiras barreiras pintadas ou construídas transversalmente em alguns quadros. Sua vista é tão natural e sem apoio de sugestões espaciais quanto um diagrama de percepção rudimentar. Sua perspectiva é como o material em bruto para julgamento compreensível.

Trechos de
"Cultura de Estrada: Homem no Volante"
de Lawrence Alloway
em *Arts Magazine*, Vol. 41, Nº 4, 1967

LLYN FOULKES

Born, November 17, 1934, Yakima, Washington. Studied Central Washington College, Ellensburg, Washington, 1952–53; University of Washington, Seattle, Washington, 1954; Chouinard Art Institute, Los Angeles, California, 1957–59, (with Richard Ruben, Emerson Woelffer, and Don Graham). Los Angeles County Museum Purchase Grant, 1963. Teaches at University of California, Los Angeles, and lives in Los Angeles.

THE PAST 10 years of art has brought great progress in communication. It has brought the artist to the level of the dealer, critic and collector. Now is the time for this great body to unite and, by virtue of logic, eliminate the artist. I propose that the artist be replaced by a technician, skilled in the methods and materials of art, capable of carrying out assignments. This would eliminate any unsolved barriers, created by the artist, that still exist. The board would determine the finished product and the result would be conclusive.

LLYN FOULKES

Nasceu a 17 de novembro de 1934, em Yakima, Estado de Washington. Estudou no "Central Washington College", em Ellensburg, Washington, de 1952 a 1953. Em 1954 estudou na Universidade de Washington, Seattle, Washington. De 1957 a 1959 estudou com Richard Ruben, Emerson Woelffer e Don Graham, no Instituto de Arte Chouinard, em Los Angeles, California. Recebeu um prêmio de aquisição do Museu do Distrito de Los Angeles, em 1963. É professor da Universidade da California, em Los Angeles. Mora em Los Angeles.

OS ÚLTIMOS dez anos de arte trouxeram muito progresso nas comunicações. Colocaram o artista ao nível do "marchant" do crítico e do colecionador. Agora é a hora dêsse grande corpo unir-se e, pela lógica, eliminar o artista. Proponho que o artista seja substituído pelo técnico, perito nos métodos e materiais de arte, capaz de executar tarefas. Isto eliminaria quaisquer barreiras, criadas pelo artista, que ainda possam existir. A junta declararia o trabalho terminado e o resultado seria conclusivo.

LLYN FOULKES

FOULKES is a powerful, strong and gripping image-maker of Baconian horror. Whereas Bacon's morbid and shocking imagery is of a psycho-erotic origin and lashed with frenzy and guilt, Foulkes' art is a personal reliquary—he reconstructs an imaginary past that haunts him like a mirage. This past is so far removed from an everyday vision of life that at first sight it appears to be associated with intense morbidity, even, perhaps, insanity. He is a serious formalist with a strong and powerful sense of anticlimax. A feeling of freedom from mawkish sentiment, combined with an absolute refusal to allow good taste in painting to overtake his personal sense of what painting is about, gives his art its raw, unnerving effect. He constantly creates and invents fresh means to enlarge and express his insights. There is always a formal break up of images within images, paintings within paintings, paintings of a photograph with a photograph within.

John Coplans
Artforum, April, 1963

FOULKES é um poderoso, forte e absorvente fazedor de imagens de horror baconiano. Enquanto as imagens mórbidas e chocantes de Bacon são de origem psico-erótica e castigadas com exaltação e culpa, a arte de Foulkes é um relicário pessoal—êle reconstrói um passado imaginário que o persegue como uma miragem. Êste passado está tão afastado de uma visão quotidiana da vida que à primeira vista parece estar associado a uma intensa morbidez e mesmo, talvez, à loucura. Êle é um formalista sério, com um senso de anticlimax forte e poderoso. Uma sensação de libertação do sentimentalismo doentio combinada a uma recusa absoluta em permitir que o bom gôsto da pintura influa em sua idéia sôbre o que é a pintura, dá à sua arte efeito rude e revigorante. Êle constantemente cria e inventa novos meios para ampliar e expressar sua sagacidade... Há sempre uma desintegração de imagens dentro de imagens, pinturas dentro de pinturas, pinturas de uma fotografia com uma fotografia dentro.

John Coplans
de Artforum, abril de 1963

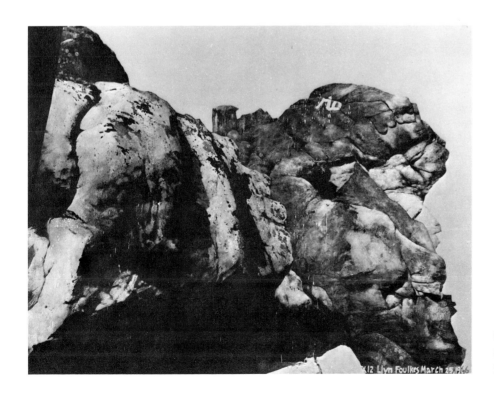

5. Llyn Foulkes
UNTITLED / SEM TÍTULO
10 x 12' 1966

JAMES GILL

Born December 10, 1934, Tahoka, Texas. Studied architecture and worked as an architectural designer, 1956–1960; studied at University of Texas, Austin, 1960–61, on a painting scholarship. Lives in Hermosa Beach, California.

IN HIS RE-CREATION of newspaper front pages Gill strips the masks off public figures, exposing their blurred anonymity with a powerful jolt to our conscience.

   This artist is not only an incisive and startling commentator but also a convincing painter who is able to be equally persuasive in the monochromatic manner in which he creates his newspaper fictions as in his more vividly textural and colorful statements. While the extrapictorial aspect of his work is of prime importance, we are always aware how much involved Gill is in his material and in the process of painting.

Nasceu a 10 de dezembro de 1934, em Tahoka, Texas. Estudou arquitetura e trabalhou como arquiteto de projetos, de 1956 a 1960. De 1960 a 1961, estudou na Universidade do Texas, em Austin, com uma bôlsa-de-estudos de pintura. Mora na praia de Hermosa, no Estado da California.

EM SUAS reproduções de primeiras páginas de jornal, Gill arranca as máscaras de figuras públicas, expondo seu anonimato obscuro, com um poderoso golpe, à nossa consciência.

   Êste artista não é apenas um mordaz e surpreendente comentarista, mas também um pintor convincente, capaz de tornar-se igualmente persuasivo pela maneira monocromática com a qual cria suas ficções de jornais como nas suas afirmações brilhantemente estruturais e coloridas. Se bem que o aspecto extrapictórico de seu trabalho seja da maior importância, temos sempre consciência do quanto Gill está envolvido no material e no processo de pintar.

Whether he paints on newspaper or re-creates the grayness of the front page in painting, Gill manages to create a sense of immediacy that is in no way removed from an aura of timelessness. If we are at first struck by the seeming topicality of his paintings, we soon find his deliberate generalization of the human features presented to us, along with his rather devastating comments about military and political big shots, to be actually timeless and universal in meaning.

In fact, the compelling appeal of his very best paintings like *In His Image, Press Conference in the Garden* and *Peace Directors* stems from Gill's ability to get behind the headlines and behind the pious façade of power-drunk men to confront us with the conspiracies of war and bigotry that are the brutal facts of our days.

His nudes, too, appear to have been "caught in the act" and they are essentially menacing and strident. On the other hand, Gill can put aside his penchant for social, psychological and philosophical comment to offer us a superbly painted *Male Nude* that somehow evokes Eakins in this viewer's mind. And the gaily dressed girls in cars, as we glimpse them through his imagination, add an exuberant note to an essentially somber and extraordinarily courageous show.

Henry J. Seldis
Art Editor, Los Angeles Times
from Los Angeles Times
November 8, 1965

Pintando sôbre jornal ou recriando, em pintura, o cinza da primeira página, Gill consegue gerar uma sensação de proximidade que não é de maneira alguma destituída de uma aura de eternidade. Se à primeira vista ficamos impressionados com a acentuada atualização de suas pinturas, logo descobrimos que sua deliberada generalização das feições humanas, que nos são apresentadas juntamente com seus bastante devastadores comentários sôbre personalidades militares e políticas, são na realidade eternas e universais em significado.

De fato, o irresistível apêlo de suas melhores pinturas como "Em Sua Imagem", "Conferência de Imprensa no Jardim" e "Diretores de Paz", provém da habilidade de Gill de colocar-se atrás das manchetes e dos rostos compassivos de homens embriagados para confrontar-nos com as conspirações da guerra e a intolerância que são os fatos brutais de nossos dias.

Seus nus, também, parecem ter sido "apanhados de surprêsa" e são essencialmente ameaçadores e estridentes. Por outro lado, Gill é capaz de deixar à parte sua inclinação pelos comentários sociais, psicológicos e filosóficos, para oferecer-nos um "Homem Nu", magnificamente pintado, que de um certo modo evoca Eskins, na opinião do autor destas linhas. E as moças nos carros, alegremente vestidas, que vemos através de sua imaginação, acrescentam uma nota exuberante a uma exposição particularmente sombria e extraordinàriamente corajosa.

Henry J. Seldis
Crítico de Arte do Los Angeles Times
Los Angeles Times
8 de novembro de 1965

SANTE GRAZIANI

Born, Cleveland, Ohio, March 1920. Graduate, Cleveland Institute of Art, Cleveland, Ohio, 1940; B.F.A., 1942, M.F.A., 1948, Yale University School of Art and Architecture, New Haven, Connecticut. Did medical and surgical illustrations in U.S. Army, 1943–44. Officer in charge of Arts and Crafts for Pacific Theatre of Operations, 1945–46. Instructor in Drawing and Painting, Yale University School of Art and Architecture, New Haven, Connecticut, 1946–1951; Dean, Whitney School of Art, New Haven, Connecticut, 1950–51; Head, School of the Worcester Art Museum, Worcester, Massachusetts since 1951 and lives in Shrewsbury, Massachusetts.

I USE BITS AND PIECES of old master paintings in my work. I like to think I am using these images in much the same spirit that Cézanne used apples. There are several reasons for my doing this: one, that I grew up in museums—first at Cleveland, one of the biggest and best museums in the U.S.A.; then at Yale, which has an extraordinary university art gallery; and then at Worcester, "the jewel box of American museums." The museum is my supermarket. I have never felt that the past should or could be denied in art or in life. I stretch my mind back as well as forward and I like to work with and compare both old space and new in the same painting. The resulting tension is like walking a tightrope. Sometimes it scares. But when I make it work, it feels great. When I fail, no one sees because I paint over the old painting. Once we tried to take X rays of one of my "painted over" paintings at the museum, but it didn't work since the acrylic paints I use are usually thin and besides, I don't use dense pigments like white lead.

There are certain images I like so much that they keep popping back up in my work: Stuart's unfinished painting of old George Washington; a crackling profile of a young lady attributed to Uccello; the incredible drawings of Ingres.

Also, I like to work with rainbows. They offer the chance

Nasceu em Cleveland, Ohio, em março de 1920. Graduou-se no Instituto de Arte de Cleveland, em Cleveland, Ohio, 1940. Em 1942 recebeu o Diploma de Bacharel em Belas Artes da Escola de Arte e Arquitetura, da Universidade de Yale, em New Haven, Connecticut, onde, em 1948, tirou o grau de aperfeiçoamento em Belas Artes. De 1943 a 1944 fez ilustrações médicas e sirúrgicas para o Exército Americano. Foi Instrutor de Desenho e Pintura na Escola de Arte e Arquitetura da Universidade de Yale, em New Haven, Connecticut, de 1946 a 1951. Foi Diretor da Escola de Arte "Whitney," em New Haven, Connecticut, de 1950 a 1951. É Diretor da Escola do Museu de Arte de Worcester, em Worcester, Massachusetts, desde 1951. Mora em Shrewsbury, Massachusetts.

USO TRECHOS e fragmentos de velhas pinturas famosas em meu trabalho. Gosto de pensar que estou usando essas imagens com o mesmo espírito com que Cézanne usava maçãs. Há várias razões para eu fazer isso: uma é que eu cresci em Museus—primeiro em Cleveland, um dos maiores e melhores museus dos Estados Unidos; depois em Yale, que tem uma fantástica Galeria de Arte; e depois em Worcester, "a caixa de jóias dos museus americanos". O museu é o meu super-mercado. Nunca achei que o passado deveria ou poderia ser esquecido na arte ou na vida. Estico minha memória tanto para trás como para adiante e gosto de trabalhar e comparar ambos o velho e nôvo espaço na mesma pintura. A tensão resultante é a de estar andando em uma corda de circo. As vêzes me assusta. Mas quando a faço trabalhar, sinto-me ótimo. Quando falho, ninguém vê porque pinto em cima da antiga pintura. Uma vez tentamos tirar uma radiografia de um de meus quadros "pintado por cima" no museu, mas não deu certo, uma vez que as tintas de acrílico que uso são geralmente pouco espessas e além disso eu não uso pigmentos grossos como a tinta branca à base de chumbo.

Há certas imagens de que gosto tanto que elas voltam constantemente em meu trabalho: o retrato inacabado de

7. Sante Graziani
RAINBOW OVER INNESS' LACKAWANNA VALLEY
ARCO-IRIS SÔBRE O VALE LACKAWANNA DE INNESS
60 x 60" 1965

to deal with the whole spectrum of visible color which is much more difficult and challenging to me than working with a safely restricted color range. Moreover, rainbows can be symbolic and nostalgic. At times, I like making them very big and brassy. As the poet Wordsworth wrote, "My heart leaps up when I behold a rainbow in the sky." I am thinking of doing a whole new series of rainbow paintings.

At times, ironic or gently subversive things happen in my work. In the painting, *Rainbow Over Inness' Lackawanna Valley*, there are two steam engines slowly chugging away in the distance towards each other, on the same track. In the painting of four patriots, *Red, White, and Blue*, with real blinking electric lights in it, the electrical system and lights are made in Japan. To me, this is telling it like it is. Once I painted young Abe Lincoln under a bright rainbow. One side of the sky is white, the other is black. The rainbow is broken in the middle. It tries to meet but it doesn't quite make it.

SANTE GRAZIANI

George Washington, de Stuart; um perfil rachado de uma jovem, atribuído a Uccello; os extraordinários desenhos de Ingres.

Gosto, também, de trabalhar com arco-iris. Êles oferecem a oportunidade de lidar com todo um espectro de côres visíveis, o que é muito mais difícil e estimulante para mim do que trabalhar com uma moderadamente limitada escala de côres. Ademais, os arco-iris são simbólicos e nostálgicos. Às vêzes gosto de reproduzilos bem grandes e bronzeados. Como disse o poeta Wordsworth: "Meu coração dá um pulo quando vejo um arco-iris no céu". Estou pensando em fazer uma série nova completa de arco-iris.

Às vêzes, coisas irônicas ou suaves acontecem em meu trabalho. No quadro "Arco-Iris sôbre o Vale Lackawanna, de Inness", há duas locomotivas movendo-se à distância em direção uma à outra, no mesmo trilho. No quadro dos quatro patriotas, "Vermelho, Branco e Azul", com lâmpadas elétricas pisca-pisca verdadeiras, o sistema elétrico e as lâmpadas são feitos no Japão. Para mim isto é contar a coisa como é. Uma vez eu pintei o jovem Abraham Lincoln sob um brilhante arco-iris. Um lado do céu é branco, o outro é preto. O arco-iris é partido ao meio. Tenta unir-se, mas não consegue.

SANTE GRAZIANI

PAUL HARRIS

Born, November 5, 1925, Orlando, Florida. Studied at University of New Mexico, Albuquerque, New Mexico; New School for Social Research, New York City, with Johannes Molzahn; Hans Hofmann School of Fine Arts, New York City. Awarded Longview Fund Grant, 1960. Fulbright Professor, on faculty of Universidad Catholica de Chile, Santiago, Chile, 1961–62. At present on faculties of San Francisco Art Institute and California College of Arts and Crafts, Oakland, California and lives in Bolinas, California.

I WOULD LIKE to tell you a short film which has stayed in my mind for so long that it may have affected my work. It—I don't recall the title—was set in the capital of a foreign country. The spoken words were in the language of that country but English words were written below.

The film commenced with a view, from away, of three broad grey avenues converging through lines of black tracks toward a white triangular space. This white patch, close up, became a concrete platform—roofed over—where pedestrians could stop for breath or for shelter. This noon the platform might have been protection from the terrible sun but

Nasceu a 5 de novembro de 1925, em Orlando, Florida. Estudou na Universidade de Nôvo México, em Albuquerque, Nôvo México; na Nova Escola para Pesquisas Sociais da cidade de Nova York, onde teve como professor Johannes Molzahn; na Escola de Belas Artes "Hans Hofmann", de Nova York. Recebeu uma Bôlsa-de-Estudos da "Longview Fund," em 1960. De 1961 a 1962 foi Professor da Fulbright na Universidade Católica do Chile, em Santiago, Chile. Ensina atualmente no Instituto de Arte de São Francisco e no "College of Arts and Crafts" da California, em Oakland, California. Mora em Bolinas, California.

GOSTARIA de contar-lhes um filme de curta metragem que ficou em minha cabeça por tanto tempo que é capaz de ter afetado meu trabalho. O filme—não me lembro do nome—passava-se na capital de um país estrangeiro. Os diálogos eram no idioma daquele país, mas os dizeres eram em inglês.

O filme começava com uma vista, de longe, de três largas avenidas manchadas de graxa, convergindo, através de linhas de pistas pretas, para um espaço triangular branco. Esta mancha branca, próxima, virava uma plataforma de concreto—coberta—onde os pedestres podiam parar para descansar e abrigar-se. Neste meio-dia, a plataforma poderia

no one paused beneath its roof. Cars and electric buses passed slowly by.

Suddenly there was a heavy rain. Three men and one woman ran from various directions for shelter. They shook the rain from their black hair and dark clothes and looked out as if they might run on. But the rain came down even harder and another man ran in under the roof.

He was quite out of breath and very wet. With his briefcase leaning on his leg, he wiped his handkerchief over his hair and inside his collar and smiled cordially. He devoted a few moments to the rain, concluding, apparently, that it was not about to stop. He had time now for his fellow refugees so he greeted them, one by one, with a few words and a handshake. His new friends showed little enthusiasm for good fellowship, shook hands with reluctance and turned away to stare into the rain.

But this last man to arrive had been warmed by human contact and he wanted to express himself: "It's an ill rain—ha, ha—that brings no good, and how really good it is to stop in midday . . . and mid life, if you will . . . to make friends and shake hands. Yes, to take another being by the hand! How many more times can I perform that simple act? The doctors really don't know. They don't even know how I got this dreadful affliction. Less than a year ago I, like yourselves, never thought of hands. Then came the blisters. And under them were little eaten-out places like some jackal was having a slow lunch on me. Look at the insides of my hands . . . insides of insides . . . interlocking gnawed hollows and a few strings that can still jiggle the fingers. But wait . . . is this brief respite coming to an end?"

He put his hand out, palm up, in the slackened rain. When he brought it back he acted as if it were filled with water and threw his head back to have a good drink. "In any case," he said with a great smile that embraced everyone, "in any case, bad hands make good cups." And then he was gone—his briefcase under his arm—out into the sunshine.

PAUL HARRIS

ser uma proteção contra o sol terrível, mas ninguém parava sob seu telhado. Carros e ônibus elétricos passavam vagarosamente.

De repente caiu uma chuva forte. Três homens e uma mulher correram de várias direções para se abrigarem. Êles sacudiram a chuva de seus cabelos pretos e roupas escuras e olharam para fora como se pudessem prosseguir. Mas a chuva caía cada vez mais forte e outro homem correu para debaixo do telhado.

Êle estava quase sem fôlego e molhado. Com sua pasta encostada na perna, esfregou o lenço no cabelo e dentro do colarinho e sorriu amàvelmente. Consagrou alguns momentos à chuva, concluíndo aparentemente que não ia parar tão cedo. Êle tinha tempo agora para seus companheiros de refúgio, então, saudou-os um a um, com algumas palavras e um apêrto de mão. Seus novos amigos mostraram pouco entusiasmo por boa camaradagem, deram a mão com relutância e viraram-se para fitar a chuva.

Mas êste último homem a chegar, tinha sido aquecido pelo contacto humano e queria falar: "É uma má chuva—ah, ah—não traz nada de bom, e como é bom parar no meio do dia . . . e da vida, se quizerem . . . para fazer amigos e apertar as mãos. Sim, dar a mão a um outro ser humano! Quantas vêzes mais poderei praticar êste simples ato? Os médicos na verdade não sabem. Êles nem siquer sabem como apanhei esta medonha doença. Há menos de um ano atrás eu, como os senhores, nunca pensava em mãos. Então apareceram as bolhas. E sob elas haviam pequenos sulcos comidos como se algum chacal estivesse vagarosamente me devorando. Olhem para dentro de minhas mãos . . . dentro de dentros . . . buracos carcomidos entrelaçados e algumas tiras que ainda podem mover os dedos. Mas, esperem . . . esta breve pausa vai acabar?"

Êle estendeu a mão para fora, com a palma para cima, na chuva que diminuia de intensidade. Quando a retirou agiu como se ela estivesse cheia de água e inclinou a cabeça para trás para tomar um bom gole. "Em todo o caso," disse êle com um grande sorriso que envolvia a todos, "em todo o caso, mãos ruins podem fazer boas xícaras" . . . E então, êle foi embora—a pasta debaixo do braço—sob o sol.

PAUL HARRIS

ROBERT INDIANA

Born, September 13, 1928, New Castle, Indiana. Studied, Herron School of Art, Indianapolis, Indiana, 1945–46; Munson-Williams-Proctor Institute School of Art, Utica, New York, 1947–48; School of the Art Institute of Chicago, 1949–53; Skowhegan School of Painting and Sculpture, Skowhegan, Maine, summer, 1953; University of Edinburgh and the Edinburgh College of Art, Edinburgh, Scotland, 1953–54. Awarded Travelling Fellowship, Art Institute of Chicago, 1953. Lives in New York City.

USA 666 is one of six paintings of the incomplete "Sixth American Dream" and it brings to the "Dreams" their starkest image: the unmistakable black and yellow high visibility reflex-making of the X-shaped railway crossing danger sign that punctuated the Indiana roads of my youth where instant death befell the occupants of stalled cars, school busses in foggy weather, or of autos racing into serious miscalculations before the onrushing always irresistible locomotive.

But USA 666 actually comes from multiple sources: the single six of my father's birth month, June; the Phillips 66 sign of the gasoline company he worked for—the one sign that loomed largest in my life casting its shadow across the very route that my father took daily to and from his work and standing high in a blue sky, red and green as the com-

Nasceu a 13 de setembro de 1928 em New Castle, Indiana. Estudou na Escola de Arte "Herron," em Indianapolis, Indiana, de 1945 a 1946; no *Instituto* "Munson-Williams-Proctor," de Utica, Nova York, de 1947 a 1948; na Escola do Instituto de Arte de Chicago, de 1949 a 1953; na Universidade de Edinburgh e no "Edinburgh College of Art," em Edinburgh, Escócia, de 1953 a 1954. Recebeu um Prêmio de Viagem do Instituto de Arte de Chicago, 1953. Mora na cidade de Nova York.

USA 666 é uma das seis pinturas da série incompleta "Sexto Sonho Americano" e traz para os "Sonhos" sua mais perfeita imagem: o inconfundível sinal de perigo, do cruzamento de estrada de ferro, luminoso e bem visível, em forma de X, preto e amarelo, que entrecortava as estradas de Indiana da minha infância, onde morte instantânea sucedia aos ocupantes de carros enguiçados, de ônibus escolares no nevoeiro ou de autos apostando corrida, sem calcular bem, na frente da sempre irresistível locomotiva ronceira.

Mas USA 666 na realidade origina-se de várias fontes: o único seis do mês de nascimento de meu pai, junho; o sinal Phillips 66, da companhia de gasolina onde êle trabalhava—o único sinal que avultou em ponto grande em minha vida, refletindo sua sombra na mesma estrada em que meu pai ia e vinha do trabalho, parado no alto, em um céu azul, vermelho

13. Robert Indiana
USA 666
102x102" 1966

pany colors were at that time but changed upon the death of the founder of the company. (Which three colors make up half of the "Sixth Dream" series, as are they also predominant in the "LOVE" series for they are the most charged colors of my palette bringing an optical, near-electric quality to my work.) It also conjures up Route #66, the highway west for Kerouac and other Americans for whom "Go West" is a common imperative, whereas for a common cold it is "Use 666," the patent medicine that is the final referent and which on small metal plates affixed to farmers' fences—black and yellow—dotted the pastures and fields like black-eyed susans in perennial bloom, alternating with the even more ubiquitous Burma-Shave advertisements that brought elementary poetry as well to the farms and byways. In perhaps lesser profusion over the countryside bloomed the EAT signs that signalled the roadside diners that were usually originally converted railway cars of a now-disappeared electric interurban complex taken off their wheels and mounted on cement blocks when the motorbus ruined and put that system out of business in the thirties. In similar cheap cafes my mother supported herself and son by offering "home-cooked" meals for 25c when father disappeared behind the big 66 sign in a westerly direction out Route #66.

ROBERT INDIANA

e verde como as côres da companhia na ocasião, mas que depois mudaram com a morte de seu fundador. (Essas são as três côres da metade de minha série "Sexto Sonho", que predominam também na série "AMOR" pois são as côres mais carregadas de minha palhêta, produzindo uma qualidade ótica, quase elétrica, no meu trabalho.) Também invoca a rodovia Nº 66, a estrada oeste para Kerouac e outros americanos, para os quais "Ir para o Oeste" é um imperativo geral, como para um resfriado comum é o "Use 666", o remédio que é a última palavra, e que, em pequenas placas de metal pregadas nas cêrcas das fazendas—pretas e amare-las—pontilhavam as pastagens e os campos como margaridas amarelas sempre floridas, alternadas com os ainda mais ubíquos anúncios do creme de barbear "Burma", que levaram a poesia elementar às fazendas e aos caminhos. Em menor profusão, talvez, vicejavam no campo os sinais de COMA que indicavam os restaurantes de estrada, que eram geralmente vagões de estrada de ferro, de um complexo elétrico interurbano agora desaparecido, com as rodas arrancadas e montados em blocos de cimento, quando o ônibus arruinou e levou à falência êsse tipo de negócio, na década de 1930. Em tais cafés ordinários, minha mãe sustentava-se e a seu filho, vendendo refeições "caseiras" a 25 cêntimos, quando meu pai desapareceu atrás do enorme sinal 66, em direção oeste, na rodovia Nº 66.

ROBERT INDIANA

JASPER JOHNS

Born, Allendale, South Carolina, May 1930. Studied at University of South Carolina, Columbia, South Carolina. List Art Poster Program Commission, 1966. Lives in New York City.

Nasceu em maio de 1930 em Allendale, Estado de Carolina do Sul. Estudou na Universidade de Carolina do Sul, em Columbia, Carolina do Sul. Fez parte do "List Art Poster Program," em 1966. Mora em Nova York.

I AM concerned with a thing's not being what it was, with its becoming something other than what it is, with any moment in which one identifies a thing precisely and with the slipping away of that moment, with at any moment seeing or saying and letting it go at that . . ."

"I think one might just as well pretend that he is the center of what he's doing and what his experience is, and that it's only he who can do it . . ."

"I don't put any value on a kind of thinking that puts limits on things. I prefer that the artist does what he does, rather than that, after he's done it, someone says he shouldn't have done it. I would encourage everybody to do more rather than less. I think one has to assume that the artist is free to do what he pleases so that whatever he does is his own business, that he had choices, that he could do something else . . ."

"The whole business here in America, of my training and

PREOCUPA-ME uma coisa não ser o que era, tornar-se essa coisa diferente do que é; preocupo-me com todo o momento em que a gente identifica exatamente uma coisa e com o escapar-se dêsse momento; preocupo-me com o ver e dizer, a um momento qualquer e deixar por isso mesmo . . ."

"Acho que uma pessoa pode muito bem imaginar que ela é o centro do que está fazendo e qual é a sua experiência, e que é sòmente ela que pode fazer isso . . ."

"Não dou nenhum valor ao modo de pensar que limita as coisas. Prefiro que o artista faça o que faz, do que, depois de o ter feito, alguém diga que êle não o devia ter feito. Eu encorajaria todo o mundo a produzir mais do que menos. Acho que se deve assumir que o artista é livre para fazer o que bem lhe agrada, de modo que, tudo quanto êle fizer, interesse sòmente a êle. Que êle teve alternativas, que êle podia ter feito outra coisa . . ."

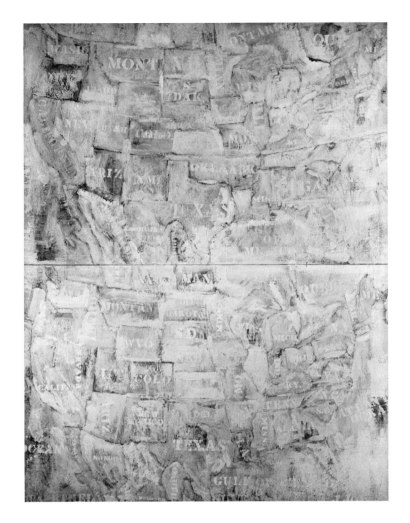

16. Jasper Johns
DOUBLE WHITE MAP / MAPA BRANCO DUPLO
90x70" 1965

even more the people before me, was rooted in the mythology that the artist was separated and isolated from society and working alone, unappreciated, then dying and after that his work becoming very valuable, and that this was sad. That was part of the way I was trained. I think it's even less true than thinking that one is finding one's own values in the act of painting. One does it—paints—and wishes to do it. If not, you're making it into a kind of martyr situation which doesn't interest me very much . . ."

Excerpts from an interview
with Jasper Johns
by G. R. Swenson
Art News, February, 1964

"A história tôda aqui na América, de meu adestramento e mais ainda, das pessoas antes de mim, tem suas raízes no mito de que o artista era separado e isolado da sociedade e trabalhava sòzinho, desprezado, até morrer e depois disso seu trabalho tornava-se de muito valor, e que isso era triste. Isso fez parte do meu ensinamento. Acho que isso é ainda menos verdade do que pensar que uma pessoa encontra seu próprio valor no ato de pintar. Uma pessoa simplesmente faz isso—pinta—e deseja pintar. Senão ela está transformando êsse ato em uma espécie de situação sofredora que não me interessa muito . . ."

Trechos de uma entrevista que
Jasper Johns concedeu a
G. R. Swenson, da revista
Art News, em fevereiro de 1964

GERALD LAING

Born, Newcastle-on-Tyne, England, 1936. Studied, Royal Military Academy, Sandhurst, 1954–56; St. Martin's School of Art, London, 1956–60. Artist-in-Residence, Institute of Humanistic Studies, Aspen, Colorado, 1966. Lives in New York City.

THOSE OF MY PIECES which are in this exhibition are examples of the formal figurative paintings done between 1962–1965 in London and New York. At the time I was closely concerned with conveying a simple idea in the least ambiguous manner. I needed figurative subject matter as a justification for beginning the paintings, and that Utopian dream of the USA which I, in common with most of my contemporaries in London, believed in, made it inevitable that I should eventually choose to depict those gleaming, exotic images and extravagant attitudes which were so heavily propagandised in Europe and which, for us, implied not only an optimistic, classless society, but also that every American had his hot-rod and his surfboard.

These paintings avoid an atmospheric space, and are full of measured deliberation. Accident is abhorred.

Nasceu em 1936, em Newcastle-on-Tyne, Inglaterra. Estudou na Academia Militar Real de Sandhurst, de 1954 a 1956. De 1956 a 1960 estudou na Escola de Arte Martin, em Londres. Foi Artista-Residente do Instituto de Estudos Humanísticos Aspen, em Aspen, Estado do Colorado (1966). Mora em Nova York.

MEUS TRABALHOS que estão nesta mostra são exemplos das pinturas formais figurativas executadas entre 1962 e 1965, em Londres e Nova York. Na ocasião, eu estava ìntimamente interessado em transmitir uma simples idéia da maneira menos ambígua possível. Eu precisava da temática figurativa como um pretexto para começar a pintar, e êsse sonho visionário sôbre os Estados Unidos, que eu tinha, em comum com a maioria de meus contemporâneos em Londres, tornou inevitável que eu finalmente escolhesse retratar essas cintilantes imagens exóticas e atitudes extravagantes tão abundantemente propagadas na Europa e as quais, para nós, sugeriam não sòmente uma sociedade otimista sem diferenças de classe, mas também que cada americano tinha seu "carro" e seu "aquaplano."

Estas pinturas evitam um espaço atmosférico e estão

I have begun to use flat color as well, and have become interested in the interplay between the half-tone modelled areas and the color, which have the possibility of being read either as surface or in chromatic depth. I have found it necessary to make a strong linear boundary between the colored and modelled areas, often the sort of division that is used in heraldry. Naturally there are subjects which lend themselves more readily to this approach, for both formal and psychological reasons. A painter whose solution of the perennial problems has always interested me is Uccello, whose flat, formalized depiction yet strong concern with objective fact influenced my work most strongly.

GERALD LAING

cheias de calculada deliberação. Acidentes são rejeitados.

Comecei a usar também côres planas e a me interessar pela ação recíproca entre os meios-tons das áreas modeladas e a côr, que contém a possibilidade de ser interpretada ou como superfície ou em profundidade cromática. Achei necessário fazer uma separação linear entre as áreas coloridas e as áreas modeladas, geralmente do tipo de divisões que se usam em heraldica. Naturalmente há certos assuntos que se prestam mais a esta imagem, por razões formais e psicológicas. Um pintor, cuja solução dos problemas perenes sempre me interessou, foi Uccello. Sua pintura plana, formalizada, a forte preocupação com o fato objetivo, influenciaram intensamente meu trabalho.

GERALD LAING

19. Gerald Laing
JEAN HARLOW
72½ x 49½" 1964

ROY LICHTENSTEIN

Born in New York City, October 1923. Studied, Art Students League, New York City, 1939, (with Reginald Marsh); B.F.A., 1946, M.F.A., 1949, Ohio State University, Columbus, Ohio. Taught at Ohio State University, Columbus, 1949–1951. Freelance design while painting for six years in Cleveland, Ohio. Instructor at New York State University, Oswego, New York, 1957–1960. Instructor, Douglass College, Rutgers University, New Brunswick, New Jersey, 1960–1963. Mural commission, New York State Pavilion, New York World's Fair, 1964–65. List Art Poster Program Commission, 1966. Lives in New York City.

ROY LICHTENSTEIN's mature work was formulated in 1961, at the high point in American art of widespread acceptance of Abstract Expressionist painting. It was a time when a host of followers all over the United States—let alone New York—were diligently producing enormous numbers of paintings in this style. Moreover, this explosive proliferation, unlike the work of the originators of Abstract Expressionism, was without any sense of urgency or of a reconstructive act challenging an existing tradition. Without an intense commitment to such a concept of dialectical challenge and reconstruction it is difficult for a viable art to endure. It is the artist's *will* to *act* that meaningfully changes the basis of our esthetic experience. The aim of the artist is not to rebel for rebellion's sake, but to find some means of creating an art that is based upon *felt experience* as well as life's most meaningful values. In Lichtenstein's work a confrontation of the existing order of art emerged as a result of an emphasis on the banal. By making significant paintings out of what is considered to be trivial material, Lichtenstein not only

Nasceu em outubro de 1923, em Nova York. Estudou com Reginald Marsh, na Liga de Estudantes de Arte, Nova York, em 1939. Diplomou-se em Belas Artes em 1946 e recebeu o grau de Licenciado em Belas Artes em 1949, na Universidade Estadual de Ohio, Columbus, Ohio. De 1949 a 1951 ensinou na Universidade Estadual de Ohio. Durante seis anos pintou independentemente em Cleveland, Ohio. De 1957 a 1960 foi professor da Universidade Estadual de Nova York, Oswego, Nova York. Foi também professor do "Douglass College" da Universidade Rutgers, em New Brunswick, Nova Jersey, de 1960 a 1963. Foi encarregado de executar un mural no Pavilhão do Estado de Nova York, na Feira Mundial de Nova York, no qual trabalhou de 1964 a 1965. Fez parte do "List Art Poster Program" (1966). Mora em Nova York.

O TRABALHO de Roy Lichtenstein atingiu seu amadurecimento em 1961, no período máximo na arte americana de total aceitação da pintura expressionista abstrata. Foi uma época em que um grande número de adeptos em todos os Estados Unidos—sem falar em Nova York—estava diligentemente produzindo grande quantidade de pinturas nesse estilo. Além disso, esta proliferação explosiva, ao contrário da obra dos fundadores do expressionismo abstrato, não tinha nenhum senso de urgência, nem era um ato de renovação desafiando uma tradição firmada. Sem um intenso compromisso a um conceito de desafio lógico e reconstrutivo, é difícil que uma arte viável venha a sobreviver. A *determinação* do artista de agir é que faz mudar de maneira significativa o fundamento de nossa experiência estética. O propósito do artista não é o de rebelar-se pela revolta em si, mas o de encontrar meios de criar arte que seja baseada em *experiência própria*, bem como nos valores mais expressivos da vida. No trabalho de Lichtenstein, uma confrontação da arte em vigor surgiu como resultado da ênfase do banal. Produzindo obras importantes do que é considerado material comum, êle não só desafiou o expressionismo abstrato convencional, como reassegurou para outra geração, o radicalismo da fôrça de vontade e perspicácia artística . . .

Evidentemente, a pintura de uma bandeira americana de Jasper Jones, em 1955, deve ser mencionada com relação a Lichtenstein. Esta pintura, e tôdas as que se seguiram, levantou a questão da descontínua qualidade de símbolos e lançou na dúvida nossa habitual opinião da relação entre objetos e imagens. O processo de Johns é baseado em particularidades comuns: uma bandeira e uma pintura, consistindo cada uma de um pedaço de fazenda e que compartilham as mesmas peculiaridades de retangularidade, achatamento e corte. Freqüentemente omitida, contudo, é a maneira pela qual a "Bandeira" de Johns e as subseqüentes pinturas

challenged the conventional acceptance of Abstract Expressionism, but he also reasserted for another generation the radicalism of artistic willpower and insight. . . .

Obviously Jasper Johns' painting in 1955 of an American flag must be mentioned in relationship to Lichtenstein. This painting, and those that followed, raised the question of the discontinuous quality of symbols and threw into ambiguity our familiar viewing of the relationship between objects and images. Johns' procedure relies upon emphasizing shared properties; a flag and a painting each consist of a piece of fabric which share common properties of rectangularity, flatness and edge. Often overlooked, however, is the manner in which Johns' "Flag" and subsequent symmetrical "Target" paintings also serve to elicit the formal notion of an all-over totality—a one-to-one relationship between image and format at a quite new scale. . . .

In order to preserve his style, it is imperative that Lichtenstein comment as little as possible on his material. In fact, it almost could be said that Lichtenstein finds his style by not seeking one. He avoids betraying his own emotions; thus he erases all patina of painterly nostalgia from his surfaces, which are brash and new. Color is likewise depersonalized by his restricting himself to the use of primaries. As far as possible, any evidence of alterations—or of what may be thought of as a record of the artist's hand—are expunged. He dematerializes his paint in order to recreate the mechanical, printed quality of his found imagery. Similarly, his use of Ben Day dots refers the viewer to printing, and, in particular, to photomechanical processes of reproduction. Although Lichtenstein at times seems to be using commercial art techniques to reformulate his imagery, in fact he reconstructs his images by analogous or simulatory means. Obviously, in art it is the minutiae of effects that carry the burden of significance rather than the principle structural members. The Ben Day dots, apart from simulating commercial art, remind the viewer of Seurat and Optical painting and at the same time operate perceptually to dissolve the surface of the painting.

Line, form and color are handled systematically, but in such a manner that the unreality of the original image is preserved, even enhanced. Lichtenstein is one of the few artists capable of adapting the vernacular of his time to a pictorial art without losing the flavor of the original. This is the key to his sensibility.

John Coplans, Pop Art USA, catalogue
Oakland Art Museum, 1963, p. 10

21. Roy Lichtenstein
GIRL / MENINA
48x48″ 1965

simétricas "Target" também serve para elucidar a noção formal de uma completa totalidade—uma relação íntima entre a imagem e o formato em uma nova escala.

Para preservar o seu estilo é preciso que Lichtenstein comente o menos possível seu material. Na realidade, poder-se-ia dizer que Lichtenstein encontra seu estilo sem que procure nenhum. Êle evita trair suas próprias emoções; assim, elimina tôda a pátina da nostalgia da pintura, de suas superfícies, que são frágeis e novas. A côr é igualmente despersonalizada, uma vez que êle se restringe a usar as côres primárias. Tanto quanto possível, qualquer evidência de modificações—ou do que se possa pensar como um sinal da mão do artista—é destruída. Êle desmancha sua pintura para recriar a qualidade mecânica, impressa, de sua fantasia. Anàlogamente, seu uso de pontilhados "Ben Day" lembra ao observador a imprensa e, em particular, os processos fotomecânicos de reprodução. Se bem que às vêzes pareça que Lichtenstein está usando as técnicas da arte comercial para reformular suas imagens, na verdade êle as reconstrói por processos análogos ou simulados. Na arte, são as minúcias dos efeitos que mostram o pêso da importância e não os teóricos elementos estruturais. Os pontilhados "Ben Day," além de simular arte comercial, lembram ao observador, Seurat e a pintura Ótica, e ao mesmo tempo contribuem para dissolver a superfície da pintura.

Linha, forma e côr são manejados metòdicamente, mas de uma tal maneira, que a irrealidade da imagem original é preservada e mesmo realçada. Lichtenstein é um dos poucos artistas capaz de adaptar o vernáculo de seu tempo a uma arte pictórica, sem perder o sabor do original. Essa é a chave de sua sensibilidade.

John Coplans, "Pop" Arte-USA, Catálogo
Museu de Arte Oakland, 1963, p. 10

RICHARD LINDNER

Born, Hamburg, Germany, 1901. Studied, School of Fine and Applied Arts, Nuremberg and Munich, 1924; attended Academy of Fine Arts, Munich. Fled Germany, 1933; lived in Paris until 1939. Came to United States, 1941. Became an illustrator for many leading magazines including *Fortune, Vogue, Harper's Bazaar.* 1957, won William and Norma Copley Fund Grant. 1965, List Art Poster Program Commission. Teaches at Pratt Institute, Brooklyn, New York, lectures at Yale University School of Art and Architecture, New Haven, Connecticut and lives in New York City.

I can not talk about painting.
I have now even doubts that there is such a thing as art in
    general.
More and more I believe in the secret behavior of human
    beings.
Maybe all of us are creative if we listen to the secret of our
    inner voice.
It should not matter in what medium we try to express this.
I think of the child and the insane.
To search and to follow that inner silence is to live a life of
    the highest order.
Is this art?

                                            RICHARD LINDNER

From *Americans 1963*, ed. Dorothy C. Miller
The Museum of Modern Art, New York, 1963

Nasceu em 1901, em Hamburgo, Alemanha. Estudou na Escola de Belas Artes e na Escola de Artes Aplicadas, em Nuremberg e em Munich, em 1924, tendo igualmente freqüentado a Academia de Belas Artes de Munich. Deixou a Alemanha em 1933, tendo morado em Paris até 1939. Mudou-se para os Estados Unidos em 1941, onde tornou-se ilustrador de várias revistas de projeção como: *Fortune, Vogue, Harper's Bazaar*, etc. Em 1957 recebeu uma bôlsa de aperfeiçoamento do Fundo William e Norma Copley. Fez parte da Comissão do "List Art Poster Program", em 1965. Ensina no Instituto Pratt em Brooklyn, Nova York e é Leitor na Escola de Arte e Arquitetura da Universidade de Yale, em New Haven, Connecticut. Mora em Nova York.

NÃO POSSO falar sôbre pintura. Tenho mesmo dúvidas de que exista tal coisa como arte em geral. Mais e mais eu acredito no secreto comportamento dos sêres humanos. Talvez todos nós sejamos criadores se escutarmos o segrêdo de nossas vozes interiores. Não deveria importar em que processo tentássemos expressálo. Penso na criança e nos loucos. Procurar e seguir aquêle silêncio interior é viver uma vida da mais alta qualidade. Isto será arte?

                                            RICHARD LINDNER

"Americanos", 1963
Publicado por Dorothy C. Miller
Museu de Arte Moderna de
Nova York, 1963

MALCOLM MORLEY

Born, London, England, 1931. A.R.C.A., Royal College of Art, London, England, 1954. Taught, Royal College of Art, London, England, 1956; New York Board of Education Adult Program, Great Neck, New York, 1961–62; Robert Louis Stevenson School, New York City, 1961–62; New York Board of Education, Adult Program, Hewlett, New York, 1963–64; Five Towns Music and Art Foundation, Cedarhurst, New York, 1963–64. Teaches at Ohio State University, Columbus, Ohio and School of Visual Arts, New York City, and lives in Columbus, Ohio and New York City.

Nasceu em Londres, Inglaterra, em 1931. Diplomou-se no Colégio Real de Arte de Londres, Inglaterra, em 1954. Foi professor nas seguintes instituições: Colégio Real de Arte, Londres, Inglaterra, 1956; "Programa para Adultos" do Conselho Diretor de Educação de Nova York, em Great Neck, Nova York e Escola "Robert Louis Stevenson" de Nova York, 1961–1962; "Programa para Adultos" do Conselho Diretor de Educação de Nova York, em Hewlett, Nova York e Fundação de Música e Arte "Five Towns," em Cedarhust, Nova York, 1963–64. Atualmente ensina na Universidade Estadual de Ohio, em Columbus, Ohio e na Escola de Artes Visuais de Nova York. Mora em Columbus, Ohio e na cidade de Nova York.

25. Malcolm Morley, "UNITED STATES" WITH (NY) SKYLINE / "ESTADOS UNIDOS" COM (NY) HORIZONTE, 45½x59½" 1965

I HAVE NO INTEREST in subject matter as such or satire or social comment or anything else lumped together with subject matter. I like the light in Corot. There is only Abstract Painting, I want works to be disguised as something else (photos) mainly for protection against "art man-handlers." I order the source photo by phone by describing the surface configuration such as, "Send me up a four-color print that has small multiple details in one part and a larger detail in another (like sky)." I accept the subject matter as a by-product of surface. I work against the theory of constancy, i.e., the grass feels green when walking in a park at night. That's why I paint upside down.

MALCOLM MORLEY

NÃO TENHO interêsse na temática como tal, ou na sátira, ou no comentário social ou em qualquer outra coisa reunida à temática. Gosto da luz de Corot. Há apenas pintura abstrata, quero que os trabalhos sejam disfarçados em outra coisa. Como (fotografias) principalmente para proteção contra "manipuladores de arte". Encomendo a fotografia de origem pelo telefone descrevendo sua configuração assim: "Mande-me uma reprodução em quatro côres, que tenha múltiplos pequenos detalhes de um lado e um detalhe maior do outro (céu, por exemplo)". Aceito a temática como um sub-produto de superfície. Isto é, trabalho contra a teoria da constância. A grama é verde quando se anda num parque à noite. É por isso que pinto de cabeça para baixo.

MALCOLM MORLEY

LOWELL NESBITT

Born, 1933, Baltimore, Maryland. Studied, Stella Elkins Tyler School of Fine Arts, Philadelphia, Pennsylvania, 1950–1955; Royal College of Art, London, England, 1955–1956. Lives in New York City.

IN *IBM 1302-'65*, a sourceless radiance of electrical intelligence replaces the specific black windows of the architectural façades. Even though the invisible systems of mathematics and electron flow relate to the structures of the IBM paintings much as the barely implied rooms relate to the faces of the buildings, Lowell Nesbitt shows a concern for the world behind the machine that he chooses not to exercise for the world behind the façades. In spite of their serenity and silence, the paintings inquire into the duality of the computer and search for the correspondence between its physical and rational structures. With the actual symmetries of the machines distorted by the canvases' perspectives, both the *Data Processing System IBM 1440-'65* and the *Magnetic Tape Unit IBM 729-'65* seem arrested in an attempt to revolve out of the picture frame. The paintings grasp for symmetry in the invisible nonhuman world while indicating how tenuously this perception of symmetry is held. Lowell Nesbitt's humanist rather than technological understanding of the IBM machine extends the arbitrariness of the instrument's surface into a questioning of the reality of the processes behind it. Lowell Nesbitt has accepted the obsolescence of the machine's surface and pulled this surface into the realm of the aesthetic object, thus acknowledging and emphasizing the unapproachability of the thing in itself.

Nasceu em 1933, em Baltimore, Estado de Maryland. Estudou na Escola de Belas Artes Stella Elkins Tyler, em Filadélfia, Pensilvânia, de 1950 a 1955. De 1955 a 1956 estudou no Colégio Real de Arte em Londres, Inglaterra. Mora em Nova York.

EM IBM 1302-'65, uma radiação sem origem de inteligência elétrica, substitui as janelas pretas específicas das fachadas arquitetônicas. Embora os sistemas invisíveis da matemática e do fluxo elétron relacionem-se às estruturas das pinturas IBM, assim como as salas, apenas implícitas, relacionam-se às fachadas dos edifícios, Lowell Nesbitt demonstra uma preocupação para com o mundo atrás das máquinas, que prefere não ter para com o mundo atrás das fachadas. Apesar de sua serenidade e silêncio, as pinturas indagam da dualidade do computador, à procura de uma correlação entre suas estruturas física e racional. Com as simetrias verdadeiras das máquinas deformadas pelas perspectivas das telas, tanto o Sistema de Processamento de Dados IBM 1440-'65 quanto o Conjunto de Fitas Magnéticas IBM 729-'65 parecem suspensos, numa tentativa para sair da moldura do quadro. As pinturas buscam a simetria no invisível mundo desumano, mostrando, ao mesmo tempo, o quanto precàriamente é mantida esta percepção de simetria. A compreensão mais humanística do que tecnológica que Lowell Nesbitt tem da máquina IBM, prolonga a arbitrariedade da superfície do instrumento a uma indagação sôbre a veracidade dos processos do mesmo. Lowell Nesbitt aceitou o obsoletismo da superfície da máquina colocando-a no reino do objeto estético, reconhecendo e acentuando, assim, a inacessibilidade da coisa em si.

O espaço na pintura de Lowell Nesbitt não tem nada a ver com o verdadeiro ambiente dos objetos na mesma. É sem ar, sem luz e restrito à tela. As flôres não se encontram nem nos jardins, nem nos potes. As flôres são tocadas por sombras que são apenas tinta e composição e não uma indicação da posição do sol. Os edifícios não revelam nem o dia, nem a noite. Êles foram afastados de arredores comprovados, arrancados das ruas e colocados fora das cidades. IBM 1302-'65 e IBM RAMAC 305-'65 não dão nenhuma indicação quanto à dimensão do objeto retratado. Sendo a reticência o prolongamento de suas economias simétricas e de amplas extensões de côr lisa, as pinturas de Lowell Nesbitt não dizem mais do que o necessário. Essas pinturas não atacam os sentidos de frente; como enigmas, elas os cercam e os definem apenas pelas extremidades.

Henry Martin
Nova York, agôsto de 1965

The space within Lowell Nesbitt's painting has nothing to do with the real ambience of the objects within it. It is airless, without light and specific to the canvas. The flowers occur in neither gardens nor bowls. The flowers are touched by shadows that are only paint and composition rather than an indication of the position of the sun. The buildings reflect neither day nor night. They have been removed from corroborating surroundings, taken from streets and placed outside of cities. *IBM 1302-'65* and *IBM RAMAC 305-'65* contain no clue concerning the size of the depicted object. Reticence being the extension of their formal economy and broad expanses of flat color, Lowell Nesbitt's paintings tell no more than necessary. These paintings do not attack meanings from the front; like riddles, they circle meanings and define them only by their edges.

Henry Martin
New York, August 1965

27. Lowell Nesbitt
IBM 1440 DATA PROCESSING SYSTEM
SISTEMA DE PROCESSAMENTO DE DADOS IBM 1440
60 x 60″ 1965

Notes Concerning My Painting of the IBM Computer

IN THE LAST FOUR YEARS I have dealt with several images: the X Rays, the Flowers, the Façades, the Studio Interiors and the IBM Computer. Each image turned into a series of paintings and drawings. Although they developed chronologically, in the above order, in 1965 I was working simultaneously on the Flower series, the Architectural series and the IBM Computer series. In each the emphasis was on structure, a continuation of the precise edged American realism of O'Keefe, Sheeler and sometimes Demuth.

IBM's huge, open display window office on the corner of 57th Street and Madison Avenue in New York City had always fascinated me. So silent, cool and aloof, beautiful really, those elegant, efficient, abstract machines. So very much the epitome of this 1957–1967 decade. I suddenly found them hauntingly paintable.

In 1965 the Computer age was much talked about—"inhuman" they were called—little men losing their jobs to ever obsolete, ever improving in complexity and efficiency—these machines.

My paintings, while emphasizing their forms, both their cool exteriors and their electric interiors, put them into the very human, hand-painted, oil-on-canvas world. Thus I rushed them into obsolescence and fossilized them into the mythologic History of Art.

LOWELL NESBITT

Notas Sôbre Minha Pintura do Computador IBM

NOS ÚLTIMOS QUATRO anos tenho me ocupado de várias imagens: os Raios X, as Flores, as Fachadas, os Interiores de Estúdios e o Computador IBM. Cada imagem transformou-se em uma série de pinturas e desenhos. Se bem que tenham se desenvolvido cronològicamente, na ordem acima, em 1965 eu estava trabalhando simultâneamente nas séries de Flores, Arquitetura e do Computador IBM. Em cada uma delas a ênfase estava na estrutura, uma continuação do inconfundível "edged" realismo americano de O'Reefe, Sheeler e às vêzes de Demuth.

A imensa vitrine aberta do escritório da IBM na esquina da rua 57 com a avenida Madison, em Nova York, sempre me fascinou. Tão silenciosas, frias e distantes, bonitas de verdade, essas elegantes, eficientes, abstratas máquinas. Tão sòmente a síntese da Década de 1957–1967. Sùbitamente achei-as assombrosamente pintáveis.

Em 1965, a Era do Computador era muito falada— "desumanos" eram êles chamados—os pequenos homens perdendo seus emprêgos em favor dessas máquinas sempre obsoletas, sempre melhorando em complexidade e eficiência.

Minhas pinturas, ao mesmo tempo que salientam suas formas, tanto os frios exteriores quanto os elétricos interiores, colocam-nos no muito humano mundo da pintura a óleo feita à mão. Assim, levei-os ao obsoletismo e fossilizei-os na mitologia da História da Arte.

LOWELL NESBITT

CLAES OLDENBURG

Born, Stockholm, Sweden, 1929. B.A., Yale University, New Haven, Connecticut, 1950; studied, School of the Art Institute of Chicago, Chicago, Illinois, 1952–54, (with Paul Weighardt). Apprentice reporter, City News Bureau of Chicago, 1950–1952. Lives in New York City.

Bedroom was made in Los Angeles in the fall of 1963. It was a radical departure from the work I had been doing. A deliberate reversal of values which was underlined and helped by a move from New York to Los Angeles. I conceived of these cities—at other ends of the nation—as opposites in every possible way (fictionalizing the differences into black and white). That there are opposites I don't believe but I do believe it as an artistic working principle.

Geometry, abstraction, rationality—these are the themes that are expressed formally in *Bedroom*. The effect is intensified by choosing the softest room in the house and the one least associated with conscious thought. The previous work had been self indulgent and full of color, the new work was limited to black and white, blue and silver. Hard surfaces and sharp corners predominate. Texture becomes *photographed* texture in the surface of the formica. Nothing "real" or "human." A landscape like that on the cover of my old geometry book, the one that shows the Pyramids of Egypt and bears the slogan, "There is no royal road to geometry." All styles on the side of Death. The Bedroom as rational tomb, pharaoh's or Plato's bedroom.

Bedroom is a large object in many parts. It was made with an actual room in mind which originally was part of the giant object. This room (the front room at the Sidney Janis Gallery) cannot be transported, only approximated, and so many "realistic" details will always be missing: the air-conditioner, for example, which kept the place cool, or the door marked "private."

Bedroom marked for me (and perhaps others) a turning point of taste. It aligned me (perhaps) with artists who up to then had been thought to be my opposites. But the change of taste was passed through the mechanism of my

Nasceu em Estocolmo, Suécia em 1929. Diplomou-se na Universidade de Yale, New Haven, Connecticut, em 1950. De 1952 a 1954, estudou com Paul Weighart na Escola de Arte do Instituto de Chicago, Illinois. Foi repórter principiante do "City News Bureau" de Chicago, de 1950 a 1952. Mora em Nova York.

O Quarto foi feito em Los Angeles no outono de 1963. Foi uma modificação radical do trabalho que eu fizera até então. Uma troca deliberada de valores, realçada e ajudada pela minha mudança de Nova York para Los Angeles. Concebi essas cidades—nos extremos da nação—como opostas em tudo (fantasiando as diferenças em preto e branco). Que haja diferenças não acredito, mas acredito nisso como um princípio artístico de trabalho.

Geometria, abstração, compreensão—êsses são os temas expressos textualmente em *O Quarto*. O efeito é intensificado com a escolha do quarto mais simples da casa e o menos associado com o pensamento consciente. O trabalho anterior era tolerante e cheio de côr, o nôvo trabalho é limitado ao preto e branco, azul e prateado. Superfícies rígidas e cantos ásperos predominam. A composição torna-se composição *fotografada* na superfície de fórmica. Nada "verdadeiro" ou "humano". Uma paisagem como a da capa de meu velho livro de geometria, o que mostra as Pirâmides do Egito e traz o *slogan* "There is no royal road to geometry" ("Não há estrada real à geometria"). Todos os estilos ao lado da Morte. O Quarto como um túmulo razoável, quarto de faraós ou de Platos.

O Quarto é um grande objeto em várias partes. Foi executado com um quarto verdadeiro em mente, que inicialmente fazia parte do objeto gigante. Êste quarto (o quarto da frente da Galeria Sidney Janis) não pode ser transportado, apenas aproximado, e vários detalhes "realísticos" estarão sempre faltando: o aparelho de ar refrigerado, por exemplo, que conserva o lugar fresco, ou a porta onde está escrito "particular".

O Quarto marcou para mim (e talvez para outros) o momento de mudança de gôsto. Igualou-me (talvez) aos artistas

attitude, which among other "rules" insists on referring to things—by imitating them, altering them and naming them.

Bedroom might have been called composition for (rhomboids) columns and disks. Using names for things may underline the "abstract" nature of the subject or all the emphasis can do this. Subject matter is not necessarily an obstacle to seeing "pure" form and color. Since I am committed to openness, my works are constructed to perform in as many ways as anyone wants them to. As time goes on and the things they "represent" vanish from daily use, their purely formal character will be more evident: Time will undress them. Meanwhile they are sticky with associations, and that is presumably why my *Bedroom*, my little gray geometric home in the West, is two-stepping with Edward Hopper. To complete the story, I should mention that the *Bedroom* is based on a famous motel along the shore road to Malibu, "Las Tunas Isles," in which (when I visited it in 1947) each suite was decorated in the skin of a particular animal, i.e., tiger, leopard, zebra. My imagination exaggerates but I like remembering it that way: each object in the room consistently animal.

I am trying to experience the shape of experience and let you tell me yours and help me too. One style won't do; every man has many styles in him and the old art school injunction to find your style and stick to it may not be so useful. Perhaps not even commercially. I was trying to turn myself inside out and I have always been able to manage changes. All the fun is locking horns with impossibilities—for example: combining our notions of sculpture with our notions of a simple "vulgar" object: hamburger or bedroom. The subtleties and strategies of this struggle elate me; I fence with definitions—this way that way—point here point there—and then out of the studio and a run down to the Pacific surf (cold at that time of year). But the finished work is not a problem; it is my solution. A problem to others perhaps. If they care they must retrace my steps. Back at the beginning is a pigheaded "rule," a decision whose consequences are unpredictable. The rule is pursued firmly—the facts yield or shape themselves about the resolution. The solution is dazzling (if it comes) for the reason that the proposition is absurd. Art as sport.

CLAES OLDENBURG

New York, May 1967

que até então eram considerados o oposto de mim. Mas, a mudança de gôsto, passou pelo mecanismo de minha atitude, a qual, entre outras "normas", insiste em recorrer às coisas —imitando-as, alterando-as e dando-lhes nomes.

O Quarto poderia ter sido chamado de composição para (rombóides) colunas e discos. Usar nomes para as coisas pode realçar a natureza "abstrata" do objeto, ou a ênfase pode fazer isso. Temática não é obrigatòriamente um obstáculo para se ver a forma "pura" e a côr. Já que estou empenhado em franqueza, meus trabalhos são construídos para representar de todos os modos o que uma pessoa queira. À medida que o tempo passa e as coisas que êles "representam" desaparecem pelo uso diário, seu caráter puramente formal será mais evidente: o Tempo os despirá. Enquanto isso êles estão cheios de correlações, e é provàvelmente porisso que meu *Quarto*, minha pequena casa, geométrica e cinzenta no Oeste, são correlatos com Edward Hopper. Para completar a história, deveria mencionar que o *Quarto* é baseado num famoso motel ao longo da estrada do litoral de Malibu, "Las Tunas Isles", no qual (quando o visitei em 1947) cada apartamento era decorado com a pele de um animal, isto é, tigre, leopardo, zebra. Minha imaginação exagera, mas gosto de lembrar-me dele dessa maneira: cada objeto no quarto sòlidamente animal.

Estou tentando provar a configuração da experiência e deixar que vocês me contem as suas e também me ajudem. Um estilo não adianta; cada homem tem muitos estilos em si mesmo e a injunção da velha escola de arte para que você encontre o seu estilo e apegue-se a êle, poderá não ser de grande utilidade. Talvez, nem mesmo comercialmente. Eu tentei me virar do avêsso e tenho sempre conseguido efetuar mudanças. O divertido é misturar alhos com bugalhos—por exemplo: combinar nossas noções de escultura com nossas noções de um simples objeto "comum": almôndega com quarto de dormir. As subtilezas e as estratégias desta controvérsia me encantam; disputo as definições—assim ou assado—uma idéia, outra idéia—e então saio do estúdio e corro para as ondas do Pacífico (frias nessa época do ano). Mas o trabalho pronto não é um problema; é a minha solução. Um problema para os outros, talvez. Se êles quizerem poderão retomar meu caminho. Bem no início há uma "norma" obstinada, uma decisão cujas conseqüências são imprevisíveis. A norma é seguida com firmeza—os fatos cedem ou amoldam-se à decisão. A solução é fascinante (se vier) porque a proposta é absurda. Arte como esporte.

CLAES OLDENBURG

Nova York, maio de 1967

JOE RAFFAELE

Born, February 22, 1933, Brooklyn, New York. Studied, Cooper Union School of Art and Architecture, New York City, 1951–54 (with Sidney Delevante and Leo Manso); Yale-Norfolk Summer Art School Fellowship, 1954–55; B.F.A., Yale University, School of Art and Architecture, New Haven, Connecticut, 1955, (studied with Josef Albers and James Brooks). Fulbright Award, painted in Florence and Rome, 1958–1960; Louis Comfort Tiffany Foundation Fellowship, 1961. Lives in New York City.

Nasceu a 22 de fevereiro de 1933, em Brooklyn, Nova York. Estudou com Sidney Delevante e Leo Manso, na Escola de Arte e Arquitetura Cooper Union de Nova York, de 1951 a 1954. De 1954 a 1955 estudou na Escola de Arte Yale-Norfolk com uma bôlsa-de-estudos de aperfeiçoamento. Diplomou-se em Belas Artes na Escola de Arte e Arquitetura da Universidade de Yale, em New Haven, Connecticut, em 1955. Nessa escola estudou com Josef Albers e James Brooks. Recebeu um prêmio da Fulbright para pintar em Florença e Roma de 1958 a 1960. Em 1961 recebeu uma bôlsa de aperfeiçoamento da Fundação Louis Comfort Tiffany. Mora em Nova York.

Excerpt from a letter to R. B. Kitaj, July 24th 1966:

". . . How could a fine lad, a seafaring man such as yourself embarking upon Erie Shores and later to sail the South China Seas be what seems to a land-standing man such as myself bitter towards that old world discovered long ago called art. Funny, it's the only land I know of which is not capitalized. Or is it? Or has it been? Emergence for me into that world as a participator came late, and I thank God for that. (I learn from the sad songs of other artists who have hit it big, and had 'big' hit them back harder, sometimes permanently damaging them.) But I also know that an artist as singular, as zippy, as detached from other artists image-wise, species-wise, as you are, should not expect anything from that art world. One should dig (in fact we must) into ourselves, and God knows that that is discouraging enough. All worlds are saved by those few in each who almost blindly go about doing what they have to do, not seeing what's around them. Artists are a bit like workhorses at this point. They still exist (only for the time being perhaps) but they can only manage in urban traffic, etc., etc., by having blinders placed around their heads. We need blinders, too. Not to hide anything from us, but rather to let us see unhindered, what we must see and in fact to see it clearly and in perfect focus."

A hypnogogic reverie just before sleep one night in 1965:

Paul Thek is talking about Ray Johnson and says: "He made the noise of someone like in pregnancy." As he says it I see a figure like a Henry Moore writhing inside a blanketed form which seems to be melted cheese. There is no form where the head should be.

Trecho de uma carta a R.B. Kitaj, 24 de julho de 1966:

". . . Como pode um bom rapaz, um marinheiro como você, navegando na costa Erie e preparando-se para navegar os mares do Sul da China, ser, pelo que parece a um homem com os pés firmes na terra, como eu, rancoroso para com êsse velho mundo, descoberto há tanto tempo, chamado arte? Engraçado, é a única terra que eu conheço que não é escrita com letra maiúscula. Ou será? Terá sido? Aparecimento para mim nesse mundo como participante, veio tarde, e agradeço a Deus por isso. (Sei, por causa das tristes lamúrias de outros artistas que atingiram um grande sucesso e depois levaram um "duro" na cabeça, que, em alguns casos, os prejudicaram para sempre). Mas, também sei que um artista tão individual, tão entusiasmado, tão desligado de outros artistas "image-wise" e "species-wise", como você é, não deveria esperar nada daquele mundo da arte. Uma pessoa deveria mergulhar (na verdade, devemos) em si própria, e Deus sabe que isso é bastante desanimador. Todos os mundos são salvos por aquêles poucos que, quase às cegas, vão fazendo o que têm que fazer, sem ver o que está ao redor deles. Artistas são um pouco parecidos com burros de carga, nesse ponto. Êles ainda existem (só por ora, talvez) mas só podem andar no tráfego urbano, etc., etc., com viseiras nos olhos. Nós também precisamos de viseiras. Não para esconder nada de nós, mas para que possamos ver sem obstáculos o que devemos ver, e na realidade ver com clareza e perfeitamente focalizado".

Um devaneio pouco antes de dormir numa noite em 1965:

Paul Thek está falando sôbre Ray Johnson e diz "Êle fez o barulho de alguém que estivesse grávido". Enquanto êle diz isso, eu vejo uma figura como Henry Moore contorcendo-se numa forma nebulosa que parece queijo derretido. Não há forma onde a cabeça deveria estar.

A dream in the winter of 1966:

Bob Rauschenberg arrives at Leo Castelli's. We walk into the show. It is the last day of one show and Bob's is to be next. It is already up and fills the place. I ask him if he is going to send me an announcement of the show. He says he'll give me the announcement of the show. He says he'll give me one now. There is a great crowd of people there. For his work. This crowd is mishandling the work. Badly. One drunk artist there, calls Bob academic. The drunk gets angry. Chaos breaks loose. I ask if I should call police. He says yes. I call out. But it is not effective. I should go out on street. I'm really no help. People begin throwing glass. It is really a kind of uprising. Darkness comes. Turmoil continues. Police come. As I am in the courtyard when police come I think Peter is on the roof making love and when searchlights go on he'll be found out. Everyone has disappeared.

Excerpt from a letter to Maurice Tuchman, August 7th 1965:

"... Re: Genet's "Thief's Journal". I finished it in bed as I woke at grey-dawn, and I was touched by his sincerity, honesty and, in a way, his monumentally-beyond-the-surface-search-for-life's meaning. I really appreciate it. Reading it, the book, as almost always happens, I found myself responding to (i.e. judging) it as a novel. That is, as a fictionalized construction of a story within a book's cover. But afterwards I realized its great power. His contribution is that it was a word-image description of *his* life. No holds barred. Therefore it becomes a truly original thing. It also can go beyond the form of the novel. It was able to become a novel because first it was just a 'thing.' A thing he had to describe using his own means: words, pencil and paper, and then afterwards and only afterwards it becomes—ART. Isn't this the case in all important art? Isn't this basically what thrusts the real creator ahead of his contemporaries? This innocent describing something inside himself which must come out. Because he is not self-conscious with his own form, he can therefore create a new form. His form later becomes for others an 'art-form.'

This awareness which has been with me for awhile now, about important art, helps me do what I want to do. When I say important I mean not in a today way but rather important because it bypasses the currency of other people's art. To be one's own self in art must be the toughest part of being an artist."

JOE RAFFAELE

Um sonho no inverno de 1966:

Bob Rauschenberg chega à Galeria Leo Castelli. Entramos. É o último dia de uma exposição e a de Bob será a próxima. Já está montada e enche a galeria. Pergunto-lhe se êle vai mandar-me um anúncio da exposição. Êle diz que vai dar-me o anúncio da exposição. Êle diz que vai dar-me um agora. Há uma grande multidão lá. Para ver seus trabalhos. Esta multidão está maltratando os trabalhos. Muito. Um artista embriagado lá chama Bob de acadêmico. O bêbado fica bravo. Começa a balbúrdia. Pergunto se deveria chamar a polícia. Êle diz que sim. Eu chamo. Mas não dá resultado. Eu deveria ir lá fora. Não posso ajudar em nada. As pessoas começam a atirar copos. É mesmo uma espécie de revolta. Fica escuro. O tumulto continúa. A Polícia chega. Estou no pátio quando a Polícia chega e penso que Peter está no telhado fazendo amor e que quando os faróis fôrem acesos êle será descoberto. Todo mundo desapareceu.

Trecho de uma carta a Maurice Tuchman, 7 de agôsto de 1965:

"... Referência: "Thief's Journal", de Genet. Terminei-o na cama quando acordei na madrugada cinzenta e fiquei comovido por sua sinceridade, honestidade e, de um certo modo, sua-busca-do-significado-da-vida, tremendamente profunda. Apreciei-o de verdade. Lendo-o, o livro, como quase sempre acontece, encontrei-me reagindo a êle (isto é, julgando-o) como a uma novela. Isto é, como uma construção inventada de uma estória, dentro da capa de um livro. Mas depois compreendi seu grande poder. Sua contribuição é a de ser uma imagem descritiva, por meio de palavras, de *sua* vida. Nenhuma influência excluída. Torna-se, portanto, uma coisa original. Também pode ir além da forma da novela. Foi capaz de tornar-se uma novela porque primeiro era apenas uma "coisa". Uma coisa que êle tinha que descrever usando seus meios próprios: palavras, lápis e papel, e, então, mais tarde e só mais tarde, torna-se-ARTE. Não é êsse o caso de tôda arte importante? Não é isso essencialmente o que leva o verdadeiro criador à frente de seus contemporâneos? Esta descrição ingênua de algo dentro de si próprio que precisa ser revelado. Porque êle não tem consciência de sua própria forma, êle pode, portanto, criar uma forma nova. Sua forma mais tarde torna-se uma "forma-de-arte" para outros.

Esta concepção sôbre arte importante que tenho agora já há algum tempo, ajuda-me a fazer o que quero fazer. Quando digo importante, quero dizer, não de uma maneira atual, mas antes importante porque desvia o curso da arte de outras pessoas. Ser êle próprio em arte é talvez a parte mais dura de ser artista".

JOE RAFFAELE

ROBERT RAUSCHENBERG

Born, Port Arthur, Texas, October 22, 1925. Studied, Kansas City Art Institute and School of Design, Kansas City, Missouri, 1946–47; Académie Julien, Paris, 1947; Black Mountain College, Black Mountain, North Carolina, 1948–49, (with Josef Albers); Art Students League of New York, New York City, 1949–50, (with Valcov Vytlacil and Morris Kantor). Traveled in Italy and North Africa, 1952–53. Taught, Black Mountain College, Black Mountain, North Carolina, 1952. At present is technical director for the Merce Cunningham Dance Company. Lives in New York City.

Barge is six and a half feet high and thirty two and a half feet long. It is impossible to take it in as a whole. One ranges up and down in front of it, passing from light into dark and back again, from close up to bird's eye-view. One is always on the move, feeling for a vantage point which will throw fresh light on things and connect what one has already grasped with what one has not. Movement is inherent in the

Nasceu a 22 de outubro de 1925, em Port Arthur, Texas. Estudou no Instituto de Arte e Escola de Desenho Kansas City, na cidade de Kansas, Estado de Missouri de 1946 a 1947. Em 1947 estudou na França, na "Academie Julien" de Paris. De 1948 a 1949 estudou com Josef Albers no "Black Mountain College", em Black Mountain, Carolina do Norte. Estudou de 1949 a 1950 com Valcov Vytlacil e Morris Kantor, na Liga de Estudantes de Arte de Nova York, Nova York. Viajou pela Itália e África do Norte de 1952 a 1953. Em 1952 ensinou no Black Mountain College, Carolina do Norte. É Diretor-Técnico da Companhia "Merce Cunningham Dance". Mora em Nova York.

Batelão tem seis pés e meio de altura e trinta e dois pés e meio de cumprimento. É impossível observá-lo no todo. Tem-se que andar de lá para cá defronte dele, passando do claro para o escuro e voltando novamente, observando-o desde bem de perto até de bem de longe. Está-se sempre de um lado para outro, procurando um ponto vantajoso que projete uma nova luz às coisas, associando o que já se

structure of the picture no less than in the imagery and we respond to both and to the interaction of the two: tensions built up by one are released by the other and vice versa so that the total of movement yielded by the picture involves a movement of interplay, a swinging of attention, an alternation of energy. . . .

Barge deals with communication (aerials, roads, signals,) physical prowess (football, swimming,) discovery (space rockets, fly, latch key,) places. The paint, brushed freely, dripped, splashed, sometimes roughly drawn, provides an active but stabilizing fabric within which the silkscreens are articulated across the canvas's enormous length. At times the paint intervenes pointedly, contributing to the imagery, exploding here in a flare of light like a firework, elsewhere streaming in veils like rain. This relationship between paint image and screen image, between the organic and the mechanical, opens up a further theme, adumbrated in the confrontation of Velasquez' nude and the army truck, or, of the cumulous clouds and the fleeting perspective box to its left which looks like a kind of man-made cloud. . . .

Barge is on a grand scale. It is encyclopedic. Like an atlas it holds out a promise of the entire world, of place and movement and climate. There are intimations of weather, of day and night, the seasons. Vast pictorial spaces are suddenly fixed, out to size with a screen—which in turn evokes vast spaces—only precisely, outwardly, as defined in the rolling perspective of clouds or the frame of a half-completed building. Continually a sense of place yielded by a photograph elides into a sense of infinity. And over all there is the recurrent theme of human structuring, of communication, interpretation, purposeful and beautiful engagement with the world—the swimmer ploughs the water, aerials scan, the print of the painter's hand marks the bottom edge of the canvas.

Andrew Forge
from *Robert Rauschenberg*
to be published by
Harry N. Abrams, New York

compreendeu ao que deixou de ser compreendido. Movimento não é menos inerente à estrutura do quadro que a imaginação e nós reagimos a ambos e à interação dos dois: tensões geradas por um são aliviadas pela outra e vice-versa, de sorte que, o movimento total produzido pelo quadro abrange um movimento de ação recíproca, um vaivém de atenção, uma mudança de energia . . .

Batelão ocupa-se com comunicações (antenas, estradas, sinais), destreza física ("football", natação), descobrimentos (espaço, vôo, chave de trinco), lugares. A tinta, espalhada livremente, pingada, borrifada, às vêzes àsperamente manipulada, fornece um tecido ativo, mas estável, no qual os "silk-screens" são articulados ao longo da enorme dimensão da tela. Às vêzes a tinta interpõe-se claramente, contribuindo para a fantasia, explodindo aqui num clarão, como um fogo de artifício, acolá fluindo em torrente como chuva. Esta relação entre a imagem da tinta e imagem do "silk-screen", entre o orgânico e o mecânico, traz à discussão um nôvo tema, esboçado na confrontação do nu de Velasquez com o caminhão do exército, ou das nuvens com a perspectiva fugaz da caixa à sua esquerda, que parece uma nuvem feita pelo homem . . .

Batelão é em grande escala. É enciclopédico. Como um atlas oferece uma promessa de um mundo inteiro, de lugar e movimento e clima. Há sugestões de tempo, dia e noite, estações do ano. Grandes espaços pictóricos são sùbitamente pregados, para, justapor-se aos "screens"—que por sua vez sugerem vastos espaços—tão precisamente, visìvelmente, quanto ilustrado na ondulada perspectiva das nuvens ou na armação de um edifício em construção. Constantemente um sentido de lugar produzido por uma fotografia, transforma-se em um sentido de infinito. E por tôda a parte há o tema periódico da estruturação do homem, das comunicações, da interpretação e do propositado e belo compromisso para com o mundo—o nadador sulca a água, as antenas exploram, a impressão da mão do pintor marca a margem inferior da tela.

Andrew Forge
Robert Rauschenberg
a ser publicado por
Harry N. Abrams, Nova York

JAMES ROSENQUIST

Born, 1933, Grand Forks, North Dakota. Studied at University of Minnesota, Minneapolis, Minnesota, 1951–1955, (with Cameron Booth); Art Students League of New York, New York City, 1955–58. List Art Poster Program Commission, 1967. Lives in New York City.

Nasceu em 1933 em Grand Forks, Estado de North Dakota. Estudou com Cameron Booth na Universidade de Minnesota, em Minneapolis, Minnesota, de 1951 a 1955. De 1955 a 1958 estudou na Liga de Estudantes de Arte de Nova York. Faz parte da "List Art Poster Program". Mora em Nova York.

WHILE ATTENDING the University of Minnesota, I worked one summer for an industrial decorating company. At least, that's what they called themselves. Actually, we travelled through the Midwest painting the outsides of warehouses and huge storage bins. Some of them were ten stories high and half a city block long. We painted everything the same color. I remember miles of the same monotonous shade of gray.

One day, we began working on a group of these storage bins—I think that they held surplus wheat—and this fellow began painting one of them by himself. Now picture this scene: there's this stretch of wall at least as big as a football field, and way down in one corner is this little man with a bucket of paint—gray paint—and an eight-inch brush in his hand. Slowly, deliberately, hopelessly, he begins to apply paint to that endless, unrelieved expanse of wall.

Who should come walking by but the foreman. The guy painting did not notice him and kept right on painting in the same slow, lackadaisical way. The foreman must have stood

QUANDO EU ESTUDAVA na Universidade de Minnesota, trabalhei durante um verão para uma companhia industrial de decoração. Pelo menos era êsse o nome que davam à firma. Na realidade, nós viajávamos no Centro-Oeste pintando o exterior de armazens e imensos celeiros. Alguns dêles tinham a altura de um prédio de dez andares e o comprimento de meio quarteirão. Pintávamos tudo da mesma côr. Lembro-me de milhas e milhas do mesmo tom cinza monótono.

Um dia começamos a pintar um conjunto dêsses celeiros—acho que continham excedente de trigo—e êste homem começou a pintar um dêles sòzinho. Agora, imaginem esta cena: uma enorme faixa de parede tão grande pelo menos quanto um campo de "football", e lá embaixo, em um dos cantos, êsse homenzinho com seu balde de tinta—tinta cinza—e uma brocha de oito polegadas em sua mão. Vagarosamente, deliberadamente, sem esperança, êle começa a pintar aquela vastidão infinita e lisa de parede.

Quem haveria de passar senão o capataz? O sujeito que estava pintando não o viu e continuou a pintar da mesma

there watching him for a good ten minutes; I guess he was building up a head of steam. When he couldn't take any more, the foreman hollered: "WHAT THE HELL DO YOU THINK YOU'RE DOING?" Believe me, that foreman knew how to yell.

The guy painting, though, just turned around, paintbrush in hand. He stared at the foreman and then glanced back over his shoulder at the huge wall. "Hunh?" he said. On the road, a trailer truck roared by and an airplane flew overhead."

The story describes a bizarre and rather wonderful visual experience; it describes the world of James Rosenquist. There is a juxtaposition of visual elements here that is at once ordinary and utterly extraordinary. It is a juxtaposition that could have occurred only at this particular point in time. Here is all the extravagance of imagery—the disjointed elements and the forced perspective that have come to be the identifying characteristics of the art of James Rosenquist.

Rosenquist tells the story with relish, emphasising points with bodily gestures and pantomiming the various incidents. As he tells the story, however, one becomes aware that words are not his preferred medium. He projects his impressions most strongly through gesture and expression. One gets the feeling that he would be more comfortable expressing himself pictorially.

The story also reveals the unique visual sensitivity at the core of Rosenquist's artistic statement. His work is characterized by the same bizarre, seemingly disconnected imagery. Here is the frozen moment that explores multiple levels of reality as they are revealed in a fleeting passage of time. Here is the same strange and wonderful juxtaposition of elements that is so much a part of the visual phenomena of our time.

Rosenquist's response to this reality is poetic, almost mystical. His vision is a function of this individual reaction. The reaction, in turn, is the result of the million and one influences that went into the creation of James Rosenquist the man. Rosenquist's ability to project this inner vision onto his canvases is a function of skill and technique. The skill is, in turn, a result of the years of study and application that went into the development of James Rosenquist the artist.

Excerpt from John Rublowsky
Pop Art, Basic Books, Inc.
New York, 1965

maneira vagarosa e apática. O capataz deve ter ficado parado lá observando-o bem por uns dez minutos: acho que êle estava preparando uma cena. Quando não podia conter-se mais, êle berrou: "Que é que você está fazendo aí"? Acreditem-me, aquêle capataz sabia gritar!

O sujeito que estava pintando, porém, apenas virou-se, com a brocha na mão. Olhou para o capataz e depois deu um olhar de relance, por cima dos ombros, para a imensa parede e disse: "Hã"? Na estrada passou ruidosamente um caminhão e um avião voou por sôbre sua cabeça.

A estória descreve uma extravagante e maravilhosa experiência visual. Há nela uma justaposição de elementos visuais que é ao mesmo tempo comum e totalmente extraordinária. É uma justaposição que só poderia ter acontecido num determinado momento. Encontra-se aí tôda a extravagância da fantasia—os elementos desarticulados e a perspectiva forçada que passaram a ser identificados como característicos da arte de James Rosenquist.

Rosenquist conta a estória com sabor, acentuando os detalhes com gestos e ilustrando os vários episódios. Mas, quando êle conta a estória, percebe-se que as palavras não são seu meio predileto de comunicação. Êle ressalta suas impressões mais fortemente por meio do gesto e da expressão. Têm-se a impressão de que êle se sentiria mais à vontade expressando-se pictòricamente.

A estória também revela a rara sensibilidade visual no âmago da declaração artística de Rosenquist. Seu trabalho caracteriza-se pela mesma extravagante e igualmente desarticulada fantasia. Eis o momento estático que explora diferentes planos da realidade à medida em que vão sendo revelados numa fugaz passagem de tempo. Eis a mesma extraordinária e maravilhosa justaposição de elementos que é parte integrante do fenômeno visual de nossos tempos.

A reação de Rosenquist à esta realidade é poética, quase mística. Sua visão é função dessa reação individual. A reação, por sua vez, é o resultado de mil e uma influências que entraram na formação de James Rosenquist, o homem. A habilidade de Rosenquist de projetar esta visão interior em suas telas é obra de destreza e técnica. Essa detreza, por sua vez, é o resultado de anos de estudo e dedicação que contribuiram para o desenvolvimento de James Rosenquist, o artista.

Trecho de *Pop Art*
de John Rublowsky, Basic Books, Inc.
Nova York, 1965

EDWARD RUSCHA

Born, December 16, 1937, Omaha, Nebraska. Studied at Chouinard Art Institute, Los Angeles, California. Lives in Los Angeles.

Q. This is the second book of this character you have published?
A. Yes, the first, in 1962, was "Twenty-Six Gasoline Stations."
Q. What is your purpose in publishing these books?
A. To begin with—when I am planning a book, I have a blind faith in what I am doing. I am not inferring I don't have doubts, or that I haven't made mistakes. Nor am I really interested in books as such, but I am interested in unusual kinds of publications. The first book came out of a play with words. The title came before I even thought about the pictures. I like the word "gasoline" and I like the specific quality of "twenty-six." If you look at the book you will see how well the typography works—I worked on all that before I took the photographs. Not that I had an important message about photographs or gasoline, or anything like that—I merely wanted a cohesive thing. Above all, the photographs I use are not "arty" in any sense of the word. I think photography is dead as a fine art; its only place is in the commercial world, for technical or information purposes. I don't mean cinema photography, but still photography, that is, limited edition, individual, hand-processed photos. Mine are simply reproductions of photos. Thus, it is not a book to house a collection of art photographs—they are technical data like industrial photography. To me, they are nothing more than snapshots.
Q. You mean there is no design play within the photographic frame?
A. No.

Nasceu a 16 de dezembro de 1937, em Omaha, Nebraska. Estudou no Instituto de Arte Chouinard, em Los Angeles, California. Mora em Los Angeles.

P. Êste é o segundo livro dêste tipo que publica?
R. Sim, o primeiro, em 1962, foi "Vinte e Seis Postos de Gasolina".
P. Qual é o seu objetivo em publicar êsses livros?
R. Em primeiro lugar—quando estou planejando um livro, tenho confiança absoluta no que estou fazendo . Não estou insinuando que não tenha dúvidas ou que não tenha cometido erros. Na verdade, não estou interessado em livros própriamente ditos, mas em publicações fora do comum. O primeiro livro surgiu de um jôgo com palavras. O título foi escolhido antes mesmo que tivesse pensado nos quadros. Gosto da palavra "gasolina" e gosto da qualidade específica de "vinte e seis". Se você examinar o livro, verá como a tipografia trabalha bem—trabalhei em tudo isso antes de dedicar-me às fotografias. Não que eu tivesse uma mensagem importante sôbre fotografias ou gasolina, ou coisa que o valha—eu simplesmente queria uma coisa coesiva. Antes de mais nada, as fotografias que eu uso não são "arty" no sentido completo da palavra. Acho que a fotografia está morta como belas-artes; seu único lugar é no mundo comercial, com finalidades técnicas ou informativas. Não falo de fotografia cinematográfica, mas fotografia inerte, isto é, fotografia individual de reprodução limitada, processada a mão. Portanto, não é um livro para conter uma coleção de fotografias artísticas—elas são dados técnicos como a fotografia industrial. Para mim elas não são nada mais do que instantâneos.
P. Quer dizer que não há jôgo de desenho na fotografia em si?
R. Não.
P. Mas elas não foram recortadas?
R. Foram, mas isso origina-se na preocupação com o esquema do livro.

Q. But haven't they been cropped?

A. Yes, but that arises from the consciousness of layout in the book.

Q. Did you collect these photos as an aid to painting, in any way?

A. No, although I did subsequently paint one of the gasoline stations reproduced in the first book—I had no idea at the time I would eventually make a painting based on it.

Q. But isn't the subject matter of these photos common to your paintings?

A. Only two paintings. However, they were done very much the same way I did the first book. I did the title and lay-out on the paintings before I put the gasoline stations in.

Q. Is there a correlation between the way you paint and the books?

A. It's not important as far as the books are concerned.

Q. I once referred to "Twenty-Six Gasoline Stations" and said "it should be regarded as a small painting"—was this correct?

A. The only reason would be the relationship between the way I handle typography in my paintings. For example, I sometimes title the sides of my paintings in the same manner as the spine of a book. The similarity is only one of style. The purpose behind the books and my paintings is entirely different. I don't quite know how my books fit in. There is a whole recognized scene paintings fit into. One of the purposes of my book has to do with making a mass-produced object. The final product has a very commercial, professional feel to it. I am not in sympathy with the whole area of hand-printed publications, however sincere. One mistake I made in "Twenty-Six Gasoline Stations" was in numbering the books. I was testing—at that time—that each copy a person might buy would have an individual place in the edition. I don't want that now.

Q. To come back to the photos—you deliberately chose each subject and specially photographed them?

A. Yes, the whole thing was contrived.

Q. To what end? Why fires and why the last shot, of milk?

A. My painting of a gas station with a magazine has a similar idea. The magazine is irrelevant, tacked onto the end of it. In a like manner, milk seemed to make the book more interesting and gave it cohesion.

From *"Concerning Various Small Fires
Edward Ruscha Discusses His Perplexing Publications"*
by John Coplans
Artforum 3, No. 5:24–5, Feb. 1965

P. De qualquer maneira, colecionou essas fotografias como um auxílio à pintura?

R. Não, se bem que depois eu tivesse pintado um dos postos de gasolina reproduzido no primeiro livro—eu não tinha a mínima idéia, então, de que iria casualmente fazer uma pintura baseada no mesmo.

P. Mas a temática dessas fotografias não é comum nas suas pinturas?

R. Apenas em duas. Contudo, elas foram feitas da mesma maneira com que fiz o primeiro livro. Dei o título e fiz o esbôço das pinturas antes de colocar os postos de gasolina nelas.

P. Há uma correlação entre a maneira como pinta e os livros?

R. No que diz respeito aos livros, não importa.

P. Uma vez me referi a "Vinte e Seis Postos de Gasolina", e disse: "deveria ser considerado como um quadro pequeno" —está certo?

R. A única explicação deveria ser a relação com a maneira pela qual lido com tipografia em minhas pinturas. Por exemplo, às vêzes pinto títulos nos lados de meus quadros como se fôra o dorso de um livro. A semelhança é apenas de estilo. A finalidade de meus livros e de minhas pinturas é inteiramente diversa. Não sei bem como meus livros se encaixam nelas. Há uma pintura de cenário perfeitamente reconhecível neles. Um dos objetivos de meu livro é o de criar um objeto de produção em massa. O produto final contém uma impressão bem comercial e profissional. Não tenho muita simpatia para com publicações impressas a mão, por mais sinceras que sejam. Um engano que cometi em "Vinte e Seis Postos de Gasolina", foi o de numerar os livros. Estava experimentando—daquela vez—para que cada cópia que uma pessoa viesse a comprar tivesse seu lugar exclusivo na edição. Não quero isso agora.

P. Voltando às fotografias—escolheu de propósito cada assunto e fotografou-os especialmente?

R. Escolhi, tôda a coisa foi idealizada.

P. Com que finalidade? Por quê fogos e por quê os últimos salpicos de leite?

R. Minha pintura de um pôsto de gasolina com uma revista possui uma idéia semelhante. A revista é descabida, pregada no fundo da pintura com tachas. Assim, o leite pareceu tornar o livro mais interessante e deu-lhe coesão.

*"Relativo a Vários Pequenos Fogos
Edward Ruscha Discute Suas Publicações Perplexas,"*
de John Coplans, *Art. Forum* 3, nº 5:24–5, fevereiro de 1965

GEORGE SEGAL

Born, November 24, 1924, New York City. B.A., New York University, New York City, 1950; M.F.A., Rutgers University, New Brunswick, New Jersey, 1963. Taught, New Jersey High Schools, 1957–1963. List Art Poster Program Commission, 1966. Lives in New Brunswick, New Jersey.

Nasceu a 24 de novembro de 1924, em Nova York. Diplomou-se na Universidade de Nova York, em Nova York, em 1950. Em 1963 recebeu o grau de Licenciado em Belas Artes da Universidade Rudgers, em New Brunswick, Nova Jersey. De 1957 a 1963 ensinou em vários ginásios de Nova Jersey. Fez parte do "List Art Poster Program," em 1966. Mora em New Brunswick, Nova Jersey.

FIRST, I'm interested in an open-ended way of working. I don't want to shut out any possibility. I want to intensify— if you were going to ask me what I was about—the sense of my own inner life. I equally want to intensify my sense of encounter with the tangible world outside of me. I can't think of divorcing the one response from the other. I differ from the abstract expressionists in that way, and that seemingly small point makes a big difference in the look of the work. . . .

I conceive the situation. Then I have to be very careful and ask the right person, for several reasons. A person's inner set of attitudes comes out in the plaster somehow. Why, I don't know, but it simply happens to be true. So they have to be capable of sensing what the situation is. Often it's enough for me simply to describe the situation. But the best pieces come where a minimum of talk is required. So I am

PRIMEIRO, estou interessado em uma maneira ampla de trabalhar. Não quero excluir nenhuma possibilidade. Quero intensificar—se você me perguntar qual é a minha intenção —o sentido de minha própria vida interior. Não posso pensar em separar uma reação da outra. Sou, assim, diferente dos expressionistas abstratos e essa aparentemente pequena característica, faz uma grande diferença no aspecto do trabalho. . . .

Idealizo a situação. Tenho, então, que ser muito cuidadoso e arranjar a pessoa certa, por várias razões. O conjunto de atitudes interiores de uma pessoa, de algum modo, aparece no gêsso. Porque, não sei, mas simplesmente acontece que é verdade. Portanto, a pessoa tem que ter capacidade de compreender qual é a situação. Geralmente é suficiente para mim apenas descrever a mesma. Mas as melhores peças são produzidas quando há um mínimo de conversação. Assim,

dependent on the sensitivity and response of the people posing for me.

Is there any reason for the unrefined surfaces? Yes, there is. It would be just as simple to take a human hand, put plaster on it, let it dry and take it off. What's inside would be a perfect negative. You'd get all the skin pores, the wrinkles, the incredibly minute detail. I choose to use the exterior because in a sense it's my own version of drawing or painting. I have to define what I want, and I can blur what I don't want. I can dissolve something in a puddle if I like. It bears the mark of my hand; but it bears not the work of my hand so much as the mark of my decisions in emphasis. I'm not really interested in naturalistic reproduction. If I were, I would have to use a completely different process. . . .

As to my casting, I can tell you that a mystery takes place that I never expected, and it's different each time. The simple act of somebody taking a position and putting pieces of cloth saturated in plaster on them, and having that person sit until sections harden has had a very unexpected side result. I think that's why I continue casting; otherwise I'd have been bored to tears and gone to something else long ago. First of all the wetness shows the muscles and bones underneath the clothing. It saturates the clothes to the point where you can see bone structure underneath. The discomfort to the person is of such a nature that they can't pretend with me; they have to relax, and they're just a stoic and brave, or screaming and hysterical as they really are. It's very hard to be a fake with that kind of wet discomfort over such a long period of time. Maybe I'm a sadist, I don't know. But then I've also done the same person over six or seven times, and I've been absolutely amazed to find that even slight differences in state of mind come through that I can't control in the finished sculpture. . . .

I have become interested in looking out at the world. I don't want to report the world as a reflection of my own blood vessels. I think that's the real reason I am still interested in using casting models. The truth about somebody else's bone structure or doing an elongated bony person is inconceivable. I simply can't draw that. I don't think any artist who gets in the swing of producing his own art can work against his temperament.

GEORGE SEGAL

From a lecture given at
The Albright-Knox Art Gallery,
Buffalo, New York, February 28, 1967

depedo da sensibilidade e reação das pessoas que estão posando para mim.

Há alguma razão para as superfícies ásperas? Sim, há. Seria muito simples pegar uma mão humana, cobri-la com gêsso, deixar secar e tirar o gêsso. O que fica dentro seria um perfeito negativo. Você teria todos os poros da pele, as rugas, os detalhes mais insignificantes. Preferi usar o exterior porque, num sentido, é a minha própria versão do desenho ou da pintura. Tenho que definir o que quero, e posso apagar o que não quero. Posso dissolver uma coisa na argila se quizer. Traz a marca de minha mão, mas não traz tanto a marca do trabalho de minha mão quanto a marca de minhas decisões, com ênfase. Não estou pròpriamente interessado na reprodução naturalista. Se eu estivesse, teria que usar um processo inteiramente diverso. . . .

Quanto aos meus moldes, posso afirmar que acontece um mistério que nunca esperava, e é diferente cada vez. O simples ato de uma pessoa ficar numa posição e ser enrolada com ataduras embebidas em gêsso molhado, e ficar quieta até que o gêsso endureça, tem produzido resultados bastante inesperados. Acho que é porisso que continúo fazendo moldes; do contrário já estaria mais que entediado e teria me voltado para outra coisa há muito tempo. Em primeiro lugar, a humanidade mostra os músculos e ossos sob as roupas. Saturo as roupas de tal maneira que se pode ver a estrutura dos ossos através delas. O desconfôrto das pessoas é tal que elas não podem fingir comigo; elas têm que relaxar e ser estóicas e corajosas ou reclamantes e histéricas como o são na realidade. É muito difícil de ser um impostor debaixo dêsse desconfôrto húmido durante tanto tempo. Talvez eu seja um sádico, não sei. Mas eu também já moldei uma pessoa de nôvo seis ou sete vêzes e fiquei completamente admirado de ver que mesmo pequenas diferenças no estado de espírito aparecem e eu não posso controlá-las na escultura final . . . .

Tornei-me interessado em prestar atenção ao mundo. Não quero reproduzir o mundo como um reflexo de meus vasos sangüíneos. Acho que êsse é o verdadeiro motivo de ainda estar interessado em usar moldes vivos. A verdade sôbre a estrutura de ossos de outrem ou a modelagem de uma pessoa ossuda, alongada, é surpreendente. Não posso absolutamente desenhar isso. Acho que um artista que segue o impulso de produzir sua própria arte não pode ir contra seu temperamento.

GEORGE SEGAL

Trechos de uma conferência pronunciada
na Galeria de Arte "Albright-Knox" de
Buffalo, Nova York, 28 de fevereiro de 1967

WAYNE THIEBAUD

Born, Mesa, Arizona, November 15, 1920. B.A., M.A., Sacramento State College, Sacramento, California. Cartoonist, designer, advertising art director, 1938–1949. Design and art consultant for California State Fair and Exposition, 1950, 1952, 1955. Chairman, Art Department, Sacramento City College, Sacramento, California, 1951–1960. Guest instructor, San Francisco Art Institute, San Francisco, California, 1958. Visiting Art Critic in Painting, Cornell University, Ithaca, New York, summer, 1967. Producer of eleven Educational Motion Pictures, Baily Films, Hollywood, California. Professor of Art, University of California, Davis and lives in Sacramento, California.

STROKING THE PAINT is something I do constantly. I think of it as a way of love . . . painting an object over and over again is a kind of joy . . . a way of courting or getting to know the object more and more intimately. Paint stroking is similar to caressing. Painters have continually used this procedure ritualistically. The strokes enhance or enliven the object or surface. In my own work the strokes are often used to echo the form, to make the edges quiver or seem to tremble. Backgrounds are usually stroked or caressed up to the picture plane to make it as visually available as possible and to hold it still and in a taut state . . . like it has been pulled out tight to the edges of the format. This stills the surface and suggests a clear frozen moment. This crystal clear atmosphere serves as a contrast for the gently intruding edge vibrations and echo stroking. Somewhat like the feeling in an air-conditioned, well-lighted, quiet place where the slightest tremor can be sensed.

I use oil paint because of its verbasic sensual properties. The shiny, sticky, fatty qualities make it a necessity for my purposes. The food and cosmetic still-lifes are all predicated on the premise of actualism . . . an attempt at replication. The food must look alive, fresh and available. Wetness, softness are elements of lusciousness, this attraction is certainly sexual. A deep frozen ice cream cone is not so vulner-

Nasceu a 15 de novembro de 1920, em Mesa, Arizona. Diplomou-se como bacharel no "Sacramento State College", Sacramento, California, onde fez o curso de pós-graduação. Caricaturista, desenhista e Diretor de Arte de Propaganda, de 1938 a 1949. Consultor de desenho e arte da Feira e Exposição Estadual da California nos anos de 1950, 1952 e 1955. Presidente do Departamento de Arte do "Sacramento City College," Sacramento, California, de 1951 a 1960. Instrutor convidado do Instituto de Arte de São Francisco, São Francisco, California, 1958. Crítico visitante de pintura da Universidade de Cornell, Ithaca, Nova York, durante o verão de 1967. Produtor de onze filmes educacionais para o "Baily Films", em Hollywood, California. Professor de Arte da Universidade da California, em Davis, California. Mora em Sacramento, California.

ALISAR a tinta é algo que faço constantemente. Penso nisso como um meio de amor . . . pintar um objeto várias vêzes é uma expressão de alegria . . . uma maneira de namorar ou ficar conhecendo o objeto mais e mais ìntimamente. Dar pinceladas é o mesmo que acariciar. Os pintores têm constantemente usado êste processo como um ritual. As pinceladas realçam ou animam o objeto ou a superfície. Em meu próprio trabalho as pinceladas são muitas vêzes usadas para imitar a forma, para fazer os contornos trepidar ou parecer ondular. Os segundos planos são geralmente alisados ou acariciados no nível do quadro, para que fiquem tão visíveis quanto possível e fiquem imóveis, num estado de mofa . . . como se tivessem sido esticados até às margens do quadro. Isto abranda a superfície e sugere um límpido momento estático. Esta atmosfera transparente como cristal serve de contraste às vibrações suaves das margens e às pinceladas da forma. Algo como o que se sente em um ambiente calmo e bem iluminado, com ar-condicionado, onde o mais leve tremor pode ser percebido.

Uso tinta a óleo por causa de suas propriedades sensuais. As qualidades brilhantes, pegajosas e gordurosas a tornam indispensável aos meus objetivos. As naturezas mortas de alimentos e cosméticos são baseadas na atualidade . . . uma tentativa de réplica. O alimento deve ser real, fresco e

39. Wayne Thiebaud
CAKES / BOLOS
5 x 6' 1963

able as a soft one. Chilling marble nudes were devised in order to eliminate worldly sensuousness. Love was hoped to be spiritual and ideal not mundane animal lustiness. Thereby eroticism was supposedly submerged. Submerging obvious sensuality can be a means of heightening and involving the viewer in an even deeper erotic sensibility. There may be hidden among the subtle disguising the most desirable treats one might imagine . . . tantalizingly submerged. Isn't this the reason for the artist continually playing down obviousness? I would like my eroticism to be of this sort . . . it must not be totally revealed. What is there must come to the viewer after hours of courting the painting . . . looking, speculating, daydreaming, touching and caressing it with the eyes. Revelation can only come unannounced and unexpectedly . . . like the intimate tremor of love.

WAYNE THIEBAUD

From "A Painter's Personal View
of Eroticism"
Polemic, Western Reserve University
Cleveland, Ohio, Winter, 1966

disponível. Humidade e maciez são elementos de suculência, esta atração é certamente sensual. Um copo de sorvete congelado não é tão vulnerável quanto um sorvete mole. Nus de mármore gelado são assim concebidos para eliminar o sensualismo universal. O amor foi inventado para ser espiritual e ideal e não vigor animal mundano. Assim, o erotismo foi fantàsticamente oculto. Ocultar a óbvia sensualidade pode tornar-se um meio de exaltar e envolver o observador numa sensibilidade erótica ainda mais profunda.

Podem estar escondidas em sutil disfarce as mais apetecíveis gulodices que se possa imaginar . . . angustiosamente ocultas. Não é essa a razão porque o artista constantemente deixa de mostrar a evidência? Gostaria que meu erotismo fôsse dêsse tipo . . . não deve ser totalmente revelado. O que está lá deve atingir o observador depois de horas de namôro com a pintura . . . olhando, indagando, sonhando acordado, tocando e acariciando com os olhos. A revelação só pode chegar inesperadamente . . . como o estremecimento íntimo do amor.

WAYNE THIEBAUD

De "Pontos - de - Vista Pessoal de Um Artista
Sôbre o Erotismo"
Polêmica, Universidade "Western Reserve"
Cleveland, Ohio, Inverno de 1966

ANDY WARHOL

Born, 1930, Philadelphia, Pennsylvania. Studied, Carnegie Institute of Technology, Pittsburgh, Pennsylvania. Lives in New York City.

WARHOL'S IMAGES, selected as they are from the accumulation of ordinary manufactured commodities, at first arouse the viewer's most literal curiosity. He may ask, when confronted with a painting based upon a newspaper photograph of the aftermath of an automobile accident, "Are the victims still alive?" A reproduced Campbell Soup can may elicit as its first response the question, "Is it Minestrone or Pepper Pot?" Once these questions have been answered, curiously enough, the visual strength of the subject matter, the patterned design and vivid colors of the presentation, continue to hold our interest. . . .

The subjects of his paintings fall into a few easily defined categories (according to subject matter). The majority are repeated images of mass-produced commodities: soup cans, Coca-Cola, Heinz Ketchup and Brillo boxes, and gaudy flower ads. The other subjects are: currency (dollar bills and trading stamps); "personality" portraits with morbid associations (Marilyn Monroe after her suicide, Liz Taylor near death in London, Jackie Kennedy after the assassination, thirteen most-wanted criminals); the disaster paintings (automobile accidents, suicides, race riots, gangster funerals, the electric chair). Each painting is inspired by a particular event. These journalistic death announcements hold immediate and sensational associations in the viewer's mind; Warhol does not need to editorialize.

His pictorial language consists of stereotypes. Not until our time has a culture known so many commodities which are absolutely impersonal, machine-made, and untouched by human hands. Warhol's art uses the visual strength and vitality which are the time-tested skills of the world of advertising that cares more for the container than for the thing contained. He selects examples from this commercial afflu-

Nasceu em 1930, em Filadélfia, Pensilvânia. Estudou no Instituto de Tecnologia "Carnegie", em Pittsburgh, Pensilvânia. Mora em Nova York.

AS IMAGENS de Warhol, escolhidas que são do conjunto de produtos manufaturados comuns, em primeiro lugar, despertam a mais aguçada curiosidade do observador. Êle pode perguntar, quando se confronta com uma pintura baseada em uma fotografia de jornal de um acidente de carro, "As vítimas ainda estão vivas"? Uma reprodução de uma lata de sopa *Campbell* pode provocar como primeira reação a pergunta, "É "Minestrone" ou "Pepper Pot"? Uma vez respondidas essas perguntas, por incrível que pareça, a fôrça visual da temática, o modêlo e as côres vivas da apresentação, continuam a prender nosso interêsse . . .

Os assuntos de suas pinturas classificam-se em umas poucas categorias facilmente definidas (de acôrdo com a temática). A maior parte são repetidas imagens de produtos manufaturados em massa: latas de sopa, coca-cola, "Heinz Ketchup", e caixas de Brilho e espalhafatosos anúncios de flôres. Os outros assuntos são: moeda corrente (notas de um dólar e vales de permuta de mercadorias); retratos de "personalidades" com associações mórbidas (Marilyn Monroe depois do suicídio, Liz Taylor quase à morte em Londres, Jackie Kennedy depois do assassinato, os treze mais procurados criminosos); pinturas de desastres (acidentes de carro, suicídios, tumultos raciais, funerais de "gangsters", a cadeira elétrica). Cada pintura é inspirada em um acontecimento especial. Essas notícias de jornal, de morte, gravam uma associação imediata e sensacional na mente do observador. Warhol não precisa redigir um editorial.

Sua linguagem pictórica consiste de esteriótipos. Até que nossos tempos tenham uma cultura conhecida, por muitos produtos que sejam absolutamente impessoais, feitos à máquina e intocados por mãos humanas. A arte de Warhol emprega a fôrça visual e a vitalidade que são as aptidões

ence which best evince our growing sameness. We are told what to think by mass media, we eat the same manufacturer's foods, our clothes come in standardized sizes. We are told that our opportunities for uniqueness are quickly diminishing, and that we grow increasingly unaware of this process as the condition becomes more advanced. . . .

Andy Warhol says, "The reason I'm painting this way is because I want to be a machine. Whatever I do, and do machine-like, is because it is what I want to do. I think it would be terrific if everybody was alike." Perhaps ingenuously he finds pleasure in the release from the responsibilities of being an individual. He accepts an all-pervasive material abundance, and subordinates his sensitivity to the realm of communal feelings. He achieves the impersonality of belonging to the crowd. . . .

The silk-screening method Warhol uses to further remove him from his work. The more recent of Warhol's paintings and sculpture are "mass-produced" by this method. The artist's personality is reflected, but only partially, in his choice of subject matter; the work is done mechanically. He chooses the photograph he wishes to use and orders a screen made of it, sometimes in various sizes. The paint is then forced through the screen onto a pre-stretched canvas, more often than not by one of his assistants. Occasionally he may add a highlight by hand, but the paintings can seldom be told apart and then only by those slight imperfections which he tries to avoid.

Previous generations of painters wore their battle scars proudly. Warhol tries to keep any sign of a struggle out of his work. He does not want to be associated with any "creative" activity. He believes that anyone can paint his pictures as well as he, a feeling voiced by many viewers of modern art for years. . . .

It is ironic that his work raises important theoretical questions. He does not feel responsible for such inferences. Fact, not theory, is his interest. He is interested in objects, not ideas.

Samuel Adams Green
From "Andy Warhol," catalog published
for an exhibition of his work at the
Institute of Contemporary Art
Philadelphia, Pennsylvania
Oct. 8–Nov. 21, 1965

comprovadas do mundo da propaganda, que se preocupa mais com o envólucro do que com o conteúdo. Warhol seleciona desta profusão comercial o que melhor revela nossa crescente uniformidade.

Somos ensinados a pensar pelo meio de comunicação das massas, comemos os mesmos alimentos manufaturados, nossas roupas vêm em tamanhos padrões. Dizem-nos que nossas oportunidades para o individualismo estão desaparecendo ràpidamente e que percebemos cada vez menos êste processo, à medida que se torna mais avançado . . . Andy Warhol diz, "O motivo de estar pintando desta maneira é porque quero ser uma máquina. O que eu fizer, e fizer como máquina, é porque é o que eu quero fazer. Acho que seria terrível se todo mundo fôsse igual". Talvez êle simplesmente encontre prazer em ver-se livre da responsabilidade de ser individual. Aceita uma abundância material totalmente persuasiva e subordina sua sensibilidade ao domínio do sentimento público. Êle alcança a impersonalidade de pertencer à multidão . . .

Warhol utiliza o método de "silk-screen" para afastar-se mais de seu trabalho. As pinturas e esculturas mais recentes de Warhol são "produções em massa" por êste método. A personalidade do artista é expressa, mas sòmente em parte, em sua escôlha da temática; o trabalho é feito mecânicamente. Êle escolhe a fotografia que deseja usar e encomenda uma teia da mesma, às vêzes em vários tamanhos. A tinta é então calcada através da teia sôbre uma tela prèviamente esticada, na maioria das vêzes por um de seus assistentes. De vez em quando êle pode acrescentar um toque à mão, mas as pinturas raramente parecem diferentes e assim mesmo apenas por algumas leves imperfeições que êle tenta evitar.

Gerações anteriores de pintores ostentavam suas cicatrizes de batalha orgulhosamente. Warhol procura apagar qualquer sinal de luta em seu trabalho. Êle não quer associar-se a nenhuma atividade "criadora". Acredita que qualquer um pode pintar seus quadros como êle próprio, um sentimento proclamado por muitos observadores da arte moderna, há anos.

É irônico que seu trabalho levante questões teóricas importantes. Êle não se sente responsável por tais conseqüências. Fato, não teoria, é seu interêsse. Êle está interessado em objetos e não idéias.

Samuel Adams Green
De, "Andy Warhol", catálogo publicado para
uma exposição de sua obra no
Instituto de Arte Contemporânea, Filadélfia, Pensilvânia
8 de outubro a 21 de novembro de 1965

TOM WESSELMANN

Born, February 23, 1931, Cincinnati, Ohio. Studied at Hiram College, Hiram, Ohio; University of Cincinnati, Cincinnati, Ohio, B.A.; Art Academy of Cincinnati, Cincinnati, Ohio; Cooper Union School of Art and Architecture, New York City (studied with Nicholas Marsicano). Lives in New York City.

AN INTEREST in cartooning marked Wesselmann's initial contact with art (he studied this for a year at Cincinnati Art Academy before transferring, on the advice of a professor, to Cooper Union in New York), and the essentially emblematic nature of the feet, mouths and nipples of his present work could possibly be thought of as a return to "pure" cartoon. Whether or not this is the case, the artist has arrived at his present style by way of a rigorously single-minded and oddly hermetic path. The *Nude with Parrot No. 1* of 1960 mirrors an involvement with Pollock and de Kooning which was not restricted to Wesselmann alone, but seems to be a common factor in the background of most of the present Pop artists. Many of Wesselmann's works of this period show forward projection and illustrate the artist's attempt to cope with the problems posed by de Kooning and Pollock. Wesselmann has stated that "de Kooning was an immense obstacle for me . . . I almost gave up painting because he'd done it already. I couldn't conceive of any other way of painting than de Kooning's." Pollock represented a similar obstacle, though less central. Thus we see this nude disintegrated, spread out, over and through the canvas, with her

Nasceu a 23 de fevereiro de 1931 em Cincinnati, Ohio. Estudou no "Hiram College," Hiram, Ohio; na Universidade de Cincinnati, Ohio, onde diplomou-se como bacharel; na Academia de Arte de Cincinnati, Cincinnati, Ohio; e na Escola de Arte e Arquitetura "Cooper Union," na cidade de Nova York, onde teve como professor Nicholas Marsicano. Mora em Nova York.

UM INTERÊSSE pelo desenho cômico marcou o contacto inicial de Wesselmann com a arte (êle estudou desenho cômico durante um ano na Academia de Arte de Cincinnati, Ohio, antes de transferir-se, a conselho de um professor, para a "Cooper Union" em Nova York), e a natureza essencialmente simbólica dos pés, bocas e bicos de seios de sua obra atual, poderia, talvez, ser considerada como uma volta ao "puro" desenho cômico. Se êste é ou não o caso, o artista chegou ao seu estilo atual por uma trajetória rigorosamente sincera e singularmente fechada.

O *Nu com Papagaio nº l*, de 1960, reflete uma implicação com Pollock e de Kooning, que não se restringiu a Wesselmann apenas, mas parece ser um fator comum na formação da maioria dos atuais artistas "Pop." Muitos dos trabalhos de Wesselmann dêste período indicam planificação anterior e ilustram a tentativa do artista de enfrentar os problemas impostos por de Kooning e Pollock. Wesselmann declarou que "de Kooning foi um imenso obstáculo para mim . . . Quase desisti de pintar por que êle já o havia feito. Não podia conceber outra maneira de pintar a não ser a de de Kooning". Pollock representou um obstáculo parecido,

arm and leg thrown back to become involved with the rear areas and edges of the painting. This lateral compression and attempted all-over patternization relate in an obvious way to Pollock and de Kooning (as does the uniting of the positive and negative shapes), but also spring from an interest in collage that was present from the beginnings of the artist's career: "The fact is, I began with an interest in collage, which I first used in 1959 in art school." The development from an art-school de Kooningesque style to a translation of this into collage format can readily be seen in some of the works of late 1959 and early 1960, such as *The Lousy Haircut* and another collage which uses a cut-out Matisse nude. At this time Wesselmann made his decision that he was by nature a figurative painter, a painter of objects. . . .

The artist states that he is not painting any specific woman or mouth, or any specific type of woman, but just woman. However, it is a fact that most of these works are done from a specific model, the artist's wife, and the figures as seen relate directly to the conformations of her body. But, to Wesselmann, she is Woman; and the paintings begin, in an unspecific, non-portrait fashion, with her and are immediately extended to representations of generalized Woman. The simplification and cropping are results of this pursuit of the essence, in an emblematic sense, of this object-idea. The nipples, the "real" pubic hair, of earlier works and the gigantic cut-out mouths (which are derived from collage-movie mouths) are not meant to be real; rather they are emblems of the complex of ideas and associations engendered by encounters with the real. They are, and I hesitate to use the term, almost complete symbols. Of course, Wesselmann has played with the opposite side of this coin; "I began with a simple enough idea. . . . I was interested in collage, applying it to strictly realistic situations; so, a figurative piece of collage became a tree, a piece of wallpaper became a wall, and so on." But, ". . . two years ago, painting was king. Then I did the plastic piece with apples and radio [*Still Life No. 46*] . . ., then less and less of the paintings as an entity and more and more of the image . . . the integrity of the painting didn't matter anymore; now it is the integrity of the image. . . ."

J. A. Abramson

From "Tom Wesselmann and
the Gates of Horn"
Arts Magazine, May 1966

porém, menos dominante. Assim, vemos êsse nu desintegrado, espalhado na parte de cima e atravessado na tela, com seu braço e sua perna atirados para trás, misturando-se com as áreas do fundo e das margens da pintura. Essa compressão lateral e tentativa de padronização geral, está relacionada, de maneira óbvia a Pollock e de Kooning (como o está a união de formas positivas e negativas), mas também provém de um interêsse em colagem, a qual foi revelada ao artista desde o início de sua carreira: "O fato é que comecei com um interêsse em colagem, que usei pela primeira vez na escola de arte em 1959". A evolução do estilo "Kooniano" de uma escola de arte para a versão dêste formato dentro de colagem pode ser imediatamente reconhecida em alguns dos trabalhos de fins de 1959 e de 1960, como em *O Corte de Cabelo Nojento* e outra colagem na qual há um nu de Matisse recortado. Nessa época, Wesselmann decidiu que êle era um pintor figurativo, um pintor de objetos.

O artista afirma que êle não está pintando nenhuma mulher ou boca específicas, nenhum tipo de mulher, apenas mulher. Contudo, o certo é que a maior parte dêstes trabalhos são feitos de um modêlo específico, a mulher do artista, e as figuras como são vistas refletem as conformações de seu corpo. Mas, para Wesselmann, ela é Mulher; e as pinturas começam num estilo não retratável, inespecífico, com ela, e são imediatamente ampliadas em reprodução da Mulher generalizada. A simplificação e o corte são resultados desta busca da essência, em um sentido simbólico dessa idéia objetiva. Os bicos dos seios, o "verdadeiro" pêlo do púbis, dos primeiros trabalhos e os gigantes recortes de bocas (de colagem de bocas de cartazes de cinema) não são feitos para parecer reais; são antes emblemas de um complexo de idéias e associações engendradas pela confrontação com o verdadeiro. São, e eu hesito em usar o têrmo, quase que símbolos completos. Não há dúvida que Wesselmann jogou com o outro lado da moeda; "Comecei com uma idéia bastante simples . . . Estava interessado em colagem, aplicando-a a situações estritamente realísticas; então, um pedaço figurativo de colagem virou uma árvore, um pedaço de papel de parede virou uma parede, e assim por diante". Mas, ". . . há dois anos atrás a pintura era soberana. Depois eu construí a peça plástica com maçãs e rádio (*Natureza Morta Nº 46*) . . ., em seguida, cada vez menos pintura como uma particularidade e mais e mais imagens . . . a integridade da pintura não importava mais; agora é a integridade da imagem" . . .

J. A. Abramson
"Tom Wesselmann e os Portões do Limite"
Arte Magazine, maio de 1966

BIBLIOGRAPHY / EXHIBITIONS

BIBLIOGRAFÍA GERAL / EXPOSIÇÕES

BIBLIOGRAPHY / BIBLIOGRAFÍA GERAL

THE FOLLOWING BOOKS, exhibition catalogs and articles are generally available at public and university libraries. However, since exhibition catalogs often go quickly out-of-print, the reader might find it necessary to purchase or borrow them from the institution designated as exhibition organizer. Every effort has been made to ensure accuracy of reference through consultation with individuals and institutions although in some cases the remoteness of sources has made it impossible to examine the material.

BARBARA JONES

OS SEGUINTES LIVROS, catálogos de exposições e artigos, de modo geral, encontram-se nas bibliotecas públicas e universitárias. Contudo, como os catálogos de exposições normalmente esgotam-se depressa, o leitor poderá precisar comprá-los ou solicitar por empréstimo à instituição encarregada da organização da exposição. Foram empregados todos os esforços no sentido de assegurar exatidão de referência, através de consultas a indivíduos e instituições, se bem que, em alguns casos, a distância das fontes de informação tenha tornado impossível o exame do material.

BARBARA JONES

ALLAN D'ARCANGELO

Books / Livros
Dienst, Rolf-Gunter, *Pop Art*, Rudolph Bechtold and Co., Wiesbaden, 1965.
Lippard, Lucy, ed. *Pop Art*, Frederick A. Praeger Publishers, New York City, 1966.
Pellegrini, Aldo, *New Tendencies in Art*, Crown Publishing Companies, New York, 1966.
Rublowsky, John, *Pop Art*, Basic Books Inc., New York, 1965.

Exhibition Catalogs / Catálogos da Exposição
Hard Center, Thibaut Gallery, New York City. 1963. Text by Nicolas and Elena Calas.
Mixed Media and Pop Art, Buffalo Fine Arts Academy—Albright-Knox Art Gallery, Buffalo, New York. Nov. 19–Dec. 15, 1963. Foreword by Gordon M. Smith.
Pop Art and The American Tradition, Milwaukee Art Center, Milwaukee, Wisconsin. April 9–May 9, 1965. Text by Tracy Atkinson.
Pop Art U.S.A., Oakland Art Museum, Oakland, California. 1963. Essay by John Coplans, "American Painting and Pop Art," reprinted in *Artforum*, 2 No. 4, 1963.
The Popular Image, Institute of Contemporary Art, London, England. Oct. 24–Nov. 23, 1963. Essay by Alan Solomon.

Periodicals / Periódicos
Alloway, Lawrence, "Hi-Way Culture," *Arts*, 41 No. 4:28–33, Feb. 1967.
Antin, David, "D'Arcangelo and the New Landscape," *Art and Literature* Paris, No. 9:102–15, 1966.
——— "Painting is Dead; New York Letter," *Billedkunst*, Copenhagen, #3, 1966.
Art in America, 54:54, Reproduction, "Self Portrait," Mar. 1966.
Art News, 63:11, "Exhibition at Fischbach Gallery," Mar. 1964.
——— 64:16, "Exhibition at Fischbach Gallery," May 1965.
——— 62:13, "Exhibition at Thibaut Gallery," May 1963.
——— 66:1, "Reviews and Previews," Mar. 1967.
Arts, 41:4, Cover, Feb. 1967.
——— 41:5, Reproduction, "Float for the Angry Arts," Mar. 1967.
——— 40:35, Reproduction, "Landscape Number 3," Mar. 1966.
Ashton, Dore, "New York Gallery Notes," *Art in America*, 55 No. 1:91–2, Jan.-Feb. 1967.
Benedikt, Michael, "New York Letter," *Art International*, 9 No. 5:57, June 1965.
Das Kunstwerk, 19:96, "Portrait," Apr. 1966.
Factor, Don, "Allan D'Arcangelo, Dwan Gallery," *Artforum*, IV No. 8:15, Apr. 1966.
Gassiot-Talabot, Gerald, "Le Pop à Paris," *Aujourd'hui*, Jan. 1967.
——— "Lettre de Paris," *Art International*, 9 No. 3:64–7, Apr. 1965.
Goldin, A., "Exhibition at Fischbach Gallery," *Arts*, 39:64, Sept. 1965.
Golub, Leon, "The Artist as an Angry Artist," *Arts*, 41 No. 6:48–9, Apr. 1967.
Johnston, Jill, "New York," *Arts Canada*, 107:7, Apr. 1967.
Judd, D., "Exhibition at Fischbach Gallery," *Arts*, 38:30, Apr. 1964.
Meyers, John, "Junkdump Fair Surveyed," *Art and Literature*, Autumn-Winter 1964.
Morrow, James R., "New York," *Art International*, 11 No. 4:59, Apr. 20, 1967.
Picard, L., "New School of New York," *Das Kunstwerk*, 18:37, Dec. 1964.
Raynor, V., "Exhibition at Thibaut Gallery," *Arts*, 37:57, Sept. 1963.
Roberts, C., "Lettre de New York," *Aujourd'hui*, 8:201, Oct. 1963.
Sandberg, John, "Some Traditional Aspects of Pop Art," *Art Journal*, XXXVI No. 3:228–231, Spring 1967.
Studio, 171:267, Reproduction, "Landscape Number 2," June 1966.
——— 171:190, Reproduction, "Number 80," May 1966.
Taylor, Simon Watson, "Tokyo Print Biennial," *Art and Artists*, 1 No. 12:21, Mar. 1967.
Tono, Yoshiaki, "Before and After Pop Art," *Mizue*, Tokyo, Nov. 1966.
Von Meier, Kurt, "Los Angeles Letter," *Art International*, 10 No. 5:58, May 20, 1966.

BIBLIOGRAPHY / BIBLIOGRAFÍA GERAL

LLYN FOULKES

Exhibition Catalog / Catálogo da Exposição
Art '65, New York World's Fair, New York, 1965. Introduction by Brian O'Doherty. Statement by the artist.

Periodicals / Periódicos
Art in America, 54:116, Reproduction, "Canyon," March 1966.
——— 51:128, Reproduction, "Construction," April 1963.
——— 52:39, Reproduction, "Junction 410," June 1964.
Artforum, No. 6:46, "Llyn Foulkes," Dec. 1963.
Arts, 39:15, Reproduction, "Post Card No. 2," Apr. 1965.
Ashton, D., "Photographic Image of the Guggenheim," *Studio*, 171:114, Mar. 1966.
Coplans, John, "Art News from Los Angeles," *Art News*, 63:51, Feb. 1965.
——— "Los Angeles Artists," *Artforum*, 1 No. 10:31, Apr. 1963.
——— "Notes from San Francisco," *Art International*, 7 No. 5:74, May 25, 1963.
Danieli, Fidel A., "Llyn Foulkes," *Artforum*, 2 No. 3:17, Sept. 1963.
——— "Llyn Foulkes, Rolf Nelson Gallery," *Artforum*, 3 No. 3:14, Dec. 1964.
Factor, Don, "Five Younger Los Angeles Artists: Los Angeles County Museum of Art," *Artforum*, 4 No. 6:14, Feb. 1966.
Kind, J., "Art News From Chicago," *Art News*, 63:52, Sept. 1964.
Langsner, Jules, "Los Angeles Letter," *Art International*, 7 No. 8:81, Oct. 1963.
——— "Los Angeles Letter, September 1962," *Art International*, 6 No. 9:49–52, Nov. 1962.
Leider, Philip, "California after the Figure," *Art in America*, 51:77, Oct. 1963.
——— "The Cool School," *Artforum*, 2 No. 12:47–53, Summer 1964.
Magloff, Joanna C., "Art News From San Francisco," *Art News*, 63:20, Apr. 1964.
——— "Direction—American Painting, San Francisco Museum of Art," *Artforum*, 2 No. 5:43–44, Nov. 1963.
McMenamin, James, "Some New Guys," *Artforum*, 2 No. 12:46, Summer 1964.
Monte, James, "Llyn Foulkes," *Artforum*, 2 No. 10:9, Apr. 1964.
——— "The 83rd S.F.A.I. Annual," *Artforum*, 2 No. 11:23–24, May 1964.
Plagens, Peter, "Present Day Art and Ready Made Criticism," *Artforum*, 5 No. 4:36–39, Dec. 1966.
Smith, Barbara, "Director's Choice, Pasadena Art Museum," *Artforum*, 2 No. 8:10, Feb. 1964.
Studio, 170:96, Reproduction, "Mt. Hood, Oregon," Sept. 1965.
Ventura, A., "Pop, photo and paint," *Arts*, 38:51–2, Apr. 1964.
Wholden, R. G., "Exhibition in Los Angeles," *Arts*, 38:42, Nov. 1963.
Wilson, William, "Come and See, Rolf Nelson Gallery," *Artforum*, 4 No. 2:13, Oct. 1965.

JAMES GILL

Book / Livro
Lippard, Lucy, ed., *Pop Art*, Frederick A. Praeger Publishers, New York City, 1966.

Exhibition Catalog / Catálogo da Exposição
1965 Annual Exhibition of Contemporary American Painting, Whitney Museum of American Art, New York City, 1965.

Periodicals / Periódicos
Art International, 7 No. 8:99, Reproduction, "Nude on Sofa," Oct. 1963.
Art News, 61:18, "Exhibition at Alan Gallery," Feb. 1963.
——— 63:18, "Exhibition at Alan Gallery," Jan. 1965.
——— 65:10, "Exhibition at Landau-Alan Gallery," Dec. 1966.
Arts, 41:51, Reproduction, "Nude and Blue Painting," Nov. 1966.
Canaday, John, "The Whitney Annual or How About Next Year?," *New York Times*, Dec. 12, 1965.
Factor, Don, "James Gill," *Artforum*, 2 No. 5:15, Nov. 1963.
Grossberg, J., "Exhibition at Alan Gallery," *Arts*, 39:61, Jan. 1965.
Langsner, Jules, "Los Angeles Letter," *Art International*, 78:80, Oct. 1963.
Life, 54 No. 4:89, "The Growing Cult of Marilyn," Jan. 25, 1963.
Lippard, Lucy, "New York Letter," *Art International*, 91:39–40, Feb. 1965.
Los Angeles Times, "Art News," June 9, 1963.
——— "Art News," Mar. 14, 1965.
——— Reproduction, "Press Conference in the Garden," Nov. 14, 1965.
McClellan, Douglas, "Sculpture," *Artforum*, 212:69–74, Summer 1964.
Perkins, Constance, "Pop Artist Breaks the Mold," *Los Angeles Times*, Sept. 20, 1963.
Preston, Stuart, "A Good Catch of Drawings," *New York Times*, Sept. 5, 1965.
——— "Galleries Stress the Old Masters," *New York Times*, Dec. 24, 1962.
——— "Readjusting The Balance Sheet," *New York Times*, Nov. 15, 1964.
——— "The Novel and the New," *New York Times*, Feb. 21, 1965.
Raynor, V., "Exhibition at Alan Gallery," *Arts*, 37:50, Feb. 1963.
Seldis, Henry J., "In the Galleries," *Los Angeles Times*, Nov. 8, 1965.
Smith, Barbara, "Director's Choice, Pasadena Art Museum," *Artforum*, 2 No. 8:10, Feb. 1964.
Wholden, R. G., "Paintings at the Landau Gallery, Los Angeles," *Arts*, 38:42, Nov. 1963.
Wilson, William, "James Gill, Felix Landau Gallery," *Artforum*, 4 No. 6:15, Feb. 1966.

SANTE GRAZIANI

Book / Livro
The Story of Holyoke, Massachusetts in Painting and Prose, Holyoke Public Library, 1954, (Mural paintings by S. Graziani, illustrated).

Exhibition Catalog / Catálogo da Exposição
Paintings and Drawings by Sante Graziani, Worcester Art Museum, Worcester, Massachusetts. Nov. 4, 1965–Jan. 2, 1966. Text by Daniel Catton Rich.

Periodicals / Periódicos

Architect and Engineer, 153:6, Reproduction, "Mural design for Springfield Museum," June 1943.

Architectural Forum, 79:118, "Awarded first prize in mural competition for the Springfield Museum," Sept. 1943.

Architectural Record, 109:266, "Winner of Architectural League's Gold Medal for Murals," June 1951.

Art Digest, 18:23, "G.I. reporting," Jan. 15, 1944.

——— 17:8, "Soldier wins Springfield Mural Contest," July 1943.

——— 22:14, "Springfield unveils war-delayed mural," Oct. 15, 1947.

Art News, 50:61, "Appointed head of professional instruction in charge of the school of the Worcester Art Museum," Dec. 1951.

——— 62:53, "Exposition at Babcock Gallery," Dec. 1963.

——— 64:33, "Exposition at Babcock Gallery," Mar. 1965.

——— 42:48, "Graziani Mural for Springfield Museum," June 1943.

——— 46:36–7, "Making a museum mural; young veteran finishes a war-interrupted commission for the Springfield Museum," Oct. 1947.

——— 41:7, "Pulitzer Prize in art," May 15, 1942.

——— 66:1, "Reviews and Previews," Mar. 1967.

——— 42:7, "Tool Company's gift to Springfield Museum," Feb. 1, 1944.

Frigerio, S., "Les Expositions à Paris," *Aujourd'hui*, 9:87, July 1965.

Graziani, S., "Leo Lionni: painter, designer," *Worcester Museum News Bulletin*, 24:9–10, Dec. 1958.

Interiors, 110:167, "Awarded Architectural League Gold Medal for Mural Painting," June 1951.

LeBrun, Carol, "Pop With Patriotism," *The Boston Sunday Herald*, Feb. 26, 1967.

Museum News, 25:6, "Springfield Museum of Art unveils mural painting," Nov. 1, 1947.

Raynor, V., "Exposition at Babcock Gallery," *Arts*, 39:65, Mar. 1965.

Springfield Museum Bulletin, 14:(2), "Mural is Unveiled," Oct. 1947.

Tillim, S., "Exposition at Babcock Gallery," *Arts*, 38:25, Jan. 1964.

Worcester Museum News Bulletin, 23:(1–3), "American battle monument at Henri Chapelle, Belgium; exhibit of sketches and drawings for the mural decorations," Nov. 1957.

PAUL HARRIS

Periodicals / Periódicos

Adams, A., "Exhibition at Poindexter Gallery," *Craft Horizons*, 23:44, May 1963.

Artforum, 5 No. 7:51, "Exhibition at Poindexter Gallery," Mar. 1967.

Art in America, 50 No. 1:36–7, "New talent U.S.A.; sculpture," 1962.

——— 50 No. 2:122–3, "Sculptors in Chile," Summer 1962.

Art News, 57:16, "Exhibition at Poindexter," June 1958.

——— 59:44, "Exhibition at Poindexter," Oct. 1960.

——— 62:14, "Exhibition at Poindexter Gallery," Apr. 1963.

——— 55:46–9, "Introducing the paintings of Johannes Molzahn," Feb. 1957.

——— 65:15, "Reviews and Previews," Feb. 1967.

Arts, 32:55, "Exhibition at Poindexter," June 1958.

——— 35:64, "Exhibition at Poindexter Gallery," Oct. 1960.

——— 32:32, Reproduction, "Torso," June 1958.

Ercilla, "Clarinete Escultorico en Claustre Colonial," 6 de Diciembre 1961, (Santiago de Chile), p. 2.

Hess, Thomas B., "U.S. Sculpture," *Portfolio including Art News Annual #1*, 1959, p.112.

Melville, R., "Exhibition at the Lanyon Gallery in Palo Alto," *Architectural Review*, 138:57, July 1965.

Perreault, John, "Sunshine Materialism," *The Village Voice*, Jan. 5, 1967, p. 13.

Pincus-Witten, Robert, "New York," *Artforum*, 5 No. 7:50–52, Mar. 1967.

Porter, Fairfield, "Art," *Nation*, 191 No. 12:256, Oct. 15, 1960.

Rose, Barbara, "Filthy Pictures," *Artforum*, 3 No. 8:21–25, May 1965.

Tillim, S., "Exhibition at Poindexter," *Arts*, 37:58, Apr. 1963.

ROBERT INDIANA

Books / Livros

Amaya, Mario, *Pop Art and After*, Viking Press, New York City, 1966.

Becker, Jurgen, *Happenings, Fluxus, Pop Art*, Rowoholt Paperback Sonderband, Germany, 1965.

Dienst, Rolf-Gunter, *Pop Art*, Rudolph Bechtold and Co., Wiesbaden, 1965.

Goodrich, Lloyd, *Three Centuries of American Art*, Frederick A. Praeger Publishers, New York, 1966.

Gowans, Alan, *The Restless Art*, J. B. Lippincott, New York, 1966.

Hayes, Bartlett, *American Drawings*, Shorewood Publishers, New York City, 1965.

Lippard, Lucy, ed., *Pop Art*, Frederick A. Praeger Publishers, New York City, 1966.

Pellegrini, Aldo, *New Tendencies in Art*, Crown Publishing Company, New York, 1966.

Ten Works by Ten Painters, Wadsworth Atheneum, Hartford, 1964.

Exhibition Catalogs / Catálogos da Exposição

A Decade of American Drawings, 1955–1965, Whitney Museum of American Art, New York City. April 28–June 6, 1965.

Americans, 1963, Museum of Modern Art, New York City. 1963. Edited by Dorothy C. Miller with statements by the artists.

Annual Exhibition of Contemporary American Painting, 1965, Whitney Museum of American Art, New York City. 1965.

Annual Exhibition, 1966, Sculpture and Prints, Whitney Museum of American Art, New York City. Dec. 16, 1966–Feb. 5, 1967.

Contemporary American Painting and Sculpture, 1965, Krannert Art Museum and The College of Fine and Applied Arts, University of Illinois, Urbana, Ill. 1965. Essay by Allen S. Weller.

Contemporary American Painting and Sculpture, 1967, Krannert Art Museum and The College of Fine and Applied Arts, University of Illinois, Urbana, Illinois. Mar. 5–April 9, 1967. Introduction by Allen S. Weller.

Mixed Media and Pop Art, Albright-Knox Art Gallery, Buffalo, New York. Nov. 19–Dec. 15, 1963. Foreword by Gordon M. Smith.

My Country 'Tis of Thee, Dwan Gallery, Los Angeles, California. Nov. 18–Dec. 15, 1962. Introduction by Gerald Nordland.

New Forms – New Media, Martha Jackson Gallery, New York City. 1960. Foreword by Martha Jackson. Articles by Lawrence Alloway and Allan Kaprow.

Nieuwe Realisten, Haags l'Aja Gemeente Museum, The Hague, The Netherlands. June 24–Aug. 30, 1964. Text by L. J. F. Wijsenbeek. Essays by Jasia Reichardt, Pierre Restany, and W. A. L. Beeren.

Painting and Sculpture of a Decade – 54/64, Tate Gallery, London, England. April 22–June 28, 1964.

Pop Art and the American Tradition, Milwaukee Art Center, Milwaukee, Wisconsin. April 9–May 9, 1965. Text by Tracy Atkinson.

Pop Art U.S.A., Oakland Art Museum, Oakland, California. Sept., 1963. Essay by John Coplans, "American Painting and Pop Art," reprinted in *Artforum*, 2 No. 4. 1963.

Pop, etc., Museum des 20. Jahrhunderts, Vienna, Austria. Sept. 19–Oct. 31, 1964. Foreword and text by Werner Hofmann. Text by Otto A. Graf.

66th American Annual Exhibition, The Art Institute of Chicago, Chicago, Illinois. Jan. 11–Feb. 10, 1963. Foreword by A. James Speyer.

The New American Realism, Worcester Art Museum, Worcester, Massachusetts. Feb. 18–April 4, 1965. Preface by Daniel Catton Rich. Introduction by Martin Carey.

The New Realists, Sidney Janis Gallery, New York City. Oct. 31–Dec. 1, 1962. Introduction by John Ashbery. Excerpts from "A Metamorphosis in Nature," by Pierre Restany. Text, "On the Theme of the Exhibition," by Sidney Janis.

The Whitney Review 1963–64, The Whitney Museum of American Art, New York City. 1964.

Periodicals / Periódicos

Alloway, Lawrence, "Highway Culture," *Arts*, 41:28–33, Feb. 1967.
——— "Notes on 5 New York painters," *Albright-Knox Gallery Notes*, 26 No. 2:16–17, Autumn, 1963.
Amaya, Mario, "The New Super Realism," *Sculpture International*, No. 1:19, Jan. 1966.
Art in America, 53:106, Reproduction, "American Hay Company," Apr. 1965.
——— 51:33, "Coins by Sculptors," Apr. 1963.
——— 52:126, Reproduction, "Demuth Five," Apr. 1964.
——— 52:129, Reproduction, "To the Bridge," June 1964.
——— 55:38, Reproduction, "Eat," May–June 1967.
Art International, 7 No. 6:71–75, "Americans 1963 at the Museum of Modern Art, New York," June 1963.
——— 7 No. 6:77, Reproduction, "Numbers," June 1963.
——— 7 No. 1:22, Reproduction, "Red American Dream," Jan. 1963.
——— 7 No. 1:81, Reproduction, "The American Reaping Company," Jan. 1963.
——— 10 No. 5:50, Review of Galerie Schmela, Dusseldorf Exhibition, May 1966.
Art Journal, 23 No. 3:194, Reproduction, "Demuth Five," Spring 1964.
Art News, 62:38, Reproduction, "Die," Jan. 1964.
——— 60:20, "Exhibition at Anderson Gallery," May 1961.
——— 60:16, "Exhibition at Dance Studio Gallery," Summer 1961.
——— 61:14, "Exhibition at Stable Gallery," Oct. 1962.
——— 63:13, "Exhibition at Stable Gallery," Summer 1964.
——— 65:37, Reproduction, "Year of Meteors," Jan. 1967.
Art Quarterly, 27 No. 3:391, "X-5," 1964.
Arts, 37:45, Reproduction, "Calumet," Apr. 1963.
——— 39:8, "Painting Stolen," Mar. 1965.
Ashton, Dore, "Americans 1963 at the Museum of Modern Art," *Arts and Architecture*, 80:5, July 1964.
——— "Exhibition at the Stable Gallery," *Studio*, 172:46, July 1966.
Aujourd'hui, 6:17, Reproduction, "American Dream," June 1962.
——— 8:195, "Le 'Pop art'," Oct. 1963.
Bannard, Darby, "Present-Day Art and Ready-Made Styles," *Artforum*, 5 No. 4:30–35, Dec. 1966.
Baro, G., "Gathering of Americans," *Arts*, 37:31, Sept. 1963.
Blade, Tim, "New Walker Show," *The Minnesota Daily*, Oct. 23, 1963.
Brattinger, Pieter, "Robert Indiana," *Gebrauchsgraphik*, 4/1964, pp. 52–56.
Buffalo Fine Arts Academy and the Albright-Knox Art Gallery Notes, No. 2, Autumn 1963, *Das Kunstwerk*, 10/XVII.
Canadian Art, 21:18, Reproduction, "Black diamond in American dream Number 2," Jan. 1964.
——— 23:44, Reproduction, "Calumet," Oct. 1966.
——— 21:268, Reproduction, "Demuth American Dream Number 5," Sept. 1964.
——— 23:52, Reproduction, "USA 666," Jan. 1966.
Das Kunstwerk, 19:11, "Portrait," Apr. 1966.
——— 18:113, "Neue abstraktion," Apr. 1965.
Detroit Institute Bulletin, 44 No. 2:36, Reproduction, "Bridge," 1965.
Frackman, Noel, "Indiana, Natkin Display Avant-Garde Paintings," *Scarsdale Inquirer*, New York, Mar. 29, 1962.
Fried, Michael, "New York Letter," *Art International*, 6 No. 9:53–56, Nov. 1962.
Genauer, Emily, "One for the Road Signs," *New York Herald Tribune*, Oct. 21, 1962.
Hess, T. B., "Phony Crisis in American Art," *Art News*, 62:59, Summer 1963.
Jacobs, Rachel, "L'idéologie de la peinture américaine," *Aujourd'hui*, No. 37:6–19, 1962.
Johnson, P., "Young artists at the fair," *Art in America*, 52:114–15, Aug. 1964.
Judd, D., "Exhibition at Stable Gallery," *Arts*, 38:61, Sept. 1964.
Katz, William, "A Mother Is A Mother," *Arts*, Dec. 1966–Jan. 1967, p. 46–48.
——— 'Robert Indiana, Making Worlds of Small Things," *New Baltimore Morning Herald*, Maryland, May 9, 1965.
Kozloff, Max, "New York Letter," *Art International*, 6 No. 2:57–65, Mar. 1962.
Krauss, Rosalind, "Boston Letter," *Art International*, 8 No. 1:32–4, Feb. 15, 1964.
——— "Boston Letter," *Art International*, 8 No. 9:42–3, Nov. 1964.
Lippard, Lucy, "New York Letter," *Art International*, 10 No. 6:108–115, Summer 1966.
Lord, J. Barry, "Pop Art in Canada," *Artforum*, 2 No. 9:43–44, Mar. 1964.
Lyon, N., "Second fame," *Vogue*, 145:184, Mar. 1, 1965.
Magloff, Joanna, "Directions—American Painting, San Francisco Museum of Art," *Artforum*, 2 No. 5:43–4, Nov. 1963.
McConagha, Al, "Robert Indiana Exhibit to Open," *Minneapolis Sunday Tribune*, Minnesota, Sept. 25, 1966.
Monte, James, "Americans 1963, San Francisco Museum of Art," *Artforum*, 3 No. 1:43–44, Sept. 1963.

Museum of Modern Art, 29 No. 2–3:50, Reproduction, "American Dream," 1962.

Musical America, LXXXIV No. 5, "More Art for Lincoln Center," May 1964.

New York State Theater, Lincoln Center Program for Inaugural Performances, "Biography of a Poster," Apr. 1964, p. 2.

New York Times, 34:2, "8-ft. painting by Indiana, original for posters, on exhibit, Philharmonic Hall Plaza," Apr. 14, 1964.

—— 29:6, "Painting by Robert Indiana stolen from show at Feigen Gallery, May, turns up in bin at Stable Gallery," Oct. 31, 1965.

—— 83:2,5, "Robert Indiana designs promotional poster, (Lincoln Center, NYS Theater), interview," Mar. 8, 1964.

Nordland, G., "Pop Goes The West," *Arts*, 37:60–61, Feb. 1963.

Oeri, G., "Object of Art," *Quadrum*, No. 16:17, 1964.

Opera News, "Mother of Us All," Mar. 25, 1967, p. 32.

Parnell, Ita, "Hooked on the American Dream," *Manchester Guardian Weekly*, Sept. 22, 1966, p. 14.

Sandberg, John, "Some Traditional aspects of Pop Art," *Art Journal*, XXVI No. 3:228–231, Spring 1967.

Seckler, Dorothy Gees, "Folklore of the Banal," *Art in America*, 50 No. 4:57, Winter 1962.

Shepard, Richard, "Painter Finishing Art Center Work," *New York Times*, Mar. 8, 1964.

Sherman, John K., "Metal Sculpture, 'Pop' Art Complete," *Minneapolis Sunday Tribune*, Minnesota, Oct. 27, 1963.

Sommer, Ed, "Bericht Aus Deutschland," *Art International*, 10 No. 5:47–51, May 20, 1966.

Swenson, G. R., "Horizons of Robert Indiana," *Art News*, 65:48–9, May 1966.

—— "New American 'sign painters'," *Art News*, 61:44–7, Sept. 1962.

—— "Review of first one-man show at Stable Gallery, New York City," *Art News*, Nov. 1962.

—— "What is Pop Art?, interviews," *Art News*, 62:26, Nov. 1963.

Tillim, S., "American Dream," *Arts*, 36:35, Feb. 1962.

—— "Exhibition at Stable Gallery," *Arts*, 37:49, Dec. 1962.

Time, "Art," Feb. 21, 1964, p. 68.

—— 83:72, "Commanding painter," May 22, 1964.

Wilson, William, "Come and See, Rolf Nelson Gallery," *Artforum*, 4 No. 2:13, Oct. 1965.

JASPER JOHNS

Books / Livros

Amaya, Mario, *Pop Art and After*, Viking Press, New York City, 1966.

Becker, Jurgen, *Happenings, Fluxus, Pop Art*, Rowoholt Paperback Sonderband, Germany, 1965.

Blesh, Rudi, and Janis, Harriet, *Collage*, Chilton Company, Philadelphia and New York, 1962.

Bompiani, Valentino, ed., *Almanacco Letterario Bompiani 1963*, "Aproposito di nuova figurazione," by Cesare Vivaldi.

De Collectie Sandberg, J. M. Muelenhoff, Amsterdam, 1962.

Dorfles, Gillo, *Ultime Tendenze Nell' Arte d'Oggi*, Feltrinelli, Milan, Italy, 1961.

Friedman, B. H., ed., *School of New York: Some Younger Artists*, Grove Press Inc., New York, 1959.

Geldzahler, Henry, *American Painting in the Twentieth Century*, Metropolitan Museum of Art, New York, 1965.

Goodrich, Lloyd, *Three Centuries of American Art*, Frederick A. Praeger Publishers, New York, 1966.

Herzka, D., *Pop Art One*, Pub. Institute of American Art, New York, 1965.

Lippard, Lucy, ed., *Pop Art*, Frederick A. Praeger Publishers, New York, 1966.

Pellegrini, Aldo, *New Tendencies In Art*, Crown Publishers Inc., New York, 1966.

Rodman, Selden, *The Insiders*, Louisiana State University Press, Baton Rouge, 1960.

Rosenberg, Harold, *The Anxious Object*, Horizon Press, New York, 1964.

Seitz, William C., *The Art of Assemblage*, Museum of Modern Art, New York City, 1961.

Seuphor, Michael, *Abstract Painting*, Harry N. Abrams, Inc., New York, 1962.

Steinberg, Leo, *Jasper Johns*, George Wittenborn Inc., New York, 1963.

Vivaldi, Cesare, ed., "Le Rassegne Dell'Arte." *Almanacco Letterario Bompiani 1962*.

Exhibition Catalogs / Catálogos da Exposição

Abstract Drawings and Watercolors: U.S.A., Shown in 7 Latin American countries, International Council of the Museum of Modern Art, New York City. 1961–1963.

Abstrakte Amerikanische Malerei, Hessische Landesmuseum, Darmstadt, Germany. 1962.

According to the Letter, Thibaut Gallery, New York City. 1963. Text by N. Calas.

A Decade of American Drawings 1955–1965, Whitney Museum of American Art, New York City. April 28–June 6, 1965.

A Decade of Contemporary Drawings, Contemporary Arts Museum, Houston, Texas. 1957.

American Abstract Expressionists and Imagists, Solomon R. Guggenheim Museum, New York City. 1961.

American Art Since 1950, Brandeis University and Institute of Contemporary Art, Boston, Massachusetts. 1962. Introduction by Sam Hunter.

64th American Exhibition, Paintings-Sculpture, The Art Institute of Chicago, Chicago, Illinois. 1961.

American Vanguard, Vienna; Salzburg; Belgrade; Skoplje; Zagreb; Maribor; Ljubljana; Rijeka; London; Darmstadt. Solomon R. Guggenheim Museum, New York City and United States Information Agency, Washington, D.C. 1961.

Amerikanische Zeichnungen, Stadtische Kunstsammlungen, Bonn, Germany. International Council of the Museum of Modern Art, New York City. 1962.

65th Annual American Exhibition, The Art Institute of Chicago, Chicago, Illinois. 1962.

1965 Annual Exhibition of Contemporary American Painting, Whitney Museum of American Art, New York City. 1965.

Annual Exhibition 1960 Sculpture and Drawings, Whitney Museum of American Art, New York City. 1960.

Annual Exhibition 1966, Sculpture and Prints, Whitney Museum of American Art, New York City. Dec. 16, 1966–Feb. 5, 1967.

Art 1963—A New Vocabulary, Arts Council of the YM-YWHA, Philadelphia, Pennsylvania. Oct. 25–Nov. 7, 1962. Statements by the artists.

Art and Writing, Stedelijk Museum, Amsterdam, The Netherlands and Staatlichen Kunsthalle, Baden, Germany. 1963.

Art Since 1950, Seattle World's Fair, Seattle, Washington. 1962. Introduction by Sam Hunter.

Arte de America y España, Instituto de Cultura Hispanica de Madrid, Madrid, Spain. 1963. Text by Gregorio Maranon, José Pedro Argul, José de Castro Arines, Alexandre Cirici-Pellicer.

Artists of the New York School: Second Generation, The Jewish Museum, New York City. 1957.

Ascendancy of American Painting, Columbia Museum of Art, Columbia, South Carolina. 1963.

Bewogen Beweging, Stedelijk Museum, Amsterdam, The Netherlands. 1961.

Black and White, The Jewish Museum, New York City. 1963. Text by Ben Heller and Robert Motherwell.

Collage in America, Zabriskie Gallery and The American Federation of Arts, New York City. 1958.

Collage International, Contemporary Arts Museum, Houston, Texas. 1958.

Contemporary American Painting, Columbus Museum of Art, Columbus, Ohio. 1960.

Contemporary American Painting, Whitney Museum of American Art, New York City. 1959.

Contemporary American Painting, Whitney Museum of American Art, New York City. 1961.

Dessins Americains Contemporains, Centre Culture Américain, Paris, France. International Council of the Museum of Modern Art, New York City. 1962.

Dibujos Acuarelas Abstractos USA, Caracas; Santiago; Quito; Guayaquil; Rio de Janeiro; São Paulo; Montevideo. International Council of the Museum of Modern Art, New York City. 1962.

Drawing &, The University Art Museum, Austin, Texas. Feb. 6–March 15, 1966. Foreword by Donald B. Goodall. Introduction by Mercedes Matter.

Francis Picabia, Jasper Johns, Alfred Leslie, Robert Rauschenberg, Richard Stankiewicz, Kunsthalle, Bern, Switzerland. 1962.

4 Amerikanare, Moderna Museet, Stockholm, Sweden. 1961. Foreword by K. G. Hultén.

4 Amerikaner, Kunsthalle, Bern, Switzerland. 1962. Foreword by Harold Szeemann.

Graphics '61, University of Kentucky, Lexington, Kentucky. 1961. Text by R. B. Freeman.

Graphik der Gegenwart, Galerie Kunst der Gegenwart, Salzburg, Austria. 1959.

Hard Center, Thibaut Gallery, New York City. 1963. Text by Nicolas and Elena Calas.

3rd International Biennial Exhibition of Paris, National Museum of Modern Art, Tokyo, Japan. 1962.

Jasper Johns, The Jewish Museum, New York City. 1964. Text by Alan R. Solomon and John Cage.

Jasper Johns 1955–60, Columbia Museum of Art, Columbia, South Carolina. 1960.

Jasper Johns Retrospective, Everett Ellin Gallery, Los Angeles, California. 1962.

Le Nouveau Réalisme—à Paris et à New York, Galerie Rive Droite, Paris, France. 1961. Text by Pierre Restany.

L'Exposition Internationale du Surréalisme, Galerie Daniel Cordier, Paris, France. 1959.

Master Drawings—Pissarro to Lichtenstein, Contemporary Arts Center, Cincinnati, Ohio. Feb. 1966. Introduction by William Albers Leonard.

Mixed Media and Pop Art, Albright-Knox Art Gallery, Buffalo, New York. 1963. Text by Gordon M. Smith.

My Country 'Tis of Thee, Dwan Gallery, Los Angeles, California. Nov. 18–Dec. 15, 1962. Introduction by Gerald Nordland.

New Directions in American Painting, Brandeis University, The Poses Institute of Fine Arts, Waltham, Massachusetts. 1963. Text by Sam Hunter.

New Media—New Forms I, Martha Jackson Gallery, New York City. 1960.

Nieuwe Realisten, Haags l'Aja Gemeentemuseum, The Hague, The Netherlands. June 24–Aug. 30, 1964. Text by L. J. F. Wijsenbeck, Jasia Reichardt, Pierre Restany, W. A. L. Beeren.

100 American Works on Paper, Institute of Contemporary Art, Boston, Massachusetts. 1959.

Onskemuseet, Moderna Museet, Stockholm, Sweden. 1963. Text by Gerard Bonnier, K. G. Hultén, Ulf Linde.

Out of the Ordinary, The Contemporary Arts Association of Houston, Houston, Texas. 1959.

Pop Art, Nouveau Réalisme, etc., Palais des Beaux-Arts, Brussels, Belgium. Feb. 5–March 1, 1965. Texts by Jean Dypréau and Pierre Restany.

Pop Art USA, Oakland Art Museum, Oakland, California. 1963. Text by John Coplans.

Popular Art, Nelson Gallery-Atkins Museum, Kansas City, Missouri. 1963. Text by Ralph T. Coe.

Recent Still Life—Painting and Sculpture, Rhode Island School of Design, Providence, Rhode Island. Feb. 23–April 4, 1966. Text by Daniel Robbins.

Review of Season: 1962–1963, The Art Dealers Association of America, (at Parke-Bernet Galleries Inc.), New York City. 1963.

Rorelse I Konsten, Moderna Museet, Stockholm, Sweden. 1961.

Six Painters and the Object, Solomon R. Guggenheim Museum, New York City. 1963. Text by T. M. Messer and Lawrence Alloway.

Sixteen Americans, Museum of Modern Art, New York City. Dec. 16, 1959–Feb. 14, 1960. Edited by Dorothy C. Miller with statements by the artists and others.

The Art of Things, Jerrold Morris International Gallery, Toronto, Ontario, Canada. 1963.

The Maremont Collection at the Institute of Design, Illinois Institute of Technology, Chicago, Illinois. 1962.

The New American Realism, Worcester Art Museum, Worcester, Massachusetts. Feb. 18–April 4, 1965. Preface by Daniel Catton Rich. Introduction by Martin Carey.

The 1958 Pittsburgh Bicentennial International Exhibition of Contemporary Painting and Sculpture, Carnegie Institute, Pittsburgh, Pennsylvania. 1958.

The Pittsburgh International Exhibition of Contemporary Painting and Sculpture, Carnegie Institute, Pittsburgh, Pennsylvania. 1961.

The Popular Image, Institute of Contemporary Arts, London, England. Oct. 24–Nov. 23, 1963. Text by Alan R. Solomon.

The Popular Image Exhibition, Washington Gallery of Modern Art, Washington, D.C. 1963. Foreword by Alice M. Denney. Text by Alan R. Solomon.

The VI Tokyo Biennale, Tokyo Metropolitan Art Gallery, Tokyo, Japan. 1961.

Three Generations, Sidney Janis Gallery, New York City. Nov. 24–Dec. 26, 1964.

XXIX Venice Biennale, Venice, Italy. 1958.

Periodicals / Periódicos

Albright-Knox Gallery Notes, 26 No. 2:18, Reproduction, "Numbers in color," Autumn 1963.

Alexandrian, S., "Le XXe Salon de mai," *Oeil*, No. 114:28, June 1964.

Amaya, Mario, "The New Super Realism," *Sculpture International*, 1:19, Jan. 1966.

Artforum, 4 No. 2:34–5, "Four Drawings: Jasper Johns," Oct. 1965.

Art in America, 53: cover, Reproduction, "American flag and the map of the United States," Aug. 1965.
———— 54:121, Reproduction, "According to What?," Jan. 1966.
———— 51:115, Reproduction, "Good time Charley," Dec. 1963.
———— 52:71, Reproduction, "Good time Charley," Apr. 1964.
———— 52:88, Reproduction, "0 through 9," Feb. 1964.
———— 54:57, Reproduction, "Self Portrait," Mar. 1966.
———— 54:38, Reproduction, "Studio," Sept. 1966.

Art International, 5 No. 9:29, Reproduction, "By the Sea," Nov. 20, 1961.
———— 10 No. 9:55, Reproduction, "Flag on Orange Field 1957," Nov. 1966.
———— 2 No. 1:49, Reproduction, "Jasper Johns: Green Target," Feb. 1958.
———— 5 No. 10:30, Reproduction, "Large Black 5," Christmas 1961.
———— 6 No. 4:31, "Map 1961," May 1962.
———— 5 No. 8:38–75, "The 42nd Pittsburgh International Exhibition of Contemporary Painting and Sculpture," Oct. 20, 1961.
———— 8 No. 5–6, "Venice—The XXXII Biennale," Summer 1964.

Art News, 62:33, Reproduction, "Canvas," Jan. 1964.
———— 56:20, "Exhibition at Castelli Gallery," Jan. 1958.
———— 58:15, "Exhibition at Castelli Gallery," Feb. 1960.
———— 60:15, "Exhibition at Castelli Gallery," Mar. 1961.
———— 61:11, "Exhibition at Castelli Gallery," Feb. 1963.
———— 58:48, "Exhibition at Galerie Rive Droite," Mar. 1959.
———— 57:39, Reproduction, "Numbers in color," Feb. 1959.
———— 65:36, Reproduction, "Numbers in Color," Jan. 1967.
———— 61:44, "Pictures from modern masters to aid music and dance," Feb. 1963.
———— 59:43, Reproduction, "White target," Feb. 1961.

Arts, 35:51, "Exhibition at Castelli Gallery," Mar. 1961.
———— 40:57, "Exhibition at Castelli Gallery," Mar. 1966.
———— 39:38, Reproduction, "Far More Imaginative," Sept. 1965.
———— 32:54, "First one man show at Castelli Gallery," Mar. 1960.
———— 38:35, Reproduction, "Map," Sept. 1964.

Art Students League News, 15:9, "The New Realists: Pacesetters of Passes?," Dec. 1962.

Art Voices, 1 No. 2:27, "Leo Castelli: Avant Garde Dealer," Nov. 1962.
———— 1 No. 2:26, "Strictly Invitational," Nov. 1962.

Apollo, 78:280, Reproduction, "Grey Rectangles," Oct. 1963.
———— 69:90, "Jasper Johns and Leonor Fini at the Galerie Rive Droite," Mar. 1959.

Ashbery, John, "American Art Shows Flood Paris," *New York Herald Tribune*, Paris, Nov. 21, 1962.
———— "Art and Artists," *New York Herald Tribune*, Paris, June 28, 1961.
———— "Brooms and prisms," *Art News*, 65:58–9+, Mar. 1966.
———— "Paris Notes," *Art International*, 6 No. 10:48–52, Dec. 1962.
———— "Paris Summer Notes," *Art International*, 5 No. 8:91, Oct. 1961.

Ashton, Dore, "Abstract Expressionism Isn't Dead," *Studio*, 164 No. 833:104–107, Sept. 1962.
———— "Acceleration in discovery and consumption: exhibition at the Jewish Museum," *Studio*, 167:212, May 1964.
———— "Art," *Arts and Architecture*, 80 No. 3:6–7, Mar. 1963.
———— "Dibujos y Acuarelas Abstractos en USA," *El Farol*, 198 Enero Ano XXIII, Feb. 1962, p. 8.
———— "Exhibition of Drawings at the Leo Castelli Gallery," *Studio*, 164:107, Sept. 1962.
———— "Exhibition at Jewish Museum," *Canadian Art*, 21:242, July 1964.

Aujourd'hui, 6:17, Reproduction, "Black target," June 1962.
———— 7:55, "Exposition à New York," Jan. 1963.
———— 40:46, "Les expositions à Paris: Jasper Johns," Jan. 1963.
———— 6:59, Reproduction, "Large Black 5," Dec. 1961.

Bailey, Suzanne, "Four Young Artists," *Ameryka*, nr 34 USIA (for Poland), Spring 1962, p. 42.

Barrett, C., "Show at the Whitechapel Gallery," *Das Kunstwerk*, 18:25, Feb. 1965.

Breckenridge, Betty, "Jasper Johns," *Artforum*, No. 11:12–13, May 1963.

Brunius, Cals, "4 Amerikanare," *Expressen*, Stockholm, Mar. 17, 1962, p. 4.

Burroughs, Carlyle, *New York Herald Tribune*, (drawings, sculpture and lithographs at Leo Castelli), Feb. 12, 1961.

Calas, Nicolas, "ContiNuance," *Art News*, 57:36–39, Feb. 1959.

Carnegie Magazine, 32:331–2, "Pittsburgh bicentennial international," Dec. 1958.

Charm, "Five Young Artists," Apr. 1959.

Coates, R. M., "Art galleries, new oils at the Castelli," *New Yorker*, 36:130, Mar. 5, 1960.
———— "Sixteen Americans," *New Yorker*, Jan. 2, 1960.

Columbia, South Carolina State, "Jasper Johns Featured in ETV Presentation," Nov. 6, 1966.
———— "Works of Two Major Artists to be Shown at Museum," Dec. 4, 1960.

Coplans, John, "Pop Art, USA," *Artforum*, 2 No. 4:26–30, Oct. 1963.

Dagens Nyheter, Stockholm, "Glad Vernissage Kring Starnbaneren," Mar. 18, 1962.

Dance Magazine, "Paintings For Sale: Profits For Performers," Mar. 1963.

Das Kunstwerk, 17:26, "Pop-art diskussion," Apr. 1964.
———— 19:45, "Portrait," Apr. 1966.
———— 17:31, Reproduction, "Target with Four Faces," Aug. 1963.
———— 17:47, Reproduction, "10 Numbers," Aug. 1963.

Davies, Lawrence E., "Oakland To Show 2 Coasts' Pop Art," *New York Times*, Sept. 7, 1963.

Dickborn, D. R., "Art's Fair-Haired Boy," *The State Magazine*, 9:20–21, Columbia, S.C., Jan. 15, 1961.

Dienst, Rolf-Gunter, "Informelle Schriften," *Das Kunstwerk*, 10:4–24, Apr. 1963.

Domus, Milan, Italy, 386:25, "Carnegie International exhibition at Pittsburgh," Jan. 1962.
———— 386:26, Reproduction, "Disappearance," Jan. 1962.
———— 406:43, "Leo Castelli, New York: la sua storia, la sua galleria," Sept. 1963.

Eklund, Hans, "4 Amerikanare Torpederar det Gamla Konstverket," *Aftonbladet*, Stockholm, Mar. 17, 1962, p. 3.

Factor, Don, "Jasper Johns, Pasadena Art Museum," *Artforum*, 3 No. 6:11–12, Mar. 1965.
———— "New York Group; Ferus Gallery," *Artforum*, 2 No. 9:13, Mar. 1964.

———— "Reviews: Jasper Johns," *Artforum*, 1 No. 8:17, Feb. 1963.

———— "Six painters and the object and six more," *Artforum*, 2 No. 3:13–14, Sept. 1963.

Feversham, Harry, ". . . But is it Art?," *Collector's Quarterly Report*, 1 No. 2:36, Spring 1963.

Finch, Christopher, "The Object in ART," *Art and Artists*, 1 No. 2:18–21, May 1966.

Forge, A., "Emperor's flat," *New Statesman*, 68:938, Dec. 11, 1964.

Fried, Michael, "New York Letter," *Art International*, VII No. 2:60–62, Feb. 25, 1963.

Gassiot-Talabot, G., "La panoplie de l'oncle Sam à Venise," *Aujourd'hui*, 8:33, Oct. 1964.

Gaul, Winfred, "Die Welt der Slogans und der Phrasen," *Die Welt*, Nr. 15:7, Jan. 18, 1963.

Geldzahler, H., "Numbers in times: two American paintings," *Metropolitan Museum Bulletin*, ns 23:295, Apr. 1965.

Genauer, Emily, "Exhibition at Leo Castelli," *New York Herald Tribune*, Feb. 21, 1960.

———— "Exhibition at Leo Castelli," *New York Herald Tribune*, Apr. 3, 1960.

———— "Sixteen Americans," *New York Herald Tribune*, Dec. 16, 1959.

———— "The Amazing Rise of Jasper Johns in World of Art," *New York Herald Tribune*, Feb. 15, 1964.

Glamour, 50 no. 6:100, "What's New?," Feb. 1964.

Glusker, Irwin, "What Next in Art?," *Horizon*, V No. 3:16–25, Jan. 1963.

Gottlieb, Carla, "The Present Woman, the Flag, the Eye: Three New Themes in Twentieth Century Art." *The Journal of Aesthetics and Art Criticism*, Winter 1962, pp. 117–187.

Gray, C., "Portfolio Collector," *Art in America*, 53:94, June 1965.

———— "Tatyana Grosman's Workshop," *Art in America*, 53:85, Dec. 1964.

Greenberg, Clement, "After Abstract Expressionism," *Art International*, VI No. 8:24–32, Oct. 25, 1962.

Hardy, George, "Jasper Johns," *Arts Review*, 16 No. 24:18, Dec. 12, 1964.

Hess, Tom, "Collage as an historical method," *Art News*, 60:7, Nov. 1961.

Hopps, Walter, "An Interview with Jasper Johns," *Artforum*, 3 No. 6:32–36, Mar. 1965.

Hudson, Andrew, "3 Minor but Interesting Art Exhibits Open," *The Washington Post*, Oct. 16, 1966.

Hultén, K. G., "Four Amerikanare: Jasper Johns, Alfred Leslie, Robert Rauschenberg, Richard Stankiewicz," Stockholm, *Moderna Museet*, 1962, p. 88.

Irwin, D., "Edinburgh Festival," *Burlington Magazine*, 167:541, Oct. 1965.

Jaguer, Edouard, "Second Mouvement," *Hélice*, Paris (?), Jan. 1963, p. 65.

Johns, Jasper, "Duchamp," *Scrap*, Dec. 23, 1960.

Johns, Jasper, "Sketchbook Notes," *Art and Literature*, No. 4, Spring 1965.

Johnson, C. B., "Numbers in color," *School Arts*, 62:35, Nov. 1962.

Johnson, Ellen H., "Jim Dine and Jasper Johns; Art About Art," *Art and Literature*, 6:128–140, Autumn 1965.

Johnson, P., "Young artists at Lincoln Center," *Art in America*, 52:122–7, Apr. 1964.

Jouffroy, A., "Une révision moderne du sacré," *XXe Siècle*, ns. 26:97, Dec. 1964.

Judd, Donald, "Exhibition at Leo Castelli," *Arts*, 34:57, Mar. 1960.

———— "In the Galleries: Six Painters and the Object," *Arts*, No. 37:109, May-June 1963.

———— "New York Exhibitions: In the Galleries," *Arts*, 37:46, Feb. 1963.

Kaufman, B., "Jasper Johns," *Commonweal*, 80:157–9, Apr. 24, 1964.

Kozloff, Max, "A Letter to the Editor," *Art International*, 7 No. 6:88–92, June 1963.

———— "Art Books of 1963," *The Nation*, 197:459, Dec. 29, 1963.

———— "Art: Exhibition at Jewish Museum," *The Nation*, 198:274–6, Mar. 16, 1964.

———— "Art," *The Nation*, 197:79, Jan. 20, 1964.

———— "Johns and Duchamp," *Art International*, 8 No. 2:42–45, Mar. 1964.

———— "The Inert and the Frenetic," *Artforum*, 4 No. 7:40–44, Mar. 1966.

———— "The Many Colorations of Black and White," *Artforum*, 2 No. 8:22–25, Feb. 1964.

Kramer, Hilton, "Art and the Found Object," *Arts*, Feb. 1959.

Krauss, Rosalind, "Jasper Johns," *Lugano Review*, 2:84–113, 1965.

Langsner, Jules, "Los Angeles Letter," *Art International*, 7 No. 1:82, Jan. 25, 1963.

Leider, Philip, "Joe Goode and the Common Object," *Artforum*, 4 No. 7:24–7, Mar. 1966.

Lerman, L., "New Old Masters," *Mademoiselle*, 60:120–3, Feb. 1965.

Life, 55 No. 12:126, "Sold Out Art," Sept. 20, 1963.

Linde, Ulf, "4 Amerikanare," *Dagens Nyheter*, Stockholm, Mar. 17, 1962.

Lippard, Lucy, "An Impure Situation (New York and Philadelphia Letter)," *Art International*, 10 No. 5:60–65, May 1966.

Longren, Lillian, "Abstract Expressionism in America," *Art International*, 2 No. 1:54–56, Feb. 1958.

Lord, J. Barry, "Pop Art in Canada," *Artforum*, 2 No. 9:28–31, Mar. 1964.

Lucie-Smith, Edward, "Round the New York Art Galleries: Letters and Figures," *The Listener*, London, Jan. 10, 1963, p. 71.

Lynton, Norbert, "London Letter: American painting exhibitions," *Art International*, VI No. 4:97, May 1962.

———— "London Letter," *Art International*, 9 No. 2:33–4, Mar. 1965.

Mademoiselle, "Passports: Contributors To This Issue," p. 20, Jan. 1959.

Marner, Nancy, "Los Angeles Letter," *Art International*, 9 No. 4:43, May 1965.

McCue, George, " 'Americans 1963' at Artists Guild," *Sunday Post-Dispatch*, St. Louis, Missouri, Dec. 15, 1963.

Melville, R., "Master of the Stars and Stripes; retrospective exhibition at Whitechapel Art Gallery," *Architectural Review*, 137: 225–8, Mar. 1965.

Meyers, John Bernard, "The Impact of Surrealism on the New York School," *Evergreen Review*, 4 No. 12:75–85, Mar. 1960.

Michelson, Annette, "New York Letter," *Art International*, 10 No. 3:69–71, Mar. 20, 1966.

Milwaukee Journal, Wisconsin, "Johns Adds Plaster Casts to Focus Target Painting," June 19, 1960.

Mizue, 659:5, "Numbers in Color," March 1960.

Museum of Modern Art, 26 No. 4:21, Reproduction, "Green Target," Summer 1959.

———— 26 No. 4:21, "Target with 4 Faces," Summer 1959.

———— 26 No. 4:21, "White Numbers," Summer 1959.

Newsweek, LXI, No. 7:65, "Art," Feb. 18, 1963.

——— II No. 13:95, "Targets and Flags," Mar. 31, 1958.

——— 63:82–3, "Younger," Feb. 24, 1964.

New Yorker, 39:32–4, "Artists for artists; exhibition at Allan Stone Gallery," Mar. 9, 1963.

New York Herald Tribune, European Edition, "Exhibition at Galerie Rive Droite," June 28, 1961.

New York Times, 20:2, "Jasper Johns—One Man Show (Jewish Museum)," Feb. 15, 1964.

——— 26:2, "Jasper Johns, One Man Show," Jan. 16, 1966.

——— 30:2, "Solomon reports 8 painters including Robert Rauschenberg and Jasper Johns chosen to represent U.S.: Comments. (Venice Biennale)," Apr. 3, 1964.

Nordland, Gerald, "Pop Goes the West," *Arts*, 37:60–61, Feb. 1963.

Oeil, No. 106:15, Reproduction, "Deux drapeaux," Oct. 1963.

——— No. 106:16, Reproduction, "4 the news," Oct. 1963.

O'Hara, Frank, "Art Chronicle," *Kulchur 5*, 2:86, Spring 1962.

——— "Skin with O'Hara poem," *Art in America*, 43:26–7, Oct. 1965.

Picard, Lil, "Jasper Johns," *Das Kunstwerk*, 17:6–12, Nov. 1963.

——— "Pausenlos dreht sich ein Puppenkopf," *Die Welt*, Mar. 1963.

Pincus-Witten, Robert, "New York," *Artforum*, 4 No. 7:48, Mar. 1966.

Porter, Fairfield, "Education of Jasper Johns," *Art News*, 62:44–5, Feb. 1964.

——— "Exhibition at Leo Castelli," *The Nation*, 190:262, Mar. 19, 1960.

Preston, Stuart, "Drawings, sculpture and lithographs at Leo Castelli," *New York Times*, Feb. 12, 1961.

——— "Pop Hits the Big Time," *New York Times*, Feb. 16, 1964.

——— "Sixteen Americans," *New York Times*, Dec. 16, 1959.

——— "Work in Three Dimensions at Leo Castelli," *New York Times*, Oct. 25, 1959.

Print, 20:19, Reproduction, "Jubilee," Jan. 1966.

Prometheus (Makler Gallery, Philadelphia), "The Directions of Painting In 1962–63," Feb. 1963, p. 3.

Quadrum, 20, Reproduction, "Large White Flag, 1955," Brussels, Belgium, 1966.

Restany, Pierre, "La V Biennale internazionale dell'incisione a Lubiana," *Domus*, No. 405:50a, Aug. 1963.

——— "Jasper Johns and the Metaphysic of the Common Place," *Cimaise*, Série VIII No. 3:90–97, Sept. 1961.

——— "The New Realism," *Art in America*, 51:103, Feb. 1963.

Revel, J. F., "XXXIIe Biennale de Venise: triomphe du 'realisme nationaliste'," *Oeil*, No. 115–116:8, July-Aug. 1964.

Roberts, K., "Show at Whitechapel," *Burlington Magazine*, 107:41, Jan. 1965.

Rosand, David, "At the Limits of Art," *The Second Coming*, 1 No. 2:52–58, July 1961.

Rose, Barbara, "Pop Art at the Guggenheim," *Art International*, 7 No. 5:20–22, May 1963.

——— "The second generation," *Artforum*, 4 No. 1:53–63, Sept. 1965.

Rosenberg, Harold, "Jasper Johns: Things The Mind Already Knows," *Vogue*, 143 No. 3:74, Feb. 1964.

——— "The Art Galleries—The Game of Illusion," *The New Yorker*, Nov. 24, 1962, pp. 161–167.

Rosenblum, Robert, "Jasper Johns," *Art International*, 4 No. 7, Sept. 1960.

——— "Les oeuvres récentes de Jasper Johns," *XXe Siècle*, ns 24: sup (19–20), Feb. 1962.

Rubin, William S., "Pittsburgh's Carnegie International," *Art International*, 3 No. 1–2, 1959.

——— "Younger American Painters," *Art International*, 4 No. 1:24–31, 1960.

Sandler, Irving, "In the Art Galleries," *New York Post*, Dec. 22, 1963.

——— "New Cool-art," *Art in America*, 53:96, Feb. 1965.

——— "New York Letter," *Art International*, 5 No. 3:38–42, Apr. 1961.

——— "New York Letter," *Quadrum*, No. 14:119–20, 1963.

Schneider, P., "Exhibition at Galerie Marcelle Dupuis, Paris," *Art News*, 61:44, Jan. 1963.

Schuyler, James, "Is there an American print revival?," *Art News*, 60:36, Jan. 1962.

Seckler, Dorothy Gees, "Artist in America: Victim of the Culture Boom," *Art in America*, 51 No. 6:33, 1963.

——— "Folklore of the Banal," *Art in America*, No. 4:56–61, Winter 1962.

S., J. K., "Exhibition at Tweed Gallery," *Minneapolis Tribune*, Minnesota, May 15, 1960.

Smith, Sydney Goodsir, "Art You Must Judge for Yourself," *The Scotsman*, Edinburgh, Aug. 26, 1965.

Solomon, Alan R., "American Art Between Two Biennales," *Metro 11*, 25–35.

——— "The New American Art," *Art International*, 8 No. 2:50–55, Mar. 1964.

Steinberg, Leo, "Contemporary Art and the Plight of its Public," *Harpers Magazine*, Mar. 1962, pp. 35–38.

——— "Jasper Johns," *Metro* 4/5:87–88, May 1962.

Studio, 169:148, Reproduction, "Large target construction," Apr. 1965.

——— 169:146, Reproduction, "Lightbulb," Apr. 1965.

Svenska Dagbladet, Stockholm, "Konstverk med getlukt," Mar. 17, 1962, pp. 1, 13.

Swenson, G. R., "Reviews and Previews: Jasper Johns," *Art News*, 61:11–12, Feb. 1963.

——— "What is pop art?," *Art News*, 62:43+, Feb. 1964.

Taylor, Simon Watson, "Tokyo Print Biennial," *Art and Artists*, 1 No. 12:21, Mar. 1967.

The Tate Gallery, "Review of the period Apr. 1, 1953—Mar. 31, 1963, including report for 1st of Apr. 1962 to 31st of Mar. 1963," Mar. 1963, p. 38.

Tillim, Sidney, "Month in Review," *Arts*, 37:62, Mar. 1963.

——— "Pop Art: A Dialogue," *Eastern Arts Quarterly*, Kutztown, Pa., Sept.-Oct. 1963, pp. 11, 15.

——— "Ten Years of Jasper Johns," *Arts*, 38:22–6, Apr. 1964.

——— "The Fine Art of Acquiring Fine Art," *Playboy*, 9 No. 1:66, Jan. 1962.

——— "Work in Three Dimensions at Leo Castelli, *Arts*, 34 No. 3:59, Dec. 1959.

Time, LXXXI, No. 18:69–72, "Art: Pop Art-Cult of the Commonplace," May 3, 1963.

——— 84:84–7, "Catcher of the eye," Dec. 4, 1964.

——— LXXVIII, No. 21:58, "Handling Living Artists," Nov. 24, 1961.

——— 73:58, "His heart belongs to Dada," May 4, 1959.

——— 87:70–1, "Oh, say can you see?," Jan. 14, 1966.

Tono, Yoshiaki, "From a Gulliver's point of view," *Art in America*, V. 48, No. 2:58, Summer 1960.

——— "Jasper Johns or the Metaphysics of Vulgarity," *Mizue*, Tokyo, Japan, No. 685:24–40, Apr. 1962.

——— "New Adventures in American Art," *Mizue*, Tokyo, Japan, No. 659:23, Mar. 1960.

Vogue, 143:174–7, "Jasper Johns," Feb. 1, 1964.

Wallis, N., "Images and Irony," *Spectator*, 213:843, Dec. 18, 1964.

Washburn, G. B., "Pittsburgh Bicentennial International: the Prize Awards," *Carnegie Magazine*, Dec. 1958.

Werk, 49:sup 209, "Ausstellung in Bern," Sept. 1962.

———— 50:sup 38, Reproduction, "Device," Feb. 1963.

White, Stephen, "Advertising: No Deposit No Return," *Horizon*, 3 No. 5:119, May 1961.

Whittet, G. S., "Exhibition at the Whitechapel Gallery," *Studio*, 169:78, Feb. 1965.

Wholden, R. G., "Reviews: 'My Country 'Tis of Thee'," *Artforum*, 1 No. 8:20, Feb. 1963.

Willard, C., "Drawing today," *Art in America*, 52:50, Oct. 1964.

XXe Siècle, ns 23:122, Reproduction, "Peinture, 1959," Dec. 1961.

Zerner, H., "Universal limited art editions (text in French)," *Oeil*, No. 120:36, Dec. 1964.

GERALD LAING

Books / Livros

Amaya, Mario, *Pop Art and After*, Viking Press, New York, 1966.

Lippard, Lucy, ed., *Pop Art*, Frederick A. Praeger Publishers, New York City, 1966.

Pellegrini, Aldo, *New Tendencies In Art*, Crown Publishing Company, Inc., New York City, 1966.

Exhibition Catalogs / Catálogos da Exposição

Annual Exhibition 1966, Sculpture and Prints, Whitney Museum of American Art, New York City. Dec. 16, 1966–Feb. 5, 1967.

Contemporary American Painting and Sculpture 1967, Krannert Art Museum and The College of Fine and Applied Arts, University of Illinois, Urbana, Illinois. March 5–April 9, 1967. Introduction by Allen S. Weller.

Periodicals / Periódicos

Alloway, Lawrence, "Hybrid," *Arts*, 40:38–42, May 1966.

Anderson, Don J., "Ready or Not, 'Op' Art Is Here!," *Chicago's American*, Mar. 28, 1965.

Art in America, 52:130, Reproduction, "Skydiver 3," Oct. 1964.

Art News, 63:15, "Exhibition at Feigen Gallery," Sept. 1964.

———— 64:15, "Exhibition at Feigen Gallery," Dec. 1965.

———— 65:18, "Exhibition at Kornblee Gallery," May 1965.

Arts, 40:59, "Exhibition at Feigen Gallery," Jan. 1966.

Banham, R., "Notes toward a definition of U. S. automobile painting as a significant branch of mobile modern heraldry: illustrations by G. Laing," *Art in America*, 54:76–9, Sept. 1966.

Benedikt, Michael, "New York Letter," *Art International*, 10 No. 1:96–100, Jan. 1966.

Chicago Tribune, "Notes of Art," Mar. 28, 1965.

Coates, Robert, "The Art Galleries," *New Yorker*, Jan. 18, 1964, p. 108.

Daily Telegraph and Morning Post, London, "Quick Success," Oct. 15, 1964.

Findlay, Michael, "The Efficiency Game," *Art and Artists*, 1 No. 10:20–23, Jan. 1967.

Friedlander, Alberta R., "Laing Uses Shiny Metal for Sculpture," *Sunday Star* Chicago, May 1, 1966.

Glueck, G., "Britannia Rides Again," *New York Times*, Nov. 1, 1964.

———— "Exhibition at the Richard Feigen Gallery," *Art in America*, 53:124, Dec. 1965.

———— "Olé! for New York," *New York Times*, Mar. 21, 1965.

Haydon, Harold, "Archeology To Fantasy-Galleries Offer It All," *Chicago Sunday Times*, Mar. 28, 1965.

———— "Triple Your Viewing Pleasure," *Chicago Sunday Times*, Apr. 17, 1966.

Judd, D., "Exhibition at Feigen Gallery," *Arts*, 396:8, Oct. 1964.

Karetsky, Gerri, "Pop Art," *Scholastic News Time*, 26 No. 12, Apr. 29, 1965.

Life, 60:72, "Pollsters began with kits, questionnaires, no know-how," May 20, 1966.

Lippard, Lucy, "New York Letter," *Art International*, 10 No. 6: 108–115, Summer 1966.

Marmer, Nancy, "Gerald Laing, Feigen Palmer Gallery," *Artforum* 3 No. 6:12–14, Mar. 1965.

———— "Los Angeles Letter," *Art International*, 9 No. 4:43–46, May 1965.

McCluggage, Denise, "Pop Goes The Art Rodders," *Car and Driver*, Aug. 1965.

Mellow, James R., "New York Letter," *Art International*, XI No. 3:61, Mar. 1967.

Monte, James, "San Francisco," *Artforum*, 3 No. 7:41–2, Apr. 1965.

Morrison, Harriet, "Take the Test and Help Find the Hybrid," *New York Herald Tribune*, Apr. 11, 1965.

New Yorker, 42:35–6, "Hybrid," Apr. 30, 1966.

O'Doherty, Brian, "Art: Season Comes to Unsteady Halt," *New York Times*, June 20, 1964.

Preston, Stuart, "Art," *New York Times*, Oct. 3, 1964.

Rose, Barbara, "New York Letter," *Art International*, 8 No. 9:52–4, Nov. 1964.

Schulze, Franz, "Some Surprises in Chicago Art," *Chicago Daily News*, Apr. 16, 1966.

Seldis, Henry J., "In The Galleries," *Los Angeles Times*, Jan. 18, 1965.

Sunday Tribune, Chicago, "About Other Events Here and Elsewhere," Apr. 24, 1966.

Swenson, G. R., "Hybrid, a time of life," *Art and Artists*, 1 No. 3:63–65, June 1966.

Time, LXXXVI:86, "Hot-rod Heraldry," Nov. 12, 1965.

Wholden, R. G., "Los Angeles: the relay race," *Arts*, 39:79, Feb. 1965.

Willard, Charlotte, "In the Art Galleries," *New York Post*, Jan. 28, 1967.

ROY LICHTENSTEIN

Books / Livros

Amaya, Mario, *Pop Art and After*, The Viking Press, New York, 1965.

Baotto, Alberto and Falzoni, Giordano, editors, *Roy Lichtenstein*, Fantazaria, Rome, 1966.

Battcock, Gregory, ed., *The New Art*, E. P. Dutton and Co., New York, 1966.

Becker, Jurgen, *Happenings, Fluxus, Pop Art*, Rowoholt Paperback Sonderband, Germany, 1965.

Dienst, Rolf-Gunter, *Pop Art*, Rudolph Bechtold and Co., Wiesbaden, 1965.

Herzka, D., *Pop Art One*, Pub. Institute of American Art, New York, 1965.

Kranz, Kurt, *Art: The Revealing Experience*, Shorewood Publishers Inc., West Germany, 1965.

Lippard, Lucy, ed., *Pop Art*, Frederick A. Praeger Publishers, New York, 1966.

New Art Around the World, Abrams and Co., New York, 1966.

Pellegrini, Aldo, *New Tendencies in Art*, Crown Publishing Company, New York, 1966.

Rublowsky, Jules, *Pop Art*, Basic Books, Inc., New York, 1965.

Ten Works by Ten Painters, Wadsworth Atheneum, Hartford, 1964.

Exhibition Catalogs / Catálogos da Exposição

A Decade of American Drawings, 1955–1965, Whitney Museum of American Art, New York City. April 28–June 6, 1965.

American Drawings, Solomon R. Guggenheim Museum, New York City. Oct. 1964. Introductory essay by Lawrence Alloway.

American Pop Art, Stedelijk Museum, Amsterdam, The Netherlands. June 22–July 26, 1964. Essay: "De Nieuwe Amerikaanse Kunst," by Alan Solomon, reprinted from *Amerikansk Pop-konst*, Moderna Museet, Stockholm, Sweden, Feb. 29–April 12, 1964.

Amerikansk Pop-konst, Moderna Museet, Stockholm, Sweden. Feb. 29–April 12, 1964. Foreword by K. G. Hultén. Essay, "Den nya amerikanska konsten," by Alan R. Solomon. Statement by Billy Kluver.

An American Viewpoint, 1963, Contemporary Arts Center, Cincinnati, Ohio. Dec. 4–21, 1963. Statement by Allan T. Schoener.

1965 Annual Exhibition of Contemporary American Painting, Whitney Museum of American Art, New York City. 1965.

Annual Exhibition 1966, Sculpture and Prints, Whitney Museum of American Art, New York City. Dec. 16, 1966–Feb. 5, 1967.

Art 1963, A New Vocabulary, Arts Council of the YM/YWHA, Philadelphia, Pennsylvania. Oct. 25–Nov. 7, 1962. Statements by the artists.

Contemporary American Painting and Sculpture, 1965, Krannert Art Museum and the College of Fine and Applied Arts, Urbana, Illinois. 1965. Essay by Allen S. Weller.

Drawing &, The University Art Museum, Austin, Texas. Feb. 6–March 15, 1966. Foreword by Donald B. Goodall. Introduction by Mercedes Matter.

Eleven Pop Artists, Colibri Gallery, San Juan, Puerto Rico. May 1966. "Notes on American Pop Art," by Ernesto J. Ruiz.

Lichtenstein, Ileana Sonnabend Gallery, Paris, France. June 1963. Essay by Alain Jouffroy. "Notes sur Roy Lichtenstein," by Ellen Johnson. Essay by Robert Rosenblum, reprinted from *Metro 8*, 1963, translated by Pierre Martory.

Master Drawings from Pissarro to Lichtenstein, Contemporary Arts Center, Cincinnati, Ohio. Feb. 1966. Introduction by William Albers Leonard.

Mixed Media and Pop Art, Buffalo Fine Arts Academy—Albright-Knox Art Gallery, Buffalo, New York. Nov. 19–Dec. 15, 1963. Foreword by Gordon M. Smith.

My Country 'Tis of Thee, Dwan Gallery, Los Angeles, California. Nov. 18–Dec. 15, 1962. Introduction by Gerald Nordland.

Neue Realisten und Pop Art, Akademie der Kunst, Berlin, Germany. Nov. 20, 1964–Jan. 3, 1965. Text by Werner Hofmann.

New Directions in American Painting, Rose Art Museum, Brandeis University, Waltham, Massachusetts. 1963. Essay by Sam Hunter.

New Paintings of Common Objects, Pasadena Art Museum, Pasadena, California. 1962. Text by John Coplans.

Nieuwe Realisten, Haggs l'Aja Gemeente Museum, The Hague, The Netherlands. June 24–Aug. 30, 1964. Text by L. J. F. Wijsenbeek. Essays by Jasia Reichardt, Pierre Restany, and W. A. L. Beeren.

1¢ Life, Kornfeld und Klipstein, Switzerland. Feb. 20–March 20, 1965. Introduction by E. W. Kornfeld. Poems by Walasse Ting.

Painting and Sculpture of a Decade—54/64, Tate Gallery, London. April 22–June 28, 1964.

Pop Art and the American Tradition, Milwaukee Art Center, Milwaukee, Wisconsin. April 9–May 9, 1965. Text by Tracy Atkinson.

Pop Art, Nouveau Réalisme, etc., Palais des Beaux-Arts, Brussels, Belgium, Feb. 5–March 1, 1965. Text by Jean Dypréau and Pierre Restany.

Pop Art USA, Oakland Art Museum, Oakland, California. Sept. 7–29, 1963. Introduction by Lawrence Alloway.

Pop, etc., Museum des 20. Jahrhunderts, Vienna, Austria. Sept. 19–Oct. 31, 1964. Foreword and text by Werner Hofmann. Text by Otto A. Graf.

Pop Goes the Easel, Contemporary Art Association, Houston, Texas. April 1963. Text by Douglas Mac Agy.

Pop, Pop, Whence Pop?, Hecksher Museum, Huntington, New York. Feb. 27–March 21, 1965. Introduction by E.I.G.

Popular Art, Nelson Gallery-Atkins Museum, Kansas City, Missouri. April 28–May 26, 1963. Essay by Ralph T. Coe.

Recent American Drawings, Rose Art Museum, Brandeis University, Waltham, Massachusetts. April 19–May 19, 1964. Foreword by Sam Hunter. Essay by Thomas H. Garver.

Recent Still Life—Painting and Sculpture, Rhode Island School of Design, Providence, Rhode Island. 1965. Essay by Daniel Robbins.

Roy Lichtenstein, Ileana Sonnabend Gallery, Paris, France. June 1965. Text by Gene Swenson.

Roy Lichtenstein, Pasadena Art Museum, Pasadena, California. April 18–May 28, 1967. The Walker Art Center, Minneapolis, Minnesota. June 23–July 30, 1967. Introduction and interview by John Coplans.

Signs of the Times, Addison Gallery of American Art—Phillips Academy, Andover, Massachusetts. Feb. 15–March 22, 1964. Text by Thomas Tibbs.

Six Painters and the Object, Solomon R. Guggenheim Museum, New York City. March 14–June 12, 1963. Text by Lawrence Alloway.

66th American Annual Exhibition, The Art Institute of Chicago, Chicago, Illinois. Jan. 11–Feb. 10, 1963. Foreword by A. James Speyer.

Study for An Exhibition of Violence in Contemporary Art, Institute of Contemporary Art, London, England. Feb. 20–March 26, 1964. Preface by Roland Penrose.

The Art of Things, Jerrold Morris International Gallery, Toronto, Ontario, Canada. 1963.

The New American Realism, Worcester Art Museum, Worcester, Massachusetts. Feb. 18–April 4, 1965. Preface by Daniel Catton Rich. Introduction by Martin Carey.

The New Realists, Sidney Janis Gallery, New York City. Oct. 31–Dec. 1, 1962. Introduction by John Ashbery. Text by Sidney Janis. Excerpts from: "A Metamorphosis in Nature," by Pierre Restany.

The Popular Image, Institute of Contemporary Art, London, England. Oct. 24–Nov. 23, 1963. Essay by Alan Solomon.

The Popular Image Exhibition, Washington Gallery of Modern Art, Washington, D.C. 1963. Foreword by Alice M. Denney. Essay by Alan R. Solomon.

Three Generations, Sidney Janis Gallery, New York City. Nov. 24–Dec. 26, 1964.

United States of America, XXXIII International Biennial Exhibition of Art, Venice, Italy. June 18–Oct. 16, 1966. Introduction by Henry Geldzahler. Foreword by David W. Scott. Essay by Robert Rosenblum.

Periodicals / Periódicos

Alfieri, Bruno, "A Critic's Journal II," *Metro*, 10:4, 1966.

———— "The Arts Condition—The Arts Future," *Metro*, 9:5, 1965.

———— "Towards the End of Abstract Painting," *Metro*, 4/5:4, 1962.

Alloway, L., "Notes on 5 New York Painters," *Albright-Knox Gallery Notes*, 26 No. 2:14, Autumn 1963.

Amaya, Mario, "The New Super Realism," *Sculpture International*, 1:19, Jan. 1966.

Apollo, NS 77:508, Reproduction, "Femme dans un fauteuil," June 1963.

———— 78:287, Reproduction, "Red Flowers," Oct. 1963.

———— 84:237, Reproduction, "Study for brushstroke with spatter," Sept. 1966.

Architectural Review, 135:139, Reproduction, "Hopeless," Feb. 1964.

———— 138:57, Reproduction, "Landscape," July 1965.

Art Digest, 29 (i.e. 28):22, "Exhibition of paintings, Heller Gallery," Feb. 15, 1954.

———— 27:18, "Exhibition, Heller Gallery," Feb. 1, 1953.

———— 26:20, "First New York show, Heller Gallery," Jan. 1, 1952.

Artforum, 3 No. 4:34–5, "Four Drawings: Roy Lichtenstein," Jan. 1965.

———— 4 No. 5:32–3, "Lichtenstein, Oldenburg, Warhol: A Discussion," Jan. 1966.

———— 3 No. 5:26, Review, Feb. 1965.

Art in America, 54:60, Reproduction, "Brushstroke," Nov. 1966.

———— 54:87, Reproduction, "Ohhh . . . alright . . .," Mar. 1966.

———— 52:cover, Reproduction, "Panorama of the World's Fair," Apr. 1964.

———— 54:96–7, "Studies in iconography: the master of the crying girl," Mar. 1966.

———— 52:123, Reproduction, "Trigger," Apr. 1964.

———— 51:90, Reproduction, "Washing Machine," Oct. 1963.

Art International, 7 No. 1:36, Reproduction, "Roto Broil 1961," Jan. 1963.

———— 7 No. 9:37, Reproduction, "Step-on Can with leg IIA and IIB," Dec. 1963.

———— 7 No. 1:35, Reproduction, "The Kiss," Jan. 1963.

———— 7 No. 1:25, Reproduction, "Woman Cleaning," Jan. 1963.

Art News, 61:14, "Exhibition at Castelli Gallery," Mar. 1962.

———— 62:12, "Exhibition at Castelli Gallery," Nov. 1963.

———— 63:15, "Exhibition at Castelli Gallery," Dec. 1964.

———— 50:67, "Exhibition at Heller's," Jan. 1952.

———— 50:56, "Exhibition, Carlebach Gallery," May 1951.

———— 55:12, "Exhibition of oils at Heller Gallery," Feb. 1957.

———— 51:74, "Exhibition of oils and watercolors at Heller's," Feb. 1953.

———— 65:33, Reproduction, "Head," Jan. 1967.

———— 53:18, "Lichtenstein's adult primer; exhibition at Heller Gallery," Mar. 1964.

———— 50:44, Reproduction, "To battle," Apr. 1951.

Arts, 40:54, "Exhibition at Castelli Gallery," Jan. 1966.

———— 31:52, "Exhibition at Heller Gallery," Jan. 1957.

———— 33:66, "Exhibition at Riley," June 1959.

———— 39:30, Reproduction, "Good morning darling," May 1965.

———— 40:36, Reproduction, "Sweet dreams baby," Mar. 1966.

———— 37:45, Reproduction, "Takka-takka," Apr. 1963.

Arts and Architecture, 83:33, Reproduction, "Drowning Girl," Oct. 1966.

Aujourd'hui, 6:49, Reproduction, "Aloha," June 1962.

———— 9:77, "Exposition à Paris," Feb. 1966.

———— 9:90, Reproduction, "Little big painting," Feb. 1966.

———— 9:46, Reproduction, "Whaam 1963," Apr. 1965.

Baigell, M., "American abstract expressionism and hard edge: some comparisons," *Studio*, 171:13, Jan. 1966.

Bannard, Darby, "Present-Day Art and Ready-Made Styles," *Artforum*, V. 5, No. 4:30–35, Dec. 1966.

Berkson, W., "Exhibition at Bianchini Gallery," *Arts*, 39:59, May 1965.

Bowness, Alan, "54/6 Painting and Sculpture of a Decade," *Studio*, 167:190, May 1964.

Calvesi, Maurizio, "Ricognizione e reportage," *Collage*, Dec. 1963.

Campbell, Lawrence, "Roy Lichtenstein," *Art News*, 62:12, Nov. 1963.

Canadian Art, 21:21, Reproduction, "Femme d'Alger," Jan. 1964.

———— 23:49, Reproduction, "Non-objective," Mar. 1966.

———— 21:203, Reproduction, "Scared Witless," July 1964.

———— 23:49, Reproduction, "Vicki," Jan. 1966.

Connoisseur, 156:255, "Girl with ball," Aug. 1964.

Coplans, John, "An Interview with Roy Lichtenstein," *Artforum*, 2 No. 4:31, Oct. 1963.

———— "Pop Art USA," *Artforum*, 2 No. 27–30, Oct. 1963.

———— "Pop Art U.S.A. at Oakland," *Art in America*, 51 No. 5:26, Oct. 1963.

———— "The Paintings of Common Objects," *Artforum*, 1 No. 6:26–29, Nov. 1962.

———— "Talking With Roy Lichtenstein," *Artforum*, 5 No. 9:34–9, May 1967.

Cosmopolitan, "Girl in Mirror," May 1965.

Dali, Salvador, "How an Elvis Presley Becomes a Roy Lichtenstein," *Arts*, 41 No. 6:26–31, Apr. 1967.

Danieli, Fidel A., "Roy Lichtenstein, Ferus Gallery," *Artforum*, 3 No. 4:16, Jan. 1965.

Das Kunstwerk, 17:6, Reproduction, "hahaha," Apr. 1964.

———— 19:100, "Portrait," Apr. 1966.

de Marchis, Giorgio, "Aspetti dell'arte Contemporanea," *Art International*, 7 No. 9:37, Dec. 1963.

Domus, 399:30, Reproduction, "Blam," Feb. 1963.

———— 406:44, "Leo Castelli, New York; la sua storia, la sua galleria," Sept. 1963.

———— 399:31, "Portrait," Feb. 1963.

Factor, Don, "Drawings, Feigen/Palmer," *Artforum*, 3 No. 9:12, June 1965.

———— "New York Group, Ferus Gallery," *Artforum*, 2 No. 9:13, Mar. 1964.

———— "Six Painters and the Object and Six More," *Artforum*, 2 No. 3:13–14, Sept. 1963.

Finch, Christopher, "From Illusion to Allusion," *Art and Artists*, 1 No. 1:20–22, Apr. 1966.

Fried, Michael, "New York Letter," *Art International*, 7 No. 9:66, Dec. 1963.

Fry, Edward Fort, "Roy Lichtenstein's Recent Landscapes," *Art and Literature*, Spring 1966.

Geldzahler, Henry, "A Preview of the 1966 Venice Biennale," *Artforum*, 4 No. 10:32–8, June, 1966.

Getlein, F., "Americans in Venice," *New Republic*, 155:37–8, July 30, 1966.

Glaser, Bruce, "Transcript of Radio Discussion (Oldenburg, Lichtenstein, Warhol)," *Artforum*, 4:6, Feb. 1966.

Gray, C., "Portfolio Collector," *Art in America*, 53:95, June 1965.

Hahn, Otto, "Lettre de Paris," *Art International*, 9 No. 6:70–72, Sept. 1965.

——— "Roy Lichtenstein," *Art International*, 10 No. 5:66–69, May 1966.

Johnson, E. H., "Image duplicators—Lichtenstein, Rauschenberg and Warhol," *Canadian Art*, 23:12–9, Jan. 1966.

——— "Lichtenstein at Venice," *Art and Artists*, 1 No. 3:12–15, June 1966.

Johnson, P., "Young artists at the Fair," *Art in America*, 52:11, Aug. 1964.

Jouffroy, A., "Une révision moderne du sacré," *XXe Siècle*, ns 26:97, Dec. 1964.

Journal of Aesthetics and Art Criticism, 24 No. 4:554, Reproduction, "I know how you must feel, Brad," Summer 1966.

Judd, D., "Exhibition at Castelli Gallery," *Arts*, 36:52, Apr. 1962.

——— "Exhibition at Castelli Gallery," *Arts*, 38:32–3, Nov. 1963.

——— "Exhibition at Castelli Gallery," *Arts*, 39:66, Dec. 1964.

——— "Six Painters and the Object at the Guggenheim," *Arts*, 37:108, May 1963.

Karp, Ivan C., "Anti-sensibility Painting," *Artforum*, 2 No. 3:26–7, Sept. 1963.

Kelly, E. T., "Neo-dada: a critique of pop art," *Art Journal*, 23 No. 3:192–3, Spring 1964.

Kozloff, Max, "Art," *The Nation*, 197:284–7, Nov. 2, 1963.

——— "Art and the New York Avant-Garde," *Partisan Review*, 31:535, Fall 1964.

——— "'Pop' Culture, Metaphysical Disgust and the New Vulgarians," *Art International*, VI No. 2:34–36, Mar. 1962.

——— "Roy Lichtenstein," *The Nation*, Nov. 1964.

——— "The Inert and The Frenetic," *Artforum*, 4 No. 7:40–44, Mar. 1966.

Lerman, Leo, "The Village Idea," *Mademoiselle*, June 1962, p. 70–71.

Life, 52 No. 24:120, "Something New is Cooking," June 15, 1962.

Lippard, Lucy, "New York Letter," *Art International*, X No. 1:93, Jan. 20, 1966.

Loran, E., "Cézanne and Lichtenstein: Problems of Transformation," *Artforum*, 2 No. 3:34–5, Sept. 1963.

——— "Pop artists or copy cats?," *Art News*, 62:48–9, Sept. 1963.

Lord, J. Barry, "Pop Art in Canada," *Artforum*, 2 No. 9:28–31, Mar. 1964.

Lynton, Norbert, "Venice 1966," *Art International*, X No. 7:83–89, Sept. 15, 1966.

——— "Won't Somebody Please Answer that Picture?," *Studio*, 171:34, Jan. 1966.

Magloff, Joanna, "Direction—American Painting, San Francisco Museum of Art," *Artforum*, 2 No. 5:43–44, Nov. 1963.

Marmer, Nancy, "Los Angeles Letter," *Art International*, IX No. 1:29–32, Feb. 1965.

McClellan, Doug, "Dealer's Choice," *Artforum*, I No. 11:50, May 1963.

——— "Roy Lichtenstein," *Artforum*, 2 No. 1:44–6, July 1963.

Melville, R., "New Classicism," *Architectural Review*, 139:145–7, Feb. 1966.

——— "Prospect for the future: American painters in the Gulbenkian, 1954–64 show," *Architectural Review*, 136:136, Aug. 1964.

Monte, James, "San Francisco," *Artforum*, 3 No. 7:41–2, Apr. 1965.

Newsweek, 59:86, "Art: Everything Clear Now?," Feb. 26, 1962.

——— 69:94, "Discredited Merchandise," Nov. 9, 1964.

——— 62:90, "Pops or robbers? The Big Question," Sept. 16, 1963.

New York Times, 21:2, "Roy Lichtenstein," Oct. 27, 1963.

Oeil, No. 139–140:51, Reproduction, "Big Painting," July–Aug. 1966.

Picard, L., "New School of New York," *Das Kunstwerk*, 18:26, Dec. 1964.

Plagens, Peter, "Present-Day Styles and Ready-Made Criticism," *Artforum*, 5 No. 4:36–9, Dec. 1966.

Porter, Fairfield, "Lichtenstein's Adult Primer," *Art News*, 53:18, Mar. 1954.

Print, 20:19, Reproduction, "Bratatat," Jan. 1966.

Quadrum, No. 17:21, Reproduction, "Aloha," 1964.

——— No. 20:158, Reproduction, "Girl with ball," 1966.

——— No. 18:161–4, "Metamorphoses: L'Ecole de New York; un film de Jean Antoine," 1965.

Read, Sir Herbert, "The Disintegration of Form in Modern Art," *Studio*, 169:144, Apr. 1965.

Restany, P., "Venezia 33 Biennale," *Domus*, No. 441:41, Aug. 1966.

Roberts, C., "Les expositions à New York," *Aujourd'hui*, 8:96, Jan. 1964.

Roberts, Keith, "Current and Forthcoming Exhibitions," *Burlington Magazine*, 105:573, Dec. 1963.

Rose, Barbara, "Dada Then and Now," *Art International*, VII No. 1:23, Jan. 1963.

——— "New York Letter," *Art International*, VIII No. 10:48–51, 1964.

——— "Pop Art at the Guggenheim," *Art International*, VII No. 5:20–22, May 1963.

——— "Pop in Perspective," *Encounter*, 25 No. 2:59, Aug. 1965.

Rose, Barbara, and Sandler, Irving, "Sensibility of the Sixties" (statement by Roy Lichtenstein), *Art in America*, 55:45, Jan.–Feb. 1967.

Rosenblum, Robert, "Roy Lichtenstein and The Realist Revolt," *Metro 8*, Apr. 1963.

Rudikoff, Sonya, "The New Realists in New York," *Art International*, VII 1:30, Jan. 1963.

Saarinen, A. B., "Explosion of pop art: exhibition at the Guggenheim Museum," *Vogue*, 141:134, Apr. 15, 1963.

Sandberg, John, "Some Traditional Aspects of Pop Art," *Art Journal*, XXVI No. 3:228–231, Spring 1967.

Sandler, I., "New Cool-art," *Art in America*, 53:99, Feb. 1965.

Sauré, Wolfgang, "Marzotto-Dkandal, Yves Klein, Warhol und Lichtenstein ausstellungen in Paris," *Das Kunstwerk*, 19:28, Aug. 1965.

Schlanger, Jeff, "Ceramics and pop art at the Leo Castelli Gallery, New York," *Craft Horizons*, 26:42, Jan. 1966.

Seckler, D. G., "Folklore of the Banal," *Art in America*, 50 No. 4:60, Winter 1962.

Seiberling, D., "Is he the worst artist in the 'U.S.'?," *Life*, 56:79–81, Jan. 31, 1965.

Selz, Peter, "A Symposium on Pop Art," *Arts*, 37:36, April 1963.

Show, "Which Twin is the Phony?," Feb. 1963, p. 88.

Solomon, Alan, "American Art Between Two Biennales," *Metro*, 11:25, 1966.

———— "The New American Art," *Art International*, VIII No. 2:50–55, Mar. 1964.

Sorrentino, Gilbert, "Kitsch into Art: The New Realism," *Kulchur*, 2 No. 8:10, Winter 1962.

Studio, 169:147, Reproduction, "Okay hot-shot," Apr. 1965.

Swenson, G. R., "New American sign painters," *Art News*, 61:44–7, Sept. 1962.

———— "What is Pop Art?," *Art News*, 62:24–5, Nov. 1963.

Sylvester, David, "Art in a Coke Climate," *The Sunday Times Colour Magazine*, London, Jan. 26, 1964, p. 14.

Tillim, Sidney, "Roy Lichtenstein and the Hudson River School at Mi Chou," *Arts*, 37:55, Oct. 1962.

———— "The New Realists," *Arts*, 37:43, Dec. 1962.

———— "Towards A Literary Revival?," *Arts*, 39 No. 9:30, May 1965.

Time, 79:52, "Slice-of-Cake School," May 11, 1962.

———— 89, No. 25:72–3, "Painting," June 23, 1967.

———— 81:69, "Pop Art—Cult of the Common-place," May 1963.

Ting, W., "Near 1¢ life: a volume of poems and lithographs," *Art News*, 65:39, May 1966.

Von Meier, Kurt, "Los Angeles—San Francisco Letter," *Art International*, X No. 7:39–42, Sept. 1966.

Wilson, Ellen, "Recent American Painting, Pomona Gallery," *Artforum*, 3 No. 7:10, Apr. 1965.

Werk, 16:73, Reproduction, "George Washington," Nov. 1962.

Wholden, R. G., "My Country 'Tis of Thee," *Artforum*, 1 No. 8:20, June 1963.

RICHARD LINDNER

Books / Livros

Lazare, Christopher, ed., *Tales of Hoffman*, illustrated by Richard Lindner, A. A. Wyn, New York, 1946.

Lippard, Lucy, ed., *Pop Art*, Frederick A. Praeger Publishers, New York City, 1966.

Exhibition Catalogs / Catálogos da Exposição

A Decade of American Drawings, 1955–1965, Whitney Museum of American Art, New York City. April 28–June 6, 1965.

Americans 1963, Museum of Modern Art, New York City. 1963. Edited by Dorothy C. Miller, with statements by the artists and others.

1965 Annual Exhibition of Contemporary American Painting, Whitney Museum of American Art, New York City. 1965.

Drawing &, The University Art Museum, Austin, Texas. Feb. 6–March 15, 1966. Foreword by Donald B. Goodall. Introduction by Mercedes Matter.

Lindner, 1961, William and Norma Copley Foundation, Chicago, Illinois. Text by Sidney Tillim.

Recent Painting USA: The Figure, The Museum of Modern Art, New York City. Circulated in the United States, 1962–1963. Introduction by Alfred H. Barr, Jr.

The First Five Years, The Whitney Museum of American Art, New York City. May 16–June 17, 1962.

Periodicals / Periódicos

Adrian, Dennis, "New York," *Artforum*, 5 No. 7:55–58, Mar. 1967.

Alexandre, Arsène, "Das Plakat als Kunstwerk: ein beitrag um schaffen Richard Lindners" *Das Kunstwerk*, 5–6, 1948.

Amberg, G., "Richard Lindner: with German and French texts," *Graphis*, 5 No. 25:8–13, 1949.

American Artist, 18:29, Reproduction, "Advertisement for D'Orsay," Feb. 1954.

———— 13:34, Reproduction, "Cover and illustrations for Tales of Longfellow," May 1949.

———— 18:42, "Title card for TV program: Studio 1," Sept. 1954.

Apollo, ns 78:58, Reproduction, "Keyboard," July 1963.

Architectural Review, 136:136, Reproduction, "Musical Visit," Aug. 1964.

Artforum, 5:55, 56, "Exhibition at Cordier and Ekstrom Gallery," Mar. 1967.

Art in America, 54:48, Reproduction, "Louis II," May 1966.

———— 52:12, Reproduction, "Moon over Alabama," Feb. 1964.

———— 53:61, "Vancouver Art Gallery (poster)," Apr. 1965.

———— 50:80, Reproduction, "Walk," 1962.

Art International, 7 No. 6:71–75, " 'Americans 1963' at the Museum of Modern Art, New York," June 1963.

———— 7 No. 6:77, Reproduction, "Louis II 1962," June 1963.

———— 6 No. 7:37, Reproduction, "Musical Visit," Sept. 1962.

Art News, 64:11, "Collages and paintings at Cordier and Ekstrom," Apr. 1965.

———— 63:10, "Exhibition at Cordier and Ekstrom Gallery," Mar. 1964.

———— 60:10–11, "Exhibition at Cordier and Warren Gallery," Oct. 1961.

———— 57:15, "Exhibition at Parsons," Feb. 1959.

———— 54:55, "Exhibition of paintings at Parsons Gallery," Feb. 1956.

———— 52:44, "First 1-man show in America at Parsons Gallery," Feb. 1954.

———— 63:65, "Musical Visit," May 1964.

Arts, 33:59, "Exhibition at Parsons," Mar. 1959.

———— 30:57, "Exhibitions of paintings and drawings at Parsons Gallery," Mar. 1956.

———— 41:58, Reproduction, "Telephone 1966," Feb. 1967.

Ashton, D., "Americans 1963 at the Museum of Modern Art." *Arts and Architecture*, 80:4, July 1963.

———— "Art USA 1962," *Studio*, 163:91, Mar. 1962.

———— "It's a Big Country," *Studio*, 173 No. 887:153–4, Mar. 1967.

———— "New York Gallery Notes," *Art in America*, 55 No. 1:91, Jan.–Feb. 1967.

———— "Richard Lindner, the secret of the inner voice with French, Italian and German summaries," *Studio*, 167:12–17, Jan. 1964.

———— "Show at the Cordier-Warren Gallery," *Arts and Architecture*, 79:6, Feb. 1962.

Benedikt, Michael, "New York, Eroticism of Late," *Art International*, 11 No. 4:65, Apr. 20, 1967.

Baro, G., "Gathering of Americans," *Arts*, 37:33, Sept. 1963.

Borsick, Helen, "His Art Neither Pop Nor Op But Lindner," *Cleveland Plain Dealer*, Apr. 14, 1966.

Cleveland Museum Bulletin, 53:153, Reproduction, "Louis II," June 1966.

———— 53:247, Reproduction, "Louis II," Sept. 1966.

Museum of Modern Art, 29 No. 2–3:44, Reproduction, "Mirror," 1962.

Newsweek, "Stop, Caution, Go," Mar. 9, 1964.
New York Times, II, 15:3, "Richard Lindner – One Man Show," Mar. 8, 1964.
———— II 25:1, "Richard Lindner – One Man Show," Jan. 22, 1966.
O'Doherty, Brian, "Lindner's Private But Very Modern Hades," New York Times, Mar. 8, 1964.
Penrose, R., "Richard Lindner," *Art International*, 11:30–3, Jan. 1967.
Perreault, J. "Venus in Vinyl," *Art News*, 65:46–8, Jan. 1967.
Print, 10:25, Reproduction, "Illustration for Charm," Sept. 1955.
Quadrum, No. 13:59, Reproduction, "Musical Visit," 1962.
Raynor, V., "Exhibition at Cordier-Ekstrom," *Arts*, 38:41, May 1964.
Reichardt, J., "Les expositions à l'étranger: Londres," *Aujourd'hui*, 6:58, Sept. 1962.
Roberts, C., "Les expositions à New York," *Aujourd'hui*, 8:96, Jan. 1964.
———— "Lettre de New York," *Aujourd'hui*, 6:26–9, Feb. 1962.
Rosenblum, R., "Sophisticated primitive; exhibition at Parsons Gallery," *Art Digest*, 29(i.e.28):13, Feb. 15, 1954.
Rosenthal, N., "Six day bicycle wheel race: multiple-originals," *Art in America*, 53:101, Oct. 1965.
Sandler, Irving H., "New York Letter," *Art International*, 5 No. 9:56, Nov. 20, 1961.
Seckler, D. G., "Artist in America: victim of the culture boom?," *Art in America*, 51:35, Dec. 1963.
Stiles, G., "Exhibition at Cordier-Ekstrom Gallery," *Arts*, 39:65, Apr. 1965.
Connoisseur, 163:135, Reproduction, "Louis II," Oct. 1966.
Das Kunstwerk, 18:42, Reproduction, "Louis II," Oct. 1964.
———— 17:30, Reproduction, "Napoleon still life," Aug. 1963.
———— 19:109, "Portrait," Apr. 1966.
Dienst, R. G., "Richard Lindner," *Das Kunstwerk*, 19:21, Aug. 1965.
Fried, Michael, "New York Letter," *Art International*, 8 No. 4:40–44, May 1964.
Frigerio, S., "Exposition à la galerie Claude Bernard," *Aujourd'hui*, 9:87, July 1965.
Graham, Dan, "New York," *Art and Artists*, 1 No. 12:63, Mar. 1967.
Graphis, 13:505, 507, "Advertisements for Container Corporation of America," Nov. 1957.
———— 11 No. 58:166, "Illustration for Esquire," 1955.
Gray, C., "Drawing for Art in America's 50th Anniversary," *Art in America*, 51:65, Feb. 1963.
Hahn, Otto, "Lettre de Paris," *Art International*, 9, No. 6:72, Sept. 1965.
Hess, T.B., "Phony crisis in American art," *Art News*, 62:28, Summer 1963.
Kelly, E. T., "Neo Dada: a critique of pop art," *Art Journal*, 23 No. 3:200, Spring 1964.
Lippard, Lucy, "New York Letter," *Art International*, 9 No. 3:55–6, Apr. 1965.
Magazine of Art, 40:204, "Tales of Hoffman, Review," May 1947.
Melville, R., "First London Exhibition," *Architectural Review*, 132:363, Nov. 1962.
Monte, James, "Americans 1963, San Francisco Museum of Art," *Artforum*, 3 No. 1:43–44, Sept. 1964.
Tillim, S., "John Graham and Richard Lindner," *Arts*, 36:34–7, Nov. 1961.
———— "Richard Lindner," *Aujourd'hui*, 6:26–9, Feb. 1962.
Time, 84:44, "Baal Booster," Feb. 3, 1967.

———— 83:70, "Painter of the crass crowd; show at Manhattan's Cordier and Ekstrom Gallery," Mar. 20, 1964.
Whittet, G. S., "First London Exhibition," *Studio*, 164:116, Sept. 1962.

MALCOLM MORLEY

Periodicals / Periódicos

Alloway, Lawrence, "Art as Likeness," *Arts*, 41:34–40, May 1967.
———— "The Paintings of Malcolm Morley," *Art and Artists*, 1 No. 11:16, Feb. 1967.
Art News, 63:16, "Exhibition at Kornblee Gallery," Oct. 1964.
———— 65:17, "Reviews and Previews," Feb. 1967.
Ashton, D., "First one man show at Kornblee Gallery," *Studio*, 169:25, Jan. 1965.
Glueck, Grace, "Color it Unspectacular, New York Gallery Notes," *Art in America*, 55 No. 2:102–108, Mar.-Apr. 1967.
Johnston, Jill, "New York," *Arts Canada*, 107:7, Apr. 1967.
Morrow, James R., "New York," *Art International*, 11 No. 4-59, Apr. 20, 1967.
Rose, Barbara, "New York Letter," *Art International*, 8 No. 10:47–51, Dec. 1964.
Tuten, Frederic, "Malcolm Morley," *Arts*, 41:59, Mar. 1967.
Waldman, Diane, "Reviews and Previews," *Art News*, 65:17, Feb. 1967.

LOWELL NESBITT

Exhibition Catalogs / Catálogos da Exposição

Art '65, New York World's Fair, New York. 1965. Introduction by Brian O'Doherty. Statement by the artist.
Contemporary American Painting and Sculpture 1967, Krannert Art Museum and The College of Fine and Applied Arts, University of Illinois, Urbana, Illinois. March 5–April 9, 1967. Introduction by Allen S. Weller.

Periodicals / Periódicos

Adrian, Dennis, "New York, Lowell Nesbitt, Howard Wise Gallery," *Artforum*, 5 No. 6:59, Feb. 1967.
Architectural Record, 138:318, "From X-rays to flowers to architecture to computers: a logical progression," Nov. 1965.
Artforum, 5 No. 6:58, 59, "Exhibition at Howard Wise Gallery," Feb. 1967.
Art in America, 54:46, "New Talent USA," July 1966.
Art International, 11:61, "Exhibition at Wise Gallery," Jan. 1967.
Art News, 64:65, "Exhibition at Rolf Nelson Gallery, Los Angeles," May 1965.
———— 64:13, "Exhibition at Wise Gallery," Oct. 1965.
———— 65:64, "Show at Wise Gallery," Nov. 1966.
Benedikt, Michael, "New York Letter," *Art International*, 11 No. 1:61, Jan. 20, 1967.
Congdon, K., "Art as axle grease," *Americas*, 16:12–15, Oct. 1964.
Frackman, Noel, "Super-Chair," *Art Voices*, 5 No. 4:106, Fall 1966.
Goldin, A., "Exhibition at Howard Wise Gallery," *Arts*, 40:63, Nov. 1965.

Lippard, Lucy, "New York Letter," *Art International*, 9 No. 8:42, Nov. 20, 1965.

Martin, Henry, "Flowers, Façades and IBM Machines," *Collage*, #6 Palermo, Italy, pp. 77–79.

Nemser, Cindy, "Lowell Nesbitt," *Arts*, 41 No. 3:65, Dec. 1966–Jan. 1967.

Wilson, William, "Come and See, Rolf Nelson Gallery," *Artforum*, 4 No. 2:13, Oct. 1965.

———— "Lowell Nesbitt, Rolf Nelson Gallery," *Artforum*, 3 No. 7, Apr. 1965.

CLAES OLDENBURG

Books / Livros

Amaya, Mario, *Pop Art and After*, Viking Press, New York City, 1966.

Becker, Jurgen, *Happenings, Fluxus, Pop Art*, Rowoholt Paperback Sonderband, Germany, 1965.

Blesh, Rudi, and Janis, Harriet, *Collage*, Chilton Company, Philadelphia and New York, 1962.

Hansen, Alfred E., *A Primer of Happenings and Time/Space Art*, Something Else Press, Inc., New York, 1965.

Herzka, D., *Pop Art One*, Pub. Institute of American Art, New York, 1965.

Kirby, Michael, *Happenings*, E. P. Dutton and Company, Inc., New York City, 1965.

Kranz, Kurt, *Art: The Revealing Experience*, Shorewood Publishers Inc., West Germany, 1965.

Lippard, Lucy, ed., *Pop Art*, Frederick A. Praeger Publishers, New York City, 1966.

Oldenburg, Claes, *Store Days*, Something Else Press, New York, May 1967.

Pellegrini, Aldo, *New Tendencies in Art*, Crown Publishing Company Inc., New York, 1966.

Rosenberg, Harold, *The Anxious Object*, Horizon Press, New York, 1964.

Rublowsky, John, *Pop Art*, Basic Books, Inc., New York City, 1965.

Seitz, William C., *The Art of Assemblage*, Museum of Modern Art, New York, 1961.

Exhibition Catalogs / Catálogos da Exposição

According to the Letter, Thibaut Gallery, New York City. 1963. Text by N. Calas.

A Decade of American Drawings, 1955–1965, Whitney Museum of American Art, New York City. April 28–June 6, 1965.

Americans 1963, Museum of Modern Art, New York City. 1963. Edited by Dorothy C. Miller with statements by the artists and others.

American Sculpture of the Sixties, Los Angeles County Museum, Los Angeles, California. May–June 1967.

Amerikansk Pop-konst, Moderna Museet, Stockholm, Sweden. Feb. 29–April 12, 1964. Foreword by K. G. Hultén. Essay by Alan R. Solomon, "Den nya amerikanska konsten," reprinted in Art International, VIII No. 2, Feb. 1964. Statement by Billy Kluver.

Annual Exhibition 1966, Sculpture and Prints, Whitney Museum of American Art, New York City. Dec. 16, 1966–Feb. 5, 1967.

Claes Oldenburg, Sidney Janis Gallery, New York City. 1966.

Claes Oldenburg at Sidney Janis Gallery, New York City. April 26–May 27, 1967.

Claes Oldenburg Retrospective, 1963–67, Moderna Museet, Stockholm, Sweden. Sept.–Oct., 1966. Text by Ulf Linde, "Two Contrasting Viewpoints," reprinted in *Studio International*, Dec. 5, 1966.

Dine/Oldenburg/Segal, Art Gallery of Ontario, Toronto, Ontario, Canada. Feb. 1967. Essay by Ellen H. Johnson.

New Directions in American Painting, Rose Art Museum, Brandeis University, Waltham, Massachusetts. 1963. Introductory essay by Sam Hunter.

New Forms—New Media I & II, Martha Jackson Gallery, New York City. 1960. Foreword by Martha Jackson. Articles by Lawrence Alloway and Allan Kaprow.

Pop Art, Nouveau Réalisme, etc., Palais des Beaux-Arts, Brussels, Belgium. Feb. 5–March 1, 1965. Texts by Jean Dypréau and Pierre Restany.

Pop Art U.S.A. Oakland Art Museum, Oakland, California. Sept. 7–29, 1963. Introduction by Lawrence Alloway.

Popular Art, Nelson Gallery—Atkins Museum, Kansas City, Missouri. April 28–May 26, 1963. Introductory essay by Ralph T. Coe.

Recent American Drawings, Rose Art Museum, Brandeis University, Waltham, Massachusetts. April 19–May 19, 1964. Introductory essay by Thomas H. Garver. Foreword by Sam Hunter.

Recent Still Life—Painting and Sculpture, Rhode Island School of Design, Providence, Rhode Island. Feb. 23–April 4, 1966. Essay by Daniel Robbins.

The New American Realism, Worcester Art Museum, Worcester, Massachusetts. Feb. 18–April 4, 1965. Preface by Daniel Catton Rich. Introduction by Martin Carey.

The Popular Image, Institute of Contemporary Art, London, England. Oct. 24–Nov. 23, 1963. Essay by Alan Solomon.

The Popular Image Exhibition, The Washington Gallery of Modern Art, Washington, D.C. 1963. Foreword by Alice M. Denney. Essay by Alan R. Solomon.

Periodicals / Periódicos

Adrian, Dennis, "New York, Claes Oldenburg, Sidney Janis Gallery," *Artforum*, No. 6:20–4, Feb. 1966.

Alfieri, Bruno, "The Arts Condition," *Metro 9, pp.* 5–13.

Alloway, Lawrence, "Highway Culture," *Arts*, 41 No. 4:28–33, Feb. 1967.

Amaya, Mario, "The New Super Realism," *Sculpture International*, 1:19, Jan. 1966.

Artforum, 3 No. 7:24–5, "Claes Oldenburg: Four Drawings," Apr. 1965.

———— 4 No. 9:50, "Claes Oldenburg," May 1966.

———— 4 No. 5:32–3, "Lichtenstein, Oldenburg and Warhol: A Discussion," Jan. 1966.

———— 2 No. 12:68, Reproduction, "View of Claes Oldenburg Exhibition, Dwan Gallery," Summer 1964.

Art in America, 52:100, Reproduction, "Boxer shorts in a box," June 1964.

———— 54:46, Reproduction, "Dormeyer Mixer," Sept. 1966.

———— 52:66, "56 Painters and Sculptors," Aug. 1964.

———— 52:132, Reproduction, "Flag fragment," Apr. 1964.

———— 53:54, "New Interior Decorators," June 1965.

———— 50:32–3, "New Talent USA; sculpture," 1962.

———— 51:44, Reproduction, "7-Up," Aug. 1963.

———— 51:104, Reproduction, "Stove," Feb. 1963.

Art International, 7 No. 6:71–75, " 'Americans 1963' at the Museum of Modern Art, New York," June 1963.
———— 11:50, "Exhibition at Fraser Gallery, London," Jan. 1967.
———— 7 No. 1:35, Reproduction, "Pie à la mode," Jan. 1963.
———— 6 No. 2:60, Reproduction, "Red Tights 1961," Mar. 1962.
———— 10 No. 6:114, Reproduction, "Soft Bathroom," Summer 1966.
———— 8 No. 5–6, Reproduction, "Soft Typewriter, 1963," Summer 1964.
Art News, 60:36, "Art without walls: 3 New York exhibitions," Apr. 1961.
———— 61:13, "Exhibition at Green Gallery," Nov. 1962.
———— 61:55, "Exhibition at the Green Gallery," May 1962.
———— 63:12, "Exhibition at Janis Gallery," May 1964.
———— 59:16, "Exhibition at Reuben Gallery," Summer 1960.
———— 60:47, "Exhibitions for 1961–62," Jan. 1962.
———— 62:8, "Four environments at Janis," Feb. 1964.
———— 59:45, Reproduction, "Mug," Summer 1960.
———— 60:16, "Situations and environments at Jackson Gallery," Sept. 1961.
———— 61:42, Reproduction, "Stove," Dec. 1962.
———— 59:16, "Varieties at Reuben," Feb. 1961.
Arts, 37:45, Reproduction, "Case with six pastries," Apr. 1963.
———— 40:57, "Exhibition at Janis Gallery," May 1966.
———— 34:59, "Exhibition at Judson Gallery," Dec. 1959.
———— 34:53, "Exhibition at Reuben Gallery," June 1960.
———— 38:76, Reproduction, "Model (ghost) typewriter," May 1964.
———— 38:33, Reproduction, "Soft typewriter," Sept. 1964.
———— 41:56, "In the Galleries," May 1967.
———— 41:54, "In the Museums," May 1967.
Ashbery, John, "Paris Notes," *Art International*, VII No. 6:76, June 1963.
Ashton, D., "Americans 1963 at the Museum of Modern Art," *Arts and Architecture*, 80:5, July 1963.
———— "Exhibition at Green Gallery," *Das Kunstwerk*, 16:70, Nov. 1962.
———— "Exhibition at the Green Gallery," *Studio*, 165:25, Jan. 1963.
———— "Exhibition at the Sidney Janis Gallery," *Studio*, 171:204–5, May 1966.
———— "Four environments, Exhibition at Janis Gallery," *Arts and Architecture*, 81:9, Feb. 1964.
———— "New York Letter," *Das Kunstwerk*, 16:32, Jan. 1963.
Aujourd'hui, 9:46, Reproduction, "Ice Cream Cone," Apr. 1965.
———— 8:91, Reproduction, "Model (ghost) typewriter," July 1964.
Bannard, Darby, "Present-Day Art and Ready-Made Styles," *Artforum*, 5 No. 4:30–35, Dec. 1966.
Baro, Gene, "Claes Oldenburg or The Things of This World," *Art International*, 10 No. 9:36, 40–3, Nov. 20, 1966.
———— "Gathering of Americans," *Arts*, 37:32, Sept. 1963.
———— "Oldenburg's Monuments," *Art and Artists*, 1 No. 9:28–31, Dec. 1966.
Battcock, Gregory, "In the Galleries," *Arts*, 41:56, Dec. 1966–Jan. 1967.
Bergman, Art, "Venice Artist Spotlights Commonplace Objects," *Los Angeles Times*, Nov. 11, 1963.
Berkson, W., "Exhibition at Bianchini Gallery," *Arts*, 39:59, May 1965.
Bourdon, David, "A New Direction," *The Village Voice*, Mar. 24, 1966.
———— "Claes Oldenburg," *Konstrevy*, 40:164–169, 1964.

Canadian Art, 21:20, Reproduction, "Brown Jacket," Jan. 1964.
Carluccio, L., "Alla XXXII Biennale," *Domus*, 418:61, Sept. 1964.
Coates, Robert, "The Art Galleries," *New Yorker*, Jan. 18, 1964, p. 108.
Coplans, John, "Pop Art, USA," *Artforum*, 2 No. 3:27–30, Sept. 1963.
Craft Horizons, 25:31–2, "Object still life; interview," Sept. 1965.
Das Kunstwerk, 17:14, Reproduction, "BLT," Apr. 1964.
———— 16:10, Reproduction, "mumu," Mar. 1963.
———— 19:31, "Portrait," Apr. 1966.
———— 17:9, Reproduction, "Room," Apr. 1964.
———— 18:47, Reproduction, "Soft typewriter," July 1964.
———— 18:44, Reproduction, "U.S. Flag Fragment," Oct. 1964.
Domus, No. 438:54–6, "Il laboro di Oldenburg nel suo grande studio a New York," May 1966.
———— No. 399:31, "Portrait," Feb. 1963.
———— No. 428:54, Reproduction, "Soft typewriter," Sept. 1965.
Factor, Don, "Dwan Gallery," *Artforum*, 3 No. 7:9, Apr. 1965.
———— "Drawings, Feigen/Palmer," *Artforum*, 3 No. 9:12, June 1965.
Ferebee, A., "On the move," *Industrial Design*, 11:63, Feb. 1964.
Finch, Christopher, "The object in ART," *Art and Artists*, 1 No. 2:18–21, May 1966.
France, J. A., "Exposition à Paris," *Aujourd'hui*, (9):86, Jan. 1965.
Fraser, Robert, "London: Male City," interview of Claes Oldenburg, *International Times*, Dec. 12–25, 1966.
Fried, Michael, "New York Letter," *Art International*, 6 No. 8:72–76, Oct. 25, 1962.
Fulford, Robert, "A 500 Foot Soft Drain over Toronto," *Toronto Daily Star*, Jan. 14, 1967.
Gablik, Susie, "Take a Cigarette Butt and Make It Heroic," *Art News*, 66 No. 3:30–31, May 1967.
Gassiot-Talabot, Gerald, "Lettre de Paris," *Art International*, 8 No. 10:55, Dec. 1964.
Genauer, Emily, "Art Tour, Claes Oldenburg," *New York Herald Tribune*, Mar. 12, 1966.
———— "The Large Oldenburgs and Small Van Goghs," *New York Herald Tribune*, Apr. 12, 1964.
Gendel, M., "Hugger-mugger in the giardini," *Art News*, 63:32, Sept. 1964.
Glueck, Grace, "New York Gallery Notes," *Art in America*, 3:115–116, May-June 1967.
Goldin, A., "Requiem for a gallery, the Green Gallery's rise and demise," *Arts*, 40:27, Jan. 1966.
Goodman, P., "Proposed colossal monument, Good humor for Park Avenue," *Progressive Architecture*, 47:228, June 1966.
Gosling, Nigel, "Claes Oldenburg at Robert Fraser Gallery," *Observer*, Nov. 12, 1966.
Granath, Olle, "How I Learned to Love the Tube: Reflexions Surrounding a Stockholm Visitor," *Konstrevy*, NR/5/6/1966.
Gray, C., "Remburgers and Hambrandts," *Art in America*, 51:118, Dec. 1963.
Grinke, Paul, "London Fantasies," *Financial Times*, Oct. 12, 1966.
Hale, Barrie, "Dine/Oldenburg/Segal: Who Are They? What Are They? And What Do They Want Anyway?," *The Telegram*, Toronto, Jan. 14, 1967.
Hess, T. B., "Disrespectful hand-maiden: American sculptors in the Whitney's latest survey," *Art News*, 63:69, Jan. 1965.
Irwin, D., "Pop art and surrealism," *Studio*, 171:188–90, May 1966.
Johnson, Ellen H., "Is beauty dead? 3 young Americans," *Oberlin College Bulletin*, 20 No. 2:62–5, Winter 1963.

———— "The Living Object," *Art International*, 7 No. 1:42, Jan. 1962.

Judd, D., "Exhibition at Janis Gallery," *Arts*, 38:63, Sept. 1964.

Kelly, E. T., "Neo-Dada: a critique of pop art," *Art Journal*, 23 No. 3:197–9, Spring 1964.

Kozloff, Max, "New works by Oldenburg," *Nation*, 198:455–6, Apr. 27, 1964.

———— "Pop Culture, Metaphysical Disgust and the New Vulgarians," *Art International*, 6 No. 2:34–6, Mar. 1962.

———— "The Inert and the Frenetic," *Artforum*, 4 No. 7:40–44, Mar. 1966.

Lejefors, Ann-Sofi, "One Really Should Make a Large Asparagus Field Here," *Idun Vecko Journalen*, Sept. 23, 1966.

Lerman, Leo, "The Village Idea," *Mademoiselle*, pp. 70–71, June 1962.

Linde, Ulf, "Two Contrasting Viewpoints," *Studio*, Dec. 5, 1966.

Lippard, Lucy R., "An Impure Situation (New York and Philadelphia Letter)," *Art International*, 10 No. 7:39–42, Sept. 1966.

Lynton, Norbert, "London Letter," *Art International*, 11 No. 1:50–51, Jan. 1967.

Mademoiselle, 57:234–5, "So, they say; interview," Aug. 1963.

Marmer, Nancy, "Los Angeles Letter," *Art International*, 9 No. 4:44–5, May 1965.

Melville, Robert, "Common Objects," *New Statesman*, Nov. 25, 1966.

Monte, James, "Americans 1963, San Francisco Museum of Art," *Artforum*, 3 No. 1:43–44, Sept. 1964.

Museum of Modern Art, 29 No. 2–3:48, Reproduction, "Red tights," 1962.

Newsweek, 67:100, "Big-city boy; show at New York's Janis Gallery," Mar. 21, 1966.

New York Times, 19:1, "Claes Oldenburg—One Man Show," Apr. 12, 1964.

———— 32:1, "Claes Oldenburg—One Man Show," Apr. 7, 1965.

———— 23:1, "Claes Oldenburg—One Man Show," Mar. 12, 1966.

Nordland, Gerald, "Marcel Duchamp and Common Object Art," *Art International*, 8 No. 1:30–32, Feb. 15, 1964.

Oeri, G., "Object of art," *Quadrum*, No. 16:4–6, 1964.

Oldenburg, Claes, "Afterthoughts," *Konstrevy*, NR 5/6/1966.

———— "America: War and Sex, Etc.," *Arts*, 41 No. 8:32–38, Summer 1967.

———— "Jackson Pollock: An Artist's Symposium, Part 2," *Art News*, 66 No. 3:27, May 1967.

———— "Premières Oeuvres," *Metro 9*, 1965.

———— "London: Male City," *International Times*, Dec. 12–25, 1966.

———— "Sticklike and drooping," *The Listener*, Dec. 22, 1966.

Picard, Lil, "Soft Imitations of Hard Objects," *Voyeu Rama*, *The East Village Other*, New York, Apr. 1–15, 1966.

Pincus-Witten, Robert, "The Transformation of Daddy Warbucks," *Chicago Scene*, Apr. 1963.

Preston, S., "Show at Green Gallery," *Burlington Magazine*, 104:508, Nov. 1962.

Progressive Architecture, 47:178, "Soft in the head: set of bathroom facilities in the show at Sidney Janis Gallery," July 1966.

Ragon, Michel, "Oldenburg, un Art Alimentaire," *Arts*, Oct. 28, 1964.

Reichardt, T., "Bridges and Oldenburg," *Studio*, 173 No. 885:2–3, Jan. 1967.

Restany, P., "Claes Oldenburg 1965 e i disegnidi 'monumenti giganti' per New York, (text in French)," *Domus*, No. 433:50–3, Dec. 1965.

———— "Une personalité-charnière de l'art américain: Claes Oldenburg," *Metro 9*, 20–26, Milan, Apr. 1965.

———— "Une tentative américaine de synthèses de l'information artistique: les Happenings," *Domus*, No. 405:35–42, Aug. 1963.

Roberts, C., "Les expositions à New York," *Aujourd'hui*, 8:96, Jan. 1964.

———— "Lettre de New York," *Aujourd'hui*, 7:50, Nov. 1962.

Robertson, Bryan, "Claes Oldenburg at Robert Fraser," *Spectator*, Feb. 12, 1966.

———— "Claes Oldenburg at Robert Fraser," *Times*, Dec. 12, 1966.

Rose, Barbara, "New York Letter," *Art International*, 8 No. 352–56, Apr. 1964.

———— "Claes Oldenburg's Soft Machines," *Artforum*, 5 No. 10:30–35, Summer 1967.

———— "New York Letter," *Art International*, 8 No. 5–6:77–81, Summer 1964.

Rosenberg, Harold, "The Art Galleries," *New Yorker*, Nov. 1962, p. 166.

Rosenstein, H., "Climbing Mt. Oldenburg," *Art News*, 64:21–5, Feb. 1966.

Rudikoff, Sonya, "New York Letter," *Art International*, 6 No. 9:60–62, Nov. 1962.

Russell, John, "London," *Art News*, 65 No. 10:58, Feb. 1967.

Sandberg, John, "Some Traditional Aspects of Pop Art," *Art Journal*, XXVI No. 3:228–231, Spring 1967.

———— "New York Letter," *Quadrum*, No. 14:118–19, 1963.

Sandler, Irving, "New York Letter," *Art International*, 4 No. 8:28–30, Oct. 25, 1960.

Schlanger, J., "Extension of drawing, sculpture, time and life; at New York Janis Gallery," *Craft Horizons*, 26:88–90, June 1966.

Scottsass, E., Jr., "Soft typewriter 1963," *Domus*, No. 416:48, July 1964.

Seckler, D. G., "Audience in his medium," *Art in America*, 51:62–7, Apr. 1963.

———— "Folklore of the Banal," *Art in America*, 50:56–61, Winter 1962.

Show, "Which Twin is the Phony?," Feb. 1963, p. 88–90.

Solomon, Alan R., "American Art Between Two Biennales," *Metro 11*, p. 25–35.

———— "The New American Art," *Art International*, 8 No. 2:50–55, Mar. 1964.

Spencer, Charles S., "An Artist Who Paints Object with Souls," *New York Times*, International Edition, Dec. 5, 1966.

Studio, 168:154, Reproduction, "BLT," Apr. 1965.

Sutton, Keith, "Galleries, Claes Oldenburg at Robert Fraser," *London Life*, Oct. 12, 1966.

Swenson, G. R., "The Boundaries of Chaos," *Art and Artists*, 1 No. 1:60–63, Apr. 1966.

Time, "Art In New York," Mar. 18, 1966.

Times, "Claes Oldenburg's First London Exhibition," Dec. 12, 1966.

Tulane Drama Review, 10:84–93, "Fotodeath," Winter 1965.

———— 10:84–93, "Washes," Winter 1965.

Von Meier, Kurt, "San Francisco—Los Angeles Letter," *Art International*, 10 No. 7:39–42, Sept. 1966.

Werk, 52:sup 232, "Doax telephone," Oct. 1965.

———— 52:sup 138, Reproduction, "Patisserie," June 1965.

———— 51:sup 190, Reproduction "Soft typewriter," Aug. 1964.

Willard, C. W., "Drawing today," *Art in America*, 52:51, Oct. 1964.

Willard, Charlotte, "In the Art Galleries—The Language of Color," *New York Post*, Mar. 20, 1966.

JOE RAFFAELE

Exhibition Catalog / Catálogo da Exposição

Contemporary American Painting and Sculpture, 1967, Krannert Art Museum, College of Fine and Applied Arts, University of Illinois, Urbana, Illinois. March 5-April 9, 1967. Introduction by Allen S. Weller.

Periodicals / Periódicos

Alloway, Lawrence, "Art as Likeness," *Arts*, 41 No. 7, May 1967.

Art in America, 54:34, "New Talent USA," July 1966.

Art International, 10:62, "Exhibition at Stable Gallery," Dec. 20, 1966.

Art News, 62:17, "Exhibition at D'Arcy Gallery," Mar. 1963.
—— 62:48, "Exhibition at D'Arcy Gallery," Nov. 1963.
—— 64:18, "Exhibition at Stable Gallery," Sept. 1965.
—— 66:39, "The Way-Out West: Interviews with 4 San Francisco Artists," Summer 1967.
—— 65:64, "Show at Stable Gallery," Nov. 1966.

Arts, 40:60, "Exhibition at Stable Gallery," Dec. 1965.
—— 41:50-52, "Los Angeles: Subversive Art," May 1967.

Ashton, D., "Photographic image at the Guggenheim," *Studio*, 171:115, Mar. 1966.

Benedikt, Michael, "New York Letter," *Art International*, 9 No. 8:44-5, Nov. 20, 1965.

Brown, Gordon, "Art Trends," *Arts*, 41:49, Nov. 1966.

Canaday, John, Reviews, *New York Times*, Oct. 15, 1966.

Gruen, John, "What Painters See in Photographs," *New York World Journal Tribune*, Oct. 23, 1966.

Judd, D., "Exhibition at D'Arcy Gallery," *Arts*, 37:61, Apr. 1963.

Mellow, James R., "New York Letter," *Art International*, 10 No. 3:59-69, Mar. 1966.
—— "New York Letter," *Art International*, 10 No. 10:61-64, Dec. 1966.

New York Herald Tribune, "Art tour of the Galleries," Oct. 2, 1965.

Pincus-Witten, Robert, "A conversation with Joe Raffaele," *Artforum*, 5 No. 4:20-1, Dec. 1966.
—— "New York," *Artforum*, 4 No. 4:51, Dec. 1965.

Raffaele, Joe, "Subversive Art: An Interview with Peter Saul," *Arts*, May 1967.

Rose, Barbara, "New York Letter," *Art International*, 7 No. 9:65, Dec. 1963.

Swenson, Gene, "Paint, Flesh, Vesuvius," *Arts*, 41:33, Nov. 1966.

Wilson, William, "In the Franciscan Mood," *Art and Artists*, Sept. 1966, p. 23.

Vogue, "People are Talking About," Feb. 15, 1966, p. 104.

ROBERT RAUSCHENBERG

Books / Livros

Amaya, Mario, *Pop Art and After*, Viking Press, New York, 1966.

Ashton, Dore, *The Unknown Shore: A View of Contemporary Art*, Atlantic Monthly Press, Boston, 1962.

Becker, Jurgen, *Happenings, Fluxus, Pop Art*, Rowoholt Paperback Sonderband, Germany, 1965.

Blesh, Rudi and Janis, Harriet, *Collage*, Chilton Company, Philadelphia and New York, 1962.

Elsen, Albert E., *Purposes of Art*, Holt, Rinehart and Winston, Inc., New York, 1962.

Friedman, B.H., *School of New York: Some Younger Artists*, Grove Press, Inc., New York, 1959.

Geldzahler, Henry, *American Painting in the Twentieth Century*, Metropolitan Museum of Art, New York, 1965.

Goodrich, Lloyd, *Three Centuries of American Art*, Frederick A. Praeger Publishers, New York, 1966.

Hansen, Alfred E., *A Primer of Happenings and Time/Space Art*, Something Else Press, Inc., New York, 1965.

Hayes, Bartlett, *American Drawings*, Shorewood Publishers, New York, 1965.

Illustrations for Dante's Inferno, by Robert Rauschenberg, Commentary by Dore Ashton and Robert Rauschenberg, Harry N. Abrams, Inc., New York, 1963.

Kranz, Kurt, *Art: The Revealing Experience*, Shorewood Publishers, Inc., West Germany, 1965.

Lippard, Lucy, ed., *Pop Art*, Frederick A. Praeger Publishers, New York City, 1966.

Meyers, David, *School of New York*, Evergreen Gallery Books Number 12, New York, 1959.

Nordless, Lee, ed., *Art:USA Now*, C. J. Bucher, Lucerne, 1962

Pellegrini, Aldo, *New Tendencies In Art*, Crown Publishing Company Inc., New York, 1966.

Rodman, Selden, *The Insiders*, Louisiana State University Press, Baton Rouge, 1960.

Rosenberg, Harold, *The Anxious Object*, Horizon Press, New York, 1964.

Seitz, William C., *The Art of Assemblage*, The Museum of Modern Art, New York, 1961.

Seuphor, Michel, *Abstract Painting*, Harry N. Abrams, Inc., New York, 1962.

Tomkins, Calvin, *The Bride and the Bachelors, The Heretical Courtship in Modern Art*, Viking Press, New York, 1965.

Exhibition Catalogs / Catálogos da Exposição

Abstract Drawings and Watercolors: U.S.A., International Council of the Museum of Modern Art, traveling exhibition for Latin American countries. 1961–1963.

According to the Letter, Thibaut Gallery, New York City. 1963. Text by Nicolas Calas.

A Decade of American Drawings, 1955–1965, Whitney Museum of American Art, New York City. April 28–June 6, 1965.

American Abstract Expressionists and Imagists, Solomon R. Guggenheim Museum, New York City. 1961.

66th American Annual Exhibition, The Art Institute of Chicago, Chicago, Illinois. Jan. 11–Feb. 10, 1963. Foreword by A. James Speyer.

American Art Since 1950, Brandeis University and Institute of Contemporary Art, Boston, Massachusetts. 1962. Preface by Sam Hunter.

64th American Exhibition, The Art Institute of Chicago, Chicago, Illinois. 1961. Foreword by John Maxon.

American Vanguard, Solomon R. Guggenheim Museum, New York City, and U.S. Information Agency, Washington, D.C., traveling exhibition to Vienna, Salzburg, Belgrade, Skoplje, Zagreb, Maribor, Ljubljana, Kijeka, London and Darmstadt. 1961.

Amerikanische Zeichnungen, Stadtische Kunstsammlungen, Bonn, Germany, (International Council of the Museum of Modern Art, New York) 1962.

Annual Exhibition 1961—Contemporary American Painting, Whitney Museum of American Art, New York City. 1961.

BIBLIOGRAPHY / BIBLIOGRAFÍA GERAL

1965 Annual Exhibition of Contemporary American Painting, Whitney Museum of American Art, New York City. 1965.

Annual Exhibition 1962 Sculpture and Drawings, Whitney Museum of American Art, New York City. 1962.

Annual Exhibition 1966, Sculpture and Prints, Whitney Museum of American Art, New York City. 1966.

Art 1963—A New Vocabulary, Arts Council of the YM/YWHA, Philadelphia, Pennsylvania. Oct. 25–Nov. 7, 1962. Statements by the artists.

Art and Writing, Stedelijk Museum, Amsterdam, The Netherlands. 1963. Also seen at Baden, Staatlichen Kunsthalle.

Arte de America y España, Instituto de Cultura Hispanica de Madrid, Madrid, Spain. Texts by Gregorio Maranon, José Pedro Argul, José de Castro Arines, Alexandre Cirici-Pellicer.

Art Since 1950, Seattle World's Fair, Seattle, Washington. 1962.

Artists of the New York School: Second Generation, The Jewish Museum, New York City. 1957.

Bewogen Beweging, Stedelijk Museum, Amsterdam, Netherlands. 1961.

Contemporary American Painting, Columbus Gallery of Fine Arts, Columbus, Ohio. 1960. Introduction by Tracy Atkinson.

Contemporary American Painting, Kresge Art Center, Michigan State University, East Lansing, Michigan. 1961.

Dessins Américains Contemporains, Centre Culturel Américain, (International Council of the Museum of Modern Art, New York) Paris, France. 1962.

Dibujos Acuarelas Abstractos USA, Caracas; Santiago; Quito; Guayaquil; Rio de Janeiro; São Paulo; Montevideo. (International Council of the Museum of Modern Art, New York City) 1962.

Drawing &, The University Art Museum, Austin, Texas, Feb. 6–March 15, 1966. Foreword by Donald B. Goodall. Introduction by Mercedes Matter.

DYLABY Dynamisch Labyrint, Stedelijk Museum, Amsterdam, The Netherlands. 1962.

4 Amerikanare, Moderna Museet, Stockholm, Sweden. 1962. Foreword by K. G. Hultén.

4 Amerikaner, Berne Kunsthalle, Bern, Switzerland. 1962. Foreword by Harold Szeeman.

Four Germinal Painters, United States of America, XXXII International Biennial Exhibition of Art, Venice, 1964. Venice, Italy. 1964. Text by Alan R. Solomon. Published by the Jewish Museum, New York.

International Surrealist Exhibition, D'Arcy Galleries, New York City. 1960.

L'Exposition Internationale du Surréalisme, Galerie Daniel Cordier, Paris, France. 1961.

Le Nouveau Réalisme—à Paris et à New York, Galerie Rive Droite, Paris, France. 1961. Text by Pierre Restany.

Master Drawings—Pissarro to Lichtenstein, Contemporary Arts Center, Cincinnati, Ohio. Feb. 7–26, 1966. Introduction by William Albers Leonard.

My Country 'Tis of Thee, Dwan Gallery, Los Angeles, California. Nov. 18–Dec. 15, 1962. Introduction by Gerald Nordland.

69th Nebraska Art Association Annual Exhibition, University of Nebraska Art Galleries, Lincoln, Nebraska. 1959.

New Media–New Forms I & II, Martha Jackson Gallery, New York City. 1960.

Nieuwe Realisten, Haags l'Aja Gemeentemuseum, The Hague, The Netherlands. June 24–Aug. 30, 1964. Text by L. J. F. Wijsenbeck, Jasia Reichardt, Pierre Restany, W.A.L. Beeren.

Out of the Ordinary, Contemporary Arts Association of Houston, Houston, Texas. 1959.

Painters Who Search for New Art Forms, Morse Gallery of Art, Rollins College, Winter Park, Florida. 1960.

Pop Art, Nouveau Réalisme, etc., Palais des Beaux-Arts, Brussels, Belgium. Feb. 5–March 1, 1965. Texts by Jean Dypréau and Pierre Restany.

Rauschenberg, Galleria dell'Ariete, Milan, Italy. 1961. Text by Gillo Dorfles.

Rauschenberg, Ileana Sonnabend Gallery, Paris, France. 1963. Text by Lawrence Alloway, John Cage, Françoise Choay, Gillo Dorfles, Alain Jouffroy, André Parinaud, Michel Ragon.

Robert Rauschenberg, Jewish Museum, New York City. 1963. Text by Alan R. Solomon.

Robert Rauschenberg, Whitechapel Gallery, London, England. 1964. Text by Henry Geldzahler, John Cage, Max Kozloff.

Robert Rauschenberg: Paintings 1953–1964, Walker Art Center, Minneapolis, Minnesota. May 3–June 6, 1965. Text by Dean Swanson.

Rorelse I Konsten, Moderna Museet, Stockholm, Sweden. 1961.

Six Decades of American Painting of the Twentieth Century, Des Moines Art Center, Des Moines, Iowa. 1960.

Six Painters and the Object, Solomon R. Guggenheim Museum, New York City. March 14–June 12, 1963. Text by Lawrence Alloway.

Sixteen Americans, Museum of Modern Art, New York City. Dec. 16, 1959–Feb. 14, 1960. Edited by Dorothy C. Miller with statements by the artists and others.

The Art of Things, Jerrold Morris International Gallery, Toronto, Ontario, Canada. 1963.

The Ascendancy of American Painting, Columbia Museum of Art, Columbia, South Carolina. 1963.

The First Five Years, The Whitney Museum of American Art, New York City. May 16–June 17, 1962.

The 1958 Pittsburgh Bicentennial International Exhibition of Contemporary Painting and Sculpture, Carnegie Institute, Pittsburgh, Pennsylvania. 1958. Introduction by Gordon Washburn.

The Popular Image, Institute of Contemporary Art, London, England. Oct. 24–Nov. 23, 1963. Essay by Alan Solomon.

The Popular Image Exhibition, Washington Gallery of Modern Art, Washington, D.C. April 18–June 2, 1963. Foreword by Alice M. Denney. Essay by Alan R. Solomon.

The U.S. Representation at V Bienal of the Museum of Modern Art, São Paulo, São Paulo, Brazil. 1959. Introduction by Sam Hunter. Published by Minneapolis Institute of Arts, Minneapolis, Minnesota.

The Whitney Review, 1962–63, Whitney Museum of American Art, New York City. 1963.

Periodicals / Periódicos

Albright-Knox Gallery Notes, 28:20, Reproduction, "Ace," Mar. 1965.

Alfieri, Bruno, "A Critic's Journal," *Metro 10*, pp. 4–13.

Alloway, Lawrence, "Assembling a World between Art and Life," *The Second Coming*, 1 No. 4:50, June 1962.

———— "World is a Painting: Rauschenberg," *Vogue*, 146:100–3, Oct. 15, 1965.

Amaya, Mario, "The New Super Realism," *Sculpture International*, 1:14, Jan. 1960.

Apollo, ns 78:279, Reproduction, "Double Feature," Oct. 1964.

———— LXXXII No. 43 (ns): clix, Reproduction, "Express," Sept. 1965.

Jouffroy, A., "Barge: poème d'Alain Jouffroy sur un tableau de Rauschenberg: with English translation," *Quadrum*, No. 15:99–106, 1963.
———— "Collages et objets: un Nouveau Futurisme en Gestation," *Domus*, No. 398:43, Jan. 1963.
———— "Rauschenberg ou le delic mental," *Aujourd'hui*, No. 38:22-23, Sept. 1962.
———— "Robert Rauschenberg," *Oeil*, No. 113:28–35, May 1964.
———— "Une révision moderne du sacré," *XXe Siècle*, No. 36:96–7, Dec. 1964.
Judd, D., "Exhibition at Castelli Gallery," *Arts*, 36:39, Jan. 1962.
———— "Exhibition at Castelli Gallery," *Arts*, 38:60, Dec. 1963.
———— "Exhibition at Jewish Museum" *Arts*, 32:103-4, May 1963.
———— "Six Painters and the Object at the Guggenheim," *Arts*, 37:108, May 1963.
Kaprow, A., "Experimental Art," *Art News*, 65:63, Mar. 1966.
Kelly, E. T., "New-Dada: a Critique of Pop Art," *Art Journal*, No. 3:200, Spring 1964.
Kostelanetz, R., "Artist as Playwright and Engineer," *New York Times Magazine*, Oct. 9, 1966, p. 32-3.
Kozloff, Max, "Art," *Nation*, 197:402–3, Dec. 7, 1963.
———— "New York Letter," *Art International*, VI No. 2:57–65, Mar. 1962.
———— "New York Letter," *Art International*, VII No. 10:33, Jan. 1964.
———— "The Inert and the Frenetic," *Artforum*, 4 No. VII, Mar. 1966.
———— "The Many Colorations of Black and White," *Artforum*, 2 No. 8:22, Feb. 1964.
Kramer, Hilton, "Art and the Found Object," "Beyond Painting," *Arts*, 33 No. 5:48, Feb. 1959.
Krauss, Rosalind, "Boston Letter," *Art International*, 8 No. 9:42-43, Nov. 1964.
Lazzaro, S., "La XXXII Biennale de Venise," *XXe Siècle*, ns 26: (112), Dec. 1964.
Legrand, F. C., "La Peinture et la Sculpture au Defi," *Quadrum*, No. 7:26, 1959.
Lerman, L., "New Old Masters," *Mademoiselle*, 60:120-3, Feb. 1965.
Life, 59:44–9, "Modern Inferno," Dec. 17, 1965.
———— 51:66-7, "Patchwork of Oddments from Daily Life," Nov. 24, 1961.
Linde, Ulf, "Rauschenbergsomingres," *Meddelande Till Moderna Museets Vaaner*, Stockholm, 1962, pp. 2–15.
Lippard, Lucy R., "New York Letter, April–June 1965," *Art International*, IX No. 6:57, Sept. 20, 1965.
———— "Total Theatre?," *Art International*, XI No. 1:39–44, Jan. 1967.
Location, 1 No. 1:27–31, "Random Order," Spring 1963.
Lord, J. Barry, "Pop Art in Canada," *Artforum*, II No. 9:28–31, Mar. 1964.
Lucie-Smith, Edward, "Saying No," *New Statesman*, London, Jan. 26, 1962, p. 137.
Lynton, Norbert, "London Letter," *Art International*, VIII No. 3: 73–78, Apr. 1964.
Macorini, E., "Le Illustrazioni di Rauschenberg per L'Inferno di Dante," *Domus*, No. 431:41–7, Oct. 1965.
Magloff, Joanna C., "Directions—American Painting, San Francisco Museum of Art," *Artforum*, II No. 5:43–44, Nov. 1963.
Marmer, Nancy, "Los Angeles Letter," *Art International*, IX No. 5:41, June 1965.

———— "Robert Rauschenberg, Dwan Gallery," *Artforum*, 3 No. 9:11, June 1965.
McDonagh, D., "Unexpected Assemblage!," *Dance Magazine*, 39:42–5, June 1965.
McMullen, Roy, "L'Ecole de New York: des Concurrents dangereux," *Connaissance des Arts*, Sept. 1961, p. 33.
Melville, R., "American Vanguard Show in London," *Architectural Review*, 131:358, May 1962.
———— "Retrospective at Whitechapel," *Architectural Review*, 135:291–2, Apr. 1964.
Meyers, John B., "The Impact of Surrealism on the New York School," *Evergreen Review*, 4 No. 12:75–85, Mar. 1960.
Michelson, Annette, "Paris Letter," *Art International*, VII No. 4 4:71, Apr. 1963.
———— "The 1964 Venice Biennale," *Art International*, VIII No. 7:38–40, Sept. 1964.
Milwaukee Journal, 5:6, "Leader of the Pop Bottle School," Milwaukee, Wisconsin, May 29, 1960.
Morris, Alice S., "The Art of the Absurd," *Harper's Bazaar*, May 1962, p. 137.
Murrow, Edward R., "Why Export Culture?," *Art in America*, No. 4:84–87, Winter 1962.
Neugass, F., "New Records for Abstract Art," *Arts*, 39:22, Feb. 1965.
Newsweek, 51:94, "Trend to the Anti-art," Mar. 31, 1958.
New York Times, 19:2, "Biennial of Contemporary American Painting (Corcoran Gallery, Washington, D. C.): Robert Rauschenberg Wins First Prize," Feb. 26, 1965.
———— 19:1, "Biennial of Contemporary American Painting (Corcoran Gallery, Washington, D. C.): Robert Rauschenberg Wins First Prize," Review, Feb. 28, 1965.
———— VI "Career," Oct. 9, 1966, p. 32.
———— 33:1, "First New York Theater Rally Presents Series of Avant-Garde Events Including Work Choreographed by Robert Rauschenberg in which fifteen Turtles Take Part," May 13, 1965.
———— 15:1, "Interview: portrait," June 6, 1965.
———— 39:4, "Jury of 100 French Notables Names 10 Greatest Painters of Past 20 years: Robert Rauschenberg, American, Tops List," June 24, 1965.
———— 23:5, "Rauschenberg Wins First Prize for Foreign Painting; Venice Biennial," June 20, 1964.
———— 13:5, "Robert Rauschenberg—One Man Show (Jewish Museum)," Apr. 28, 1963.
———— 4:8, "Robert Rauschenberg Painting Found to be Hung Upside Down, Manchester, England Gallery," Aug. 7, 1965.
———— 28:2, "Robert Rauschenberg (U.S.) Wins First Prize," June 28, 1963.
———— 30:2, "Solomon reports 8 Painters Including Robert Rauschenberg and Jasper Johns chosen to Represent U.S.; Venice Biennial," Apr. 3, 1964.
Nordland, G., "Neo-Dada goes West," *Arts*, 36:102, May 1962.
O'Doherty, Brian, "Nine Armored Nights," *Art and Artists*, 1 No. 9:14–17, Dec. 1966.
Oeil, No. 112:18, "Trophée pour Marcel Duchamp," Apr. 1964.
———— No. 89:107, Reproduction, "Winterpool," May 1962.
O'Hara, Frank, "Reviews and Previews," *Art News*, 53 No. 9:47, Jan. 1955.
Parinaud, André, "Un 'Misfit' de la Peinture New-Yorkaise se Confesse," *Arts*, 821:18, May 10, 1961.
Plagens, Peter, "Present-Day Styles and Ready-Made Criticism," *Artforum*, 5 No. 4:36–39, Dec. 1966.

Porter, F., "Art: Exhibition at Castelli," *The Nation*, 190:371–2, Apr. 23, 1960.

Preston, Stuart, "Cards of Identity," *New York Times*, Art X 17, Dec. 11, 1960.

Print, 13:31–2, "How Important is Surface to Design?", Jan. 1959.

———— 11:27, "Robert Rauschenberg," Feb. 1957.

Prometheus, (Makler Gallery, Philadelphia), "The Directions of Painting in 1962–63," Feb. 1963, p. 3.

Publishers' Weekly, 189:106–7, "New Techniques and Images Illustrate Abrams Inferno," Apr. 4, 1966.

Quadrum, No. 17:21, Reproduction, "Bicyclette," 1965.

———— No. 14:165, Reproduction, "Exil," 1963.

———— 20:158, Reproduction, "Sleep for Yvonne Ranier," 1966.

———— 20:18, Reproduction, "White Collage," 1966.

Ragon, Michel, "Art Today in the United States," *Cimaise*, VI No. 3:29, Jan.-Feb.-Mar. 1959.

———— "Expositions: L'Avant Garde," *La Côte*, May, 1961, p. 7.

Raworth, T., "Exhibition of Paintings, Drawings at Whitechapel Gallery," *Das Kunstwerk*, 17:30, Mar. 1964.

Restany, P., "Die Beseeling des Objektes," *Das Kunstwerk*, XV No. 1–2, July 1961.

———— "Ens 50 Ans Paris a Fait de New York la Seconde Capitale de l'Art Moderne," *Galerie des Arts*, Paris, Feb. 1963, pp. 14–16.

———— "La V Biennale Internazionale dell'incisione a Lubiana," *Domus*, No. 405:42, Aug. 1963.

———— "La XXXII Biennale di Venezia, Biennale della irregolarita," *Domus*, No. 417:30, Aug. 1964.

———— "The New Realism," *Art in America*, 51 No. 1:103–104, Feb. 1963.

Revel, J. F., "XXXIIe Biennale de Venise: triomphe du 'réalisme nationaliste,'" *Oeil*, No. 115–116:2–3, July–Aug. 1964.

Richardson, J. A., "Dada, camp and the mode called Pop," *Journal of Aesthetics and Art Criticism*, 24 No. 4:555, Summer 1966.

Roberts, K., "Exhibition at the Whitechapel Gallery," *Burlington Magazine*, 106:137–8, Mar. 1964.

Rose, Barbara, "Dada Then and Now," *Art International*, VII No. 1:23–28, Jan. 25, 1963.

———— "Pop Art at the Guggenheim," *Art International*, VII No. 5:20–22, May 1963.

———— "The Second Generation," *Artforum*, 4 No. 1:53–63, Sept. 1965.

Rosenberg, Harold, "The Art Galleries: The Game of Illusion," *The New Yorker*, Nov. 24, 1962, pp. 161–7.

Rothenstein, Michael, "Look No Hands," *Art and Artists*, 1 No. 12:13–14, Mar. 1967.

Rubin, W., "Younger American Painters," *Art International*, IV No. 1:24–31, 1960.

Rykwert, J., "Exhibition at Whitechapel Art Gallery," *Domus*, No. 413:49, Apr. 1964.

Saisselin, R. G., "Bride and the Bachelors: the heretical courtship in Modern Art, by C. Tompkins," *Journal of Aesthetics and Art Criticism*, No. 1:112–3, Fall 1966.

Sandler, Irving, "Ash Can Revisited, A New York Letter," *Art International*, IV No. 8:28, Oct. 25, 1960.

———— "New York Letter," *Art International*, IV No. 8:28–30, Oct. 25, 1960.

———— "New York Letter," *Art International*, V No. 3:38, Apr. 5, 1961.

Sawyer, K., "Exhibition at the Leo Castelli Gallery," *Craft Horizons*, 22:53, May 1962.

Schneider, P., "Exhibition at Gallerie Illeana Sonnabend," *Art News*, 62:48, Apr. 1963.

Schoenberger, Gualtiero, "Les Expositions à Milan, Robert Rauschenberg," *Art International*, V No. 10:65, Christmas 1961.

Schultze, "Where is American Painting Going?" *WMFT Perspective*, II:18, Chicago, July 1962.

Seckler, D. G., "Artist Speaks: taped talks with American artists; with photographs by U. Mulas," *Art in America*, 54:72–85, May 1966.

———— "Start of the Season—New York," *Art in America*, 49 No. 3:84–6, 1961.

Seldis, Henry J., "Art of Assemblage—The Power of Negative Thinking," *Los Angeles Times*, Mar. 18, 1962, p. 26.

Smith, Barbara, "Director's Choice, Pasadena Art Museum," *Artforum*, II No. 8:10, Feb. 1964.

Solomon, Alan, "American Art Between Two Biennales," *Metro 11*, pp. 25–35.

Steinberg, Leo, "Contemporary Group at Stable Gallery," *Arts*, 30 No. 4:46, Jan. 1956.

Studio, 169:145, Reproduction "Retroactive," Apr. 1965.

Svenska Dagbladet, "Konstverk med getluckt," Stockholm, Mar. 17, 1962, pp. 1, 13.

Swenson, G. R., "Rauschenberg Paints a Picture," *Art News*, 62:44–7, Apr. 1963.

Time (Atlantic Edition), "Art," July 6, 1962, p. 41.

———— "Art: The Emperor's Combine," Apr. 18, 1960.

———— "Most Happy Fella," Sept. 18, 1964.

———— "Pop Goes the Biennale," July 3, 1964.

Tompkins, C., "Profiles," *New Yorker*, 40:39–40, Feb. 29, 1964.

———— "Profiles: moving out," *New Yorker*, 40 No. 2:30, 105, Feb. 29, 1964.

Tono, Yoshiaki, "From a Gulliver's Point of View," *Art in America*, No. 2:54–58, 1960.

———— "R. Rauschenberg, or 'Inferno' in New York," *Mizue*, 638:42–56, Tokyo, Feb. 1962.

Ventura, A., "Survey of the use of the human forms in art through the ages at three San Francisco Museums," *Arts*, 39:77, Jan. 1965.

Vivaldi, Cesare, "Le Rassegne dell' Arte," *Almanacco Letterario Bompiani*, Dec. 1961, pp. 250, 255.

Vogue, 149:111, "Books," Mar. 1967.

Waldman, D., "Cornell: the compass of boxing," *Art News*, 64:50, Mar. 1965.

Wallis, N., "Art of the possible," *Spectator*, 212:214, Feb. 14, 1964.

Werk, 49: sup 209, "Ausstellung in Bern," Sept. 1962.

———— 51: sup 217, Reproduction, "Retroactive," Sept. 1964.

———— 49:291, Reproduction, "Satellite," Aug. 1962.

———— 51: sup 190, Reproduction, "Time Painting Number 3," Aug. 1964.

Wescher, Herta, "Die Neuen Realisten und ihre Vorläufer," *Werk*, No. 8:291–300, Aug. 1962.

Whitman, Simone, "Theater and Engineering—An Experiment—Notes by a participant," *Artforum*, V No. 6:26–30, Feb. 1967.

Whittet, G. S., "Exhibition at the Whitechapel Art Gallery," *Studio*, 167:158–9, Apr. 1964.

———— "Sculpture scoops the lagoon: XXXII Biennale at Venice," *Studio*, 168:97, Sept. 1964.

Woldheim, R., "Minimal art," *Arts*, 39:26–32, Jan. 1965.

Zerner, H., "Universal limited art editions," (text in French), *Oeil*, No. 120:37, Dec. 1964.

Zevi, B., "Architettura e pop-art," *Architettura*, 10:574–5, Jan. 1965.

JAMES ROSENQUIST

Books / Livros

Amaya, Mario, *Pop Art and After*, Viking Press, New York City, 1966.

Herzka, D., *Pop Art One*, Pub. Institute of American Art, New York, 1965.

Lippard, Lucy, ed., *Pop Art*, Frederick A. Praeger Publishers, New York City, 1966.

New York International, Tanglewood Press, New York, 1966.

Pellegrini, Aldo, *New Tendencies in Art*, Crown Publishing Company, Inc., New York, 1966.

Rublowsky, John, *Pop Art*, Basic Books Inc., New York, 1966.

Exhibition Catalogs / Catálogos da Exposição

American Pop Art, Stedelijk Museum, Amsterdam, The Netherlands. June 22–July 26, 1964. Essay, "De Nieuwe Amerikaanse Kunst," by Alan Solomon, reprinted from *Amerikansk Popkonst*, Moderna Museet, Stockholm.

Americans 1963, Museum of Modern Art, New York City. 1963. Edited by Dorothy C. Miller with statements by the artists.

Amerikanst Pop-konst, Moderna Museet, Stockholm, Sweden. Feb. 29–April 12, 1964. Foreword by K. G. Hultén. Essay by Alan R. Solomon, "Den nya amerikanska konsten," reprinted in *Art International*, 8 No. 2, Feb. 1964. Statement by Billy Kluver.

Annual Exhibition 1966, Sculpture and Prints, Whitney Museum of American Art, New York City. Dec. 16, 1966 – Feb. 5, 1967.

Contemporary American Painting and Sculpture 1967, Krannert Art Museum and The College of Fine and Applied Arts, University of Illinois, Urbana, Illinois. March 5–April 9, 1967. Introduction by Allen S. Weller.

My Country 'Tis of Thee, Dwan Gallery, Los Angeles, California. Nov. 16–Dec. 15, 1962. Introduction by Gerald Nordland.

Painting and Sculpture of a Decade 54/64, Tate Gallery, London, England. April 22–June 28, 1964.

Pop Art USA, Oakland Art Museum, Oakland, California. Sept. 7–29, 1963. Essay by John Coplans.

Popular Art, Nelson Gallery – Atkins Museum, Kansas City, Missouri. April 28–May 26, 1963. Introductory essay by Ralph T. Coe.

Six Painters and the Object, Solomon R. Guggenheim Museum, New York City. March 14–June 12, 1963. Text by Lawrence Alloway.

The New American Realism, Worcester Art Museum, Worcester, Massachusetts. Feb. 18–April 4, 1965. Preface by Daniel Catton Rich. Introduction by Martin Carey.

The New Realists, Sidney Janis Gallery, New York City. Oct. 31–Dec. 1, 1962. Introduction by John Ashbery. Excerpts from "A Metamorphosis in Nature," by Pierre Restany. Text by Sidney Janis.

The Popular Image, Institute of Contemporary Art, London, England. Oct. 24–Nov 23, 1963. Essay by Alan Solomon.

The Popular Image Exhibition, The Washington Gallery of Modern Art, Washington, D.C. April 18–June 2, 1963. Foreword by Alice M. Denney. Essay by Alan R. Solomon.

The Whitney Review—1963-64. Whitney Museum of American Art, New York City. 1964.

Periodicals / Periódicos

Albright-Knox Gallery Notes, 28:28, Reproduction, "Nomad," Mar. 1965.

Alfieri, Bruno, "A Critic's Journal (II)," *Metro 10*, pp. 4–11.

Art in America, 52:127, "Early in the morning," Apr. 1964.

–––––– 54:87, Reproduction, "F-111," Mar. 1966.

–––––– 52:44, "56 painters and sculptors," Aug. 1964.

–––––– 52:101, Reproduction, "Toaster," June 1964.

–––––– 54:42, Reproduction, "Untitled (1963)," Sept. 1966.

–––––– 51:48-9, "Young talent USA," June 1963.

Art International, VII No. 6:71–75, " 'Americans 1963' at the Museum of Modern Art, New York," June 1963.

–––––– VII No. 1:27, Reproductions, "The lines were etched deeply in her face, 1962," June 1963.

Art Journal, 23 No. 3:194, Reproduction, "Portrait of the Scull family," Summer 1964.

Art News, 63:35, Reproduction, "Early in the morning," Dec. 1964.

–––––– 64:14, "Exhibition at Castelli Gallery," Summer 1965.

–––––– 65:14, "Exhibition at Castelli Gallery," Summer 1966.

–––––– 62:8, "Exhibition at Green Gallery," Feb. 1964.

–––––– 65:15, "Exhibition at Roko Gallery," Mar. 1962.

Arts, 60:20, "Exhibition at Green Gallery," Feb. 1962.

–––––– 37:45, Reproduction, "I love you with my Ford," Apr. 1963.

Art Students League News, 15:8, "The New Realists: Pacesetters or Passes?," Dec. 1962.

Ashbery, John, "Paris Notes," *Art International*, 7 No. 6:76, June 1963.

Ashton, D., "Four environments exhibition at Janis Gallery," *Arts and Architecture*, 81:9, Feb. 1964.

Aujourd'hui, 8:82, Reproduction, "Homage to the American Negro," July 1964.

Bannard, Darby, "Present-Day Art and Ready-Made Styles," *Artforum*, 5 No. 4:30–35, Dec. 1966.

Baro, G., "Gathering of Americans," *Arts*, 37:33, Sept. 1963.

Brest, Jorge Romero, " 'To the American Negro' 1964," *Art International*, X No. 5, May 1966.

Canadian Art, 21:20, "2 1959 people," Jan. 1964.

Coates, Robert, "The Art Galleries," *New Yorker*, pp . 108, Jan. 18, 1964.

Connoisseur, 156:256, Reproduction, "A lot to like," Aug. 1964.

Das Kunstwerk, 17:9, "Doorstop," Apr. 1964.

–––––– 17:18, Reproduction, "Installation show." Apr. 1964.

–––––– 19:106, "Portrait," Apr. 1966.

–––––– 17:15, Reproduction, "Woman II," Apr. 1964.

Domus, No. 428:56-7, Reproduction, "F-111," July 1965.

Doty, R., "Trends and traditions: recent acquisitions," *Albright-Knox Gallery Notes*, 27 No. 2:8–9, Spring 1964.

Factor, Don, "Six Painters and the Object and Six More," *Artforum*, 2 No. 3:13–14, Sept. 1963.

Gassiot-Talabot, G., "La figuration narrative dans la peinture contemporaine," *Quadrum*, No. 18:31, 1965.

Glusker, Irwin, "What Next in Art," *Horizon*, 5 No. 1, 1963.

Goldin, A., "Exhibition at Castelli Gallery," *Arts*, 39:63, Sept. 1965.

Golub, Leon, "The Artist as an Angry Artist," *Arts*, 41 No. 6:48-9, Apr. 1967.

Gray, C., "Remburgers and Hambrandts," *Art in America*, 51:118, Dec. 1963.

Hahn, Otto, "Lettre de Paris et Bruxelles," *Art International*, IX No. 3:67–70, Apr. 1965.

—— "Lettre de Paris…et d'Amsterdam," *Art International*, IX No. 9–10:51, Dec. 1965.

Irwin, D., "Pop art and surrealism," *Studio*, 171:191, May 1966.

Johnson, P., "Young artists at the fair," *Art in America*, 52:116–7, Aug. 1964.

Jouffroy, A., "Une révision moderne du sacré," *XXe Siècle*, ns 26:96, Dec. 1964.

Judd, D., "Six painters and the object at the Guggenheim," *Arts*, 37:108, May 1963.

Karp, Ivan C., "Anti-Sensibility Painting," *Artforum*, 2 No. 3:26–7, Sept. 1963.

Kozloff, Max, "New York Letter," *Art International*, VIII No. 3:61–64 Apr. 1964.

—— " 'Pop' Culture, Metaphysical Disgust and the New Vulgarians," *Art International*, VI No. 2:34–36, Mar. 1962.

Lerman, Leo, "The Village Idea," *Mademoiselle*, June 1962, pp. 70–71.

Life, 54 No. 4:89–91, "The Growing Cult of Marilyn," Jan. 25, 1963.

—— 52 No. 24:115, "Something New is Cooking," June 15, 1962.

Lippard, Lucy R., "An Impure Situation (New York and Philadelphia Letter)," *Art International*, X No. 5:60–65, May 1966.

—— "James Rosenquist: Aspects of a Multiple Art," *Artforum*, 4 No. 4:41–5, Dec. 1965.

—— "New York Letter," *Art International*, IX No. 5:52–4, June 1965.

—— "New York Letter," *Art International*, X No. 8:58, Oct. 10, 1966.

Michelson, Annette, "Paris Letter," *Art International*, VIII No. 9:59–62, Nov. 1964.

Monte, James, "Americans 1963, San Francisco Museum of Art," *Artforum*, 3 No. 1:43–44, Sept. 1964.

—— "San Francisco," *Artforum*, 3 No. 7:41–2, Apr. 1965.

New York Times, 39:2, "R. C. Scull buys pop artist James Rosenquist painting, F–111, that is over 85 feet wide; work described: il.; Rosenquist, Scull comment," May 13, 1965.

—— 28:4, "Rosenquist's F–111; recently bought by R. C. Scull on display at Jewish Museum, New York City," June 12, 1965.

Oeil, No. 106:17, Reproduction, "Ciels d'argent," Oct. 1963.

—— No. 137:37, Reproduction, "Light that won't fail, I," May 1966.

Ragon, Michel, "Rosenquist: être peintre c'est combattre la nature," *Arts*, 996:8, June 10–16, 1964.

Rose, Barbara, "New York Letter," *Art International*, VIII No. 3:52–6, Apr. 1964.

—— "Pop Art at the Guggenheim," *Art International*, VII No. 5:20–22, May 1963.

Saarinen, A. B., "Explosion of pop art; exhibition at the Guggenheim Museum," *Vogue*, 141:134, Apr. 15, 1963.

Seckler, D. G., "Artist in America: victim of the culture boom," *Art in America*, 51:31–3, Dec. 1963.

—— "Folklore of the Banal," *Art in America*, 50 No. 4:57, Winter 1962.

Solomon, Alan R., "The New American Art," *Art International*, VIII No. 2:50–55, Mar. 1964.

Studio, 169:144, Reproduction, "Director," Apr. 1965.

Swenson, G. R., "F–111; an interview with James Rosenquist," *Partisan Review*, 32:589–601, Fall 1965.

—— "New American 'sign painters'," *Art News*, 61:44–7, Sept. 1962.

—— "What is pop art?," *Art News*, 62:41, Feb. 1964.

Taylor, Simon Watson, "Tokyo Print Biennial," *Art and Artists*, 1 No. 12:21, Mar. 1967.

Tillim, S., "Exhibition at Green Gallery," *Arts*, 36:46, Mar. 1962.

—— "Exhibition at Green Gallery," *Arts*, 38:63, Mar. 1964.

Time, 79:52, "Slice-of-cake school," May 11, 1962.

Werk, 51:sup 219, Reproduction, "Countdown," Sept. 1964.

Wilson, William, "James Rosenquist, Dwan Gallery," *Artforum*, 3 No. 3:12, Dec. 1963.

EDWARD RUSCHA

Books / Livros

Lippard, Lucy, ed., *Pop Art*, Frederick A. Praeger Publishers, New York City, 1966.

Pellegrini, Aldo, *New Tendencies in Art*, Crown Publishing Company Inc., New York, 1966.

Ruscha, Edward, *Some Los Angeles Apartments*, 1965.

Ruscha, Edward, *The Sunset Strip*, 1966.

Ruscha, Edward, *Twenty-Six Gasoline Stations*, Cunningham Press, Alhambra, California, 1963.

Ruscha, Edward, *Various Small Fires and Milk*, Anderson, Ritchie and Simon, Los Angeles, 1964.

Exhibition Catalogs / Catálogos da Exposição

American Drawings, Solomon R. Guggenheim Museum, New York City. Sept.–Oct. 1964. Introductory essay by Lawrence Alloway.

Pop Art USA, Oakland Art Museum, Oakland, California. Sept. 7–29, 1963. Text by John Coplans.

The New Painting of Common Objects, Pasadena Art Museum, Pasadena, California. Sept. 25–Oct. 19, 1962.

Periodicals / Periódicos

Alloway, Lawrence, "Highway Culture," *Arts*, 41 No. 4:28–33, Feb. 1967.

Artforum, 5 No. 7:65–67, "Every Building on the Sunset Strip," (review of book by Edward Ruscha), Mar. 1967.

Art in America, 51:128, Reproduction, "Box Smashed Flat," Apr. 1963.

—— 53:109, Reproduction, "Flash, 'L.A.' Times," Oct. 1965.

—— 51:27, Reproduction, "Large trademark with 8 spotlights," Oct. 1963.

—— 53:107, Reproduction, "Spam," Apr. 1965.

—— 54:113, Reproduction, "Standard Station, Amarillo, Texas," Jan. 1966.

Art International, Reproduction, "Large Trademark with 8 Spotlights, 1962." Oct. 1963.

Art News, 62:17, Reproduction "Flash 'L.A.' Times," Sept. 1963.

Arts, 41 No. 7:39, Reproduction, "Doheny Drive 1965," May 1967.

Coplans, John, "Concerning 'Various Small Fires,' Edward Ruscha discusses his perplexing publications," *Artforum*, 3, No. 5:24–5, Feb. 1965.

—— "Pop Art, USA," *Artforum*, 2 No. 4:27–30, Oct. 1963.

—— "The new paintings of Common Objects," *Artforum*, 1 No. 6:26–9, Nov. 1962.

Craft Horizons, 23:41, Reproduction, "Box Smashed Flat," May 1963.

Danieli, Fidel A., "Group Show, Ferus Gallery," *Artforum*, 3 No. 1, Sept. 1964.

Factor, Don, "Six Painters and the Object and Six More," *Artforum*, 2 No. 3:13–14, Sept. 1963.

Finch, Christopher, "The object in ART," *Art and Artists*, 1 No. 2:18–21, May 1966.

Langsner, Jules, "Los Angeles Letter, September 1962," *Art International*, VI, No. 9:49–52, Nov. 1962.

Leider, Philip, "The Cool School," *Artforum*, 2 No. 12:47–53, Summer 1964.

———— " '26 Gasoline Stations,' by Edward Ruscha, Cunningham Press, Alhambra," *Artforum*, 2, No. 3:57, Sept. 1963.

Lord, J. Barry, "Pop Art in Canada," *Artforum*, 2 No. 9:28–31, Mar. 1964.

Marmer, Nancy, "Edward Ruscha, Ferus Gallery," *Artforum*, 3 No. 3:12, Dec. 1964.

Wilson, William, "Los Angeles," *Artforum*, 4 No. 5:13, Jan. 1966.

GEORGE SEGAL

Books / Livros

Amaya, Mario, *Pop Art and After*, Viking Press, New York, 1966.

Becker, Jurgen, *Happenings, Fluxus, Pop Art*, Rowoholt Paperback Sonderband, Germany, 1965.

Goodrich, Lloyd, *Three Centuries of American Art*, Frederick A. Praeger Publishers, New York, 1966.

Hansen, Alfred E., *A Primer of Happenings and Time/Space Art*, Something Else Press, Inc., New York, 1965.

Lippard, Lucy, ed., *Pop Art*, Frederick A. Praeger Publishers, New York, 1966.

Pellegrini, Aldo, *New Tendencies In Art*, Crown Publishing Company, Inc., New York, 1966.

Rosenberg, Harold, *The Anxious Object*, Horizon Press, New York, 1965.

Exhibition Catalogs / Catálogos da Exposição

A Decade of American Drawings, 1955–1965, Whitney Museum of American Art, New York City. April 28–June 6, 1965.

American Pop Art, Stedelijk Museum, Amsterdam, The Netherlands. June 22–July 26, 1964. Essay, "De Nieuwe Amerikaanse Kunst," by Alan Solomon, reprinted from *Amerikansk Pop-konst*, Moderna Museet, Stockholm.

Amerikanst Pop-konst, Moderna Museet, Stockholm, Sweden. Feb. 29–April 12, 1964. Foreword by K. G. Hultén. Essay by Alan R. Solomon, "Den nya amerikanska konsten," reprinted in *Art International*, 8 No. 2, Feb. 1964. Statement by Billy Kluver.

65th Annual American Exhibition, The Art Institute of Chicago, Chicago, Illinois. 1962.

Annual Exhibition of Contemporary American Painting, Whitney Museum of American Art, New York City. 1959.

Annual Exhibition 1966, Sculpture and Prints, Whitney Museum of American Art, New York City. Dec. 16, 1966–Feb. 5, 1967.

Art 1963—A New Vocabulary, Arts Council of the YM/YWHA, Philadelphia, Pennsylvania. Oct. 25–Nov. 7, 1962. Statements by the artists.

Artists of the New York School: Second Generation, The Jewish Museum, New York City. 1957. Introduction by Meyer Schapiro.

Dine/Oldenburg/Segal, Art Gallery of Ontario, Toronto, Ontario, Canada. Feb. 1967.

New Realism, Gemeente Museum, The Hague, Netherlands. 1964.

Pop Art and the American Tradition, Milwaukee Art Center, Milwaukee, Wisconsin. April 9–May 9, 1965. Text by Tracy Atkinson.

Pop Art, Nouveau Réalisme, etc., Palais des Beaux-Arts, Brussels, Belgium. Feb. 5–March 1, 1965. Texts by Jean Dypréau and Pierre Restany.

Recent American Drawings, Rose Art Museum, Brandeis University, Waltham, Massachusetts. 1964. Introduction by Thomas Garver.

Recent American Sculpture, The Jewish Museum, New York City. 1964. Introduction-Postscript by Hans van Weeren-Griek.

Recent Still Life—Painting and Sculpture, Rhode Island School of Design, Providence, Rhode Island. Feb. 23–April 4, 1966. Essay by Daniel Robbins.

Segal, Galerie Ileana Sonnabend, Paris, France. 1963. Text by Michel Courtois and Allan Kaprow with a statement by the artist.

10 American Sculptors, São Paulo, Brazil. Sept. 28–Dec. 31, 1963. Organized by the Walker Art Center for the U.S. Section at the VII Bienal de São Paulo.

The New Realists, Sidney Janis Gallery, New York City. Oct. 31–Dec. 1, 1962. Introduction by John Ashbery. Excerpts from "A Metamorphosis in Nature," by Pierre Restany. Text by Sidney Janis.

Periodicals / Periódicos

Albright-Knox Gallery Notes, 28:36, Reproduction, "Cinema," Mar. 1965.

Alloway, Lawrence, "Art as Likeness," *Arts*, 41 No. 7:34–40, May 1967.

Amaya, Mario, "The New Super Realism," *Sculpture International*, 1:19, Jan. 1966.

Art in America, 53:53, "New interior decorators," June 1965.

———— 52:116, Reproduction, "Woman on a bed," Feb. 1964.

Art International, VII No. 1:39, Reproduction, "Bus Driver," Jan. 1963.

———— VII No. 1:23, Reproduction, "The Dinner Table 1962," Jan. 1963.

Art Journal, 20 No. 3:138, Reproduction, "Turkish delight," Spring 1961.

Art News, 63:34, Reproduction, "Bus Riders," Dec. 1964.

———— 65:31, Reproduction, "Cinema, 1963," Jan. 1967.

———— 59:14, "Exhibition at Green Gallery," Nov. 1960.

———— 61:16, "Exhibition at Green Gallery," May 1962.

———— 63:10, "Exhibition at Green Gallery," Mar. 1964.

———— 56:12, "Exhibition at Hansa Gallery," May 1957.

———— 32:57, "Exhibition at Hansa Gallery," Feb. 1958.

———— 57:16, "Exhibition at Hansa," Feb. 1959.

———— 55:58, "Exhibition of oils at Hansa Gallery," Mar. 1956.

———— 62:8, "Four environments at Janis," Feb. 1964.

———— 56:47, Reproduction, "Provincetown interior," Apr. 1957.

———— 66:17, "Reviews and Previews," May 1967.

Arts, 41 No. 3:31, Reproduction, "Legend of Lot," Dec. 1966–Jan. 1967.

Arts, 35:54, "Exhibition at Green Gallery," Dec. 1960.

———— 32:57, "Exhibition at Hansa Gallery," Feb. 1958.

———— 33:57, "Exhibition at Hansa," Feb. 1959.

———— 40:56, "Exhibition at Sidney Janis Gallery," Dec. 1965.

——— 31:50, "Exhibition of oils and pastels at Hansa Gallery," May 1957.

——— 30:60, "Exhibition of paintings of nudes and interiors at Hansa Gallery," Mar. 1956.

——— 41:56, "In the Galleries," Apr. 1967.

Arts Canada, 107:1, "Controversial Codpiece," Apr. 1967.

Ashton, D., "Exhibition at the Sidney Janis Gallery," *Studio*, 170:252, Dec. 1965.

——— "Art Gallery: Pot-Pourri," *New York Times*, Feb. 13, 1959.

——— "Four environments; Exhibition at Janis Gallery," *Arts and Architecture*, 81:9, Feb. 1964.

Bannard, Darby, "Present-Day Art and Ready-Made Styles," *Artforum*, 5 No. 4:30–35, Dec. 1966.

Bayl, F., "Wohlbenfinden im mysterium: ausstellungen in Paris," *Das Kunstwerk*, 17:25, Dec. 1963.

Benedikt, Michael, "New York Letter," *Art International*, IX No. 9–10:36–7, Dec. 20, 1965.

——— "New York: Notes on Whitney Annual 1966," *Art International*, XI No. 2:61, Feb. 1967.

Brown, Doris, *New Brunswick Sunday Times*, June 5, 1960.

Brown, G., "Art Trends," *Art Voices*, Feb. 1963, p. 18.

Canaday, John, "Hello, Goodby," *New York Times*, Jan. 12, 1964.

——— "Pop Art Sells On and On, Why," *New York Times*, May 31, 1964.

Canadian Art, 23:54, Reproduction, "Dry Cleaning," Jan. 1966.

Clay, J., "Art . . . should change man," Moderna Museet, Stockholm, *Studio*, 171:119, Mar. 1966.

Coates, Robert, "The Art Galleries," *New Yorker*, Jan. 18, 1964, p. 108.

Das Kunstwerk, 17:10, Reproduction, "Woman in a restaurant booth," Apr. 1964.

Domus, No. 399:30, Reproduction, "Bus Driver," Feb. 1963.

Eland, U. N., "Trends and traditions, recent acquisitions," *Albright-Knox Gallery Notes*, 27 No. 2:12, Spring 1964.

Factor, Don, "Drawings, Feigen/Palmer," *Artforum*, 3 No. 9:12, June 1965.

Frankenstein, Alfred, "10 U. S. Sculptors," *San Francisco Chronicle*, May 25, 1964.

Friedman, Michael, "Mallary, Segal, Agostini, The Exaltation of the Prosaic," *Art International*, VII No. 8:70–71, Nov. 1963.

Fussiner, Howard, "Use of Subject Matter in Recent Art," *College Art Journal*, Spring 1961.

Gablik, S., "Meta trompe-l'oeil," *Art News*, 64:49, Mar. 1965.

Geldzahler, Henry, "An interview with George Segal," *Artforum*, 3 No. 2:26–29, Nov. 1964.

——— "George Segal: with French summary," *Quadrum*, No. 19:115–26, 1965.

Genauer, Emily, "Friday Art Tour," *World Herald Tribune*, Mar. 31, 1967.

——— "Now Hear This," *Herald Tribune*, Oct. 23, 1965.

Glueck, Grace, "The Galleries," *New York Times*, Apr. 1, 1967.

Gray, C., "Remburgers and Hambrandts," *Art in America*, 51:119, Dec. 1963.

Grosser, Maurice, "ART," *The Nation*, May 1964.

Gruen, John, "A Quiet Environment for Frozen Friends," *Sunday Tribune Magazine Section*, Mar. 31, 1964.

Harayda, Marel, "Artist Can Speak More Fluently With Plaster Than Paint," *Home News*, New Brunswick, New Jersey, Sept. 19, 1965.

Harpers Bazaar, "The New Realists," Feb. 1963, p. 96.

Irwin, D., "Pop art and surrealism," *Studio*, 171:188, May 1966.

Johnson, Ellen H., "The Sculpture of George Segal," *Art International*, VIII No. 2:46–49, Mar. 1964.

Judd, D., "Exhibition at Green Gallery," *Arts*, 36:55, Sept. 1962.

Kaprow, A., "Segal's vital mummies," *Art News*, 62:30-3, Feb. 1964.

Kozloff, M., "American sculpture in transition," *Arts*, 38:22, May 1964.

Krauss, Rosalind, "New York Erotic Art, Sidney Janis Gallery," *Artforum*, 5 No. 4:59, Dec. 1966.

Ladies Home Journal, "Can This be Art," Mar. 1964, p. 133.

Life, 56:103-4, "Modern Plaster Master," June 19, 1964.

——— "Something New is Cooking," 52:119, June 15, 1962.

Lippard, L. R., "New York: Four Environments by New Realists, Sidney Janis," *Artforum*, 2 No. 9:18–10, Mar. 1964.

Mellow, James R., "New York Letter," *Art International*, X No. 9:56, Nov. 1966.

Melville, R., "Exhibition at the Sidney Janis Gallery, New York," *Architectural Review*, 138:57, July 1965.

Michelson, Annette, "Paris Letter," *Art International*, VII No. 9:55, Dec. 1963.

Newsweek, 64:101, "Him," Nov. 9, 1964.

——— 20:94, "Products," Nov. 12, 1962.

——— 66:104, "Silent people; exhibition at New York's Sidney Janis Gallery," Oct. 25, 1965.

New York Times, 15:1, "Biography, George Segal," Aug. 7, 1964.

——— 9:4, "Interview illustrations," Oct. 11, 1964.

O'Doherty, Brian, "A New Vision of Art and Life," *New York Times*, Mar. 22, 1964.

——— "Art: Avant Guard Revolt," *New York Times*, Oct. 31, 1962.

——— "Dubuffet and Segal Shows are Among Current Gallery Fare," *New York Times*, Mar. 21, 1964.

——— "Pop Goes the New Art," *New York Times*, Nov. 4, 1962.

Oeil, No. 106:14, "Chez Henry," Oct. 1963.

Pincus-Witten, Robert, "George Segal as Realist," *Artforum*, 5 No. 10:84–87, Summer 1967.

——— "New York," *Artforum*, 4 No. 4:5, Dec. 1965.

Preston, Stuart, "Past and Present: Yesterday's Old Guard and the New," *New York Times*, May 13, 1962.

Quadrum, No. 18:161-4, "Metamorphoses: L'Ecole de New York, un film de Jean Antoine," 1965.

Roberts, C., "Les expositions à New York," *Aujourd'hui*, 8:96, Jan. 1964.

Rose, Barbara, "New York Letter," *Art International*, VIII No. 3:52–56, Apr. 1964.

——— "New York Letter," *Art International*, VIII No. 10:47–51, Dec. 1964.

——— "The Second Generation," *Artforum*, 4 No. 1:53–56, Sept. 1965.

Rosenberg, Harold, "The Art Galleries," *New Yorker*, Nov. 17, 1962, p. 166.

Sandler, I., "In the Art Galleries," *New York Post*, Nov. 18, 1962.

——— "In the Art Galleries," *New York Post*, Mar. 22, 1964.

Schiff, Bennet, "In the Art Galleries," *New York Post*, Dec. 4, 1960.

Segal, George, "Jackson Pollock: An Artists' Symposium, Part 2," *Art News*, 66 No. 3:29, May 1967.

——— "Pop Art: A Dialogue," *Eastern Arts Quarterly*, Kutztown, Pa., Sept.–Oct. 1963, pp. 11, 15.

——— "Sensibility of the Sixties," Comments, *Art in America*, Jan.–Feb. 1967.

Show Magazine, "Which Twin is the Phony?," Feb. 1963, p. 88.

Solomon, Alan R., "The New American Art," *Art International*, VIII No. 2:50–55, Mar. 1964.

Stevens, W., "Angel surrounded by paysans, poem," *Art in America*, 53:32, Oct. 1965.

Stiles, Knute, "Sculpture for São Paulo, San Francisco Museum of Art," *Artforum*, 3 No. 1:44, Sept. 1964.

Studio, 173 No. 888:216, Reproduction, "The Costume Party," May 1967.

Tillim, Sidney, "Exhibition at the Green Gallery," *Arts*, 37:62, Mar. 1963.

—— "The Underground Pre-Raphaelitism of Edward Kienholz," *Artforum*, 4 No. 8:38–40, Apr. 1966.

Time, "At Home with Henry," Feb. 21, 1964, p. 68.

—— 87:69, "Casting of Ethel Scull," Apr. 1, 1966.

—— 88:60, "One for the Road," Aug. 26, 1966.

—— 83:74–5, "They paint; you recognize," Apr. 3, 1964.

Tutten, Fred, "George Segal at Janis," *Arts*, Apr. 1967.

Vogue, 141 No. 2:58, 64, 65, "1–2–3–4—The New Numbers Game in Cashier adding up to instant costumes," Jan. 15, 1963.

—— 143:98–9, "People are talking about . . . ," Mar. 15, 1964.

Werk, 51:sup. 62, Reproduction, "Man on a bicycle," Mar. 1964.

Willard, C., "Drawing today," *Art in America*, 52:53, Oct. 1964.

—— "In the Art Galleries," *New York Post*, Oct. 24, 1965.

WAYNE THIEBAUD

Books / Livros

Amaya, Mario, *Pop Art and After*, Viking Press, New York City, 1966.

Becker, Jurgen, *Happenings, Fluxus, Pop Art*, Rowoholt Paperback Sonderband, Germany, 1965.

Lippard, Lucy, ed., *Pop Art*, Frederick A. Praeger Publishers, New York City, 1966.

Pellegrini, Aldo, *New Tendencies In Art*, Crown Publishing Company, Inc., New York, 1966.

Exhibition Catalogs / Catálogos da Exposição

1965 Annual Exhibition of Contemporary American Painting, Whitney Museum of American Art, New York City. 1965.

Contemporary American Painting and Sculpture, 1965, Krannert Art Museum and The College of Fine and Applied Arts, University of Illinois, Urbana, Illinois. 1965. Introduction by Allen S. Weller.

Contemporary American Painting and Sculpture, 1967, Krannert Art Museum and The College of Fine and Applied Arts, University of Illinois, Urbana, Illinois. March 5–April 9, 1967. Introduction by Allen S. Weller.

Dayton Art Institute Bulletin, Art Institute, Dayton, Ohio. Sept. 1962.

Periodicals / Periódicos

Adrian, Dennis, "Wayne Thiebaud, Alan Stone Gallery," *Artforum*, 5 No. 4:58, Dec. 1966.

Alloway, Lawrence, "Art as Likeness," *Arts*, 41 No. 7:34–40, May 1967.

—— "Highway Culture," *Arts,* 41 No. 4:28–33, Feb. 1967.

Artforum, 3 No. 3:34–5, "Four drawings: Wayne Thiebaud," Dec. 1964.

Art in America, 53:126, Reproduction, "Avocado Salad," Dec. 1965.

—— 51:27, Reproduction, "Caged Pie," Oct. 1963.

—— 53:98, Reproduction, "Delicatessen," Oct. 1965.

Art International, VII No. 6:84, Reproduction, "Appetizers 1963," June 1963.

Art Journal, 24 No. 4:362, Reproduction, "Lunch Counter," Summer 1965.

—— 23 No. 3:193, Reproduction, "Window Cakes," Spring 1964.

Art News, 52:66, "Exhibition at Zivile Gallery, Los Angeles," Dec. 1953.

—— 61:17, "Exhibition at Stone Gallery," May 1962.

—— 62:15, "Exhibition at Stone Gallery," May 1963.

—— 63:10, "Exhibition at Stone Gallery," May 1964.

—— 64:15, "Exhibition at Stone Gallery," May 1965.

—— 66:56, "Reviews and Previews," May 1967.

—— 65:37, Reproduction, "Yo-Yos," Jan. 1967.

Arts, 40:51, Reproduction, "Bikini," June 1966.

—— 39:79, Reproduction, "Delicatessen Counter," March 1965.

—— 41 No. 6:59, "In the Art Galleries," Apr. 1967.

Arts and Architecture, 69:16–17, "Water play; a fountain," Nov. 1952.

Benedikt, Michael, "New York Letter," *Art International*, IX No. 5:56, June 1965.

—— "New York Letter," *Art International*, X No. 7:45–52, Sept. 1966.

Bergmark, Tortsten, "Konst; USA III: Den Amerikanske Adam," *Dagens Nyheter*, Onsdagen 20, Juli, 1966.

Canadian Art, 22:47, Reproduction, "Seated Nude," Jan. 1965.

Coplans, John, "Circle of styles on the West Coast," *Art in America*, 52:26, June 1964.

—— "Pop Art, USA," *Artforum*, 2 No. 4:27–30, Oct. 1963.

—— "The New Paintings of Common Objects," *Artforum*, 1 No. 6:26–9, Nov. 1962.

Craft Horizons, 23:41, Reproductions, "Hot Dogs," May 1963.

Das Kunstwerk, 16:7, Reproduction, "Cut Pies," May 1963.

—— 17:23, "Pop-art diskussion," Apr. 1964.

Doty, R., "Trends and traditions: recent acquisitions," *Albright-Knox Gallery Notes*, 27 No. 2:7, Spring 1964.

Factor, Don, "Six paintings and the object and six more," *Artforum*, 2 No. 3:13–14, Sept. 1963.

Fried, Alexander, "Thiebaud's Oils Are as Homey as a Piece of Pie," *San Francisco Examiner*, July 1962.

Fried, Michael, "New York Letter," *Art International*, VII No. 5:71, May 1963.

—— "New York Letter," *Art International*, VIII No. 4:40–44, May 1964.

Glackin, William, "Art Views Wayne Thiebaud," *The Sacramento Bee*, Oct. 3, 1965.

Hess, T., "Wayne Thiebaud," *Art News*, 61:17, May 1962.

Judd, D., "Exhibition at Stone Gallery," *Arts*, 36:48, Sept. 1962.

Kozloff, Max, "Art: New York debut," *Nation*, 194:406–7, May 5, 1962.

—— "New York Letter," *Art International*, 6 No. 7:33–38, Sept. 1962.

Langsner, Jules, "Los Angeles Letter, September 1962," *Art International*, 6 No. 9:49–52, Nov. 1962.

Life, 52 No. 24:115, "Something New Is Cooking," June 15, 1962.

Lord, J. Barry, "Pop Art in Canada," *Artforum*, 2 No. 9:28–31, Mar. 1964.

BIBLIOGRAPHY / BIBLIOGRAFÍA GERAL

Monte, James, "Manuel Neri and Wayne Thiebaud, San Francisco Museum of Art," *Artforum*, 3 No. 6:44, Mar. 1965.

Museum of Modern Art, 30 No. 2–3:29, Reproduction, "Cut Meringues," 1963.

Polley, E. M., "San Francisco," *Artforum*, 4 No. 4:47–8, Dec. 1965.

Raynor, V., "Exhibition at Stone Gallery," *Arts*, 39:60, May 1965.

Roberts, C., "New York," *Aujourd'hui*, 7:49, May 1963.

Seckler, D. G., "Folklore of the Banal," *Art in America*, 50 No. 4:56–61, Winter 1962.

Studio, 173 No. 888:217, Reproduction, "Girl With An Ice Cream," May 1967.

Thiebaud, Wayne, "A Painter's Personal View of Eroticism," *Polemic*, XI No. 1:33 Winter 1966.

———— "A Painter's View of Eroticism," *Art News*, Mar. 1966.

Tillim, S., "Exhibition at Stone Gallery," *Arts*, 38:37, May 1964.

Time, "Slice-of-Cake School," May 11, 1962.

———— "They Paint; You Recognize," Apr. 3, 1964.

Vallejo Times-Herald, "Painter Thiebaud Comments on 'Assembly Line' Culture," 8/5/62

Von Meier, Kurt, "Los Angeles—San Francisco Letter," *Art International*, 10 No. 7:39–42, Sept. 15, 1966.

Waldman, D., "Thiebaud: Eros in cafeteria," *Art News*, 65:39–41, Apr. 1966.

ANDY WARHOL

Books / Livros

Amaya, Mario, *Pop Art and After*, Viking Press, New York, 1966.

Becker, Jurgen, *Happenings, Fluxus, Pop Art*, Rowoholt Paperback Sonderband, Germany, 1965.

Hansen, Alfred E., *A Primer of Happenings and Time/Space Art*, Something Else Press, Inc., New York, 1965.

Herzka, D., *Pop Art*, Pub. Institute of American Art, New York, 1965.

Lippard, Lucy, ed., *Pop Art*, Frederick A. Praeger Publishers, New York, 1966.

Pellegrini, Aldo, *New Tendencies in Art*, Crown Publishing Company, Inc., New York, 1966.

Rosenberg, Harold, *The Anxious Object*, Horizon Press, New York, 1964.

Rublowsky, John, *Pop Art*, Basic Books Inc., New York, 1965.

Warhol, Andy, and Malanga, Gerard, *Screen Tests/A Diary*, Kulchur Press, New York, 1967.

Exhibition Catalogs / Catálogos da Exposição

American Pop Art, Stedelijk Museum, Amsterdam, The Netherlands, June 22–July 26, 1964. Essay, "De Nieuwe Amerikaanse Kunst," by Alan Solomon, reprinted from *Amerikansk Pop-konst*, Moderna Museet, Stockholm.

Amerikanst Pop-konst, Moderna Museet, Stockholm, Sweden. Feb. 29–April 12, 1964. Foreword by K. G. Hultén. Essay by Alan R. Solomon, "Den nya amerikanska konsten," reprinted in *Art International*, V. 8, No. 2, Feb. 1964. Statement by Billy Kluver.

Andy Warhol, Institute of Contemporary Art, University of Pennsylvania, Philadelphia, Pennsylvania, October 8 to November 21, 1965. Text by Samuel Adams Green.

Andy Warhol, Institute of Contemporary Art, Boston, Massachusetts, October 1 to November 6, 1966. Text by Alan Solomon.

Contemporary American Painting and Sculpture, 1967, Krannert Art Museum and the College of Fine and Applied Arts, University of Illinois, Urbana, Illinois. March 5–April 9, 1967. Introduction by Allen S. Weller.

Drawing &, The University Art Museum, Austin, Texas. Feb. 6–March 15, 1966. Foreword by Donald B. Goodall. Introduction by Mercedes Matter.

My Country 'Tis of Thee, Dwan Gallery, Los Angeles, California. Nov. 18–Dec. 15, 1962. Introduction by Gerald Nordland.

Pop Art, Nouveau Réalisme etc., Palais des Beaux-Arts, Brussels, Belgium. Feb. 5–March 1, 1965. Texts by Jean Dypréau and Pierre Restany.

Pop Art U.S.A., Oakland Art Museum, Oakland, California. Sept. 7–29, 1963. Text by John Coplans.

Popular Art, Nelson Gallery—Atkins Museum, Kansas City, Missouri. April 28–May 26, 1963. Introductory essay by Ralph T. Coe.

Recent American Drawings, Rose Art Museum, Brandeis University, Waltham, Massachusetts. April 19–May 19, 1964. Foreword by Sam Hunter. Introductory essay by Thomas H. Garver.

Recent Still Life—Painting and Sculpture, Rhode Island School of Design, Providence, Rhode Island. Feb. 23–April 4, 1966. Essay by Daniel Robbins.

Six Painters and the Object, Solomon R. Guggenheim Museum, New York City. March 14–June 12, 1963. Text by Lawrence Alloway.

The New American Realism, Worcester Art Museum, Worcester, Massachusetts. Feb. 18–April 4, 1965. Preface by Daniel Catton Rich. Introduction by Martin Carey.

The New Realists, Sidney Janis Gallery, New York City. Oct. 31–Dec. 1, 1962. Introduction by John Ashbery. Excerpts from "A Metamorphosis in Nature," by Pierre Restany. Text by Sidney Janis.

The Popular Image, Institute of Contemporary Art, London, England. Oct. 24–Nov. 23, 1963. Essay by Alan Solomon.

The Popular Image Exhibition, The Washington Gallery of Modern Art, Washington, D.C. April 18—June 2, 1963. Foreword by Alice M. Denney. Essay by Alan R. Solomon.

Three Generations, Sidney Janis Gallery, New York City. Nov. 24–Dec. 26, 1964.

Periodicals / Periódicos

Albright-Knox Gallery Notes, 28:39, Reproduction, "100 cans," Mar. 1965.

Alexandrian, S., "Le XXe Salon de mai," *Oeil*, No. 114:27, June 1964.

Alfieri, Bruno, "The Arts Condition," *Metro 9*, pp. 5–13.

Amaya, Mario, "The New Super Realism," *Sculpture International*, 1:19, Jan. 1966.

American Artist, 18:42, Reproduction, "Title card for television program: Studio One," Sept. 1954.

Anderson, Thomas, "Film, Camp, Andy Warhol," *Artforum*, 4 No. 10:58, June 1966.

Antin, D., "Warhol: the silver tenement," *Art News*, 65:47–9, Summer 1966.

Art Digest, 26:19, "Capote at Hugo Gallery," July 1952.

Artforum, 1 No. 4:15, "Andy Warhol," Sept. 1962.

———— 4 No. 5:30–2, "Lichtenstein, Oldenburg, Warhol: A Discussion," Jan. 1966.

Art in America, 52:94, Reproduction, "Coca-Cola bottles," Apr. 1964.

——— 52:95, Reproduction, "Coca-Cola Match cover," Apr. 1964.

——— 52:126, Reproduction, "Edith Scull," Apr. 1964.

——— 54:62, Reproduction, "Jackie," Jan. 1966.

——— 53:58, "New interior decorators," June 1965.

——— 50 No. 1:42, "New talent·USA: prints and drawings," 1962.

——— 52:73, Reproduction, "Orange disaster #5," Apr. 1964.

——— 52:73, Reproduction, "People, people, people," Apr. 1964.

——— 54:58, Reproduction, "Self portraits," Mar. 1966.

——— 52:129, Reproduction, "Statue of Liberty," June 1964.

——— 54:86, Reproduction, "$2 bills," Mar. 1966.

Art International, 7 No. 9:37, Reproduction, "Green Coca-Cola Bottles," Dec. 1963.

——— 7 No. 1:81, Reproduction, "Marilyn Monroe," June 1963.

Art Journal, 23 No. 3:193, Reproduction, "Coca-Cola bottles," Spring 1964.

Art News, 53:51, Reproduction, "Cover design," June 1954.

——— 51:47, "Drawings at Hugo Gallery," Sept. 1952.

——— 55:59, "Exhibition at Bodley Gallery," Dec. 1956.

——— 63:11, "Exhibition at Castelli," Jan. 1965.

——— 65:54, "Exhibition at Castelli Gallery," May 1966.

——— 61:15, "Exhibition at Stable Gallery," Nov. 1962.

——— 53:75, "Exhibition at the Loft," June 1954.

——— 55:55, "Exhibition of drawings at Bodley Gallery," Mar. 1956.

——— 65:36, Reproduction, "100 Cans," Jan. 1967.

——— 63:38, Reproduction, "Self Portraits," Feb. 1965.

Arts, 40:46, "Exhibition at Castelli Gallery," June 1966.

——— 40:35, Reproduction, "Liz," May 1966.

——— 37:45, Reproduction, "Martinson's coffee," Apr. 1963.

——— 39:16–18, "Soup's on," May 1965.

Aujourd'hui, 8:49, "Les expositions à Paris," Apr. 1964.

——— 8:195, "Le 'Pop art'," Oct. 1963.

Ashbery, John, "Paris Notes," *Art International*, 7 No. 6:76, June 1963.

Ashton, D., "Art as Spectacle," *Arts*, 41 No. 5:46, Mar. 1967.

——— "Show at the Stable Gallery," *Das Kunstwerk*, 16:70, Nov. 1962.

Baigell, M., "American abstract expressionism and hard edge; some comparisons," *The Studio*, 171:13, Jan. 1966.

Bannard, Darby, "Present-Day Art and Ready-Made Styles," *Artforum*, 5 No. 4:30–35, Dec. 1966.

Battcock, Gregory, "The New American Cinema," *Art and Literature*, 8:95–110, Spring 1966.

Berkson, W., "Exhibition at Bianchini Gallery," *Arts*, 39:59, May 1965.

Bourdon, David, " 'Our period style' New York," *Art and Artists*, 1 No. 3:55–57, June 1966.

——— "Andy Warhol," *Village Voice*, Dec. 3, 1964.

——— "Help," *Village Voice*, Oct. 14, 1965.

Canadian Arts, 23:43, Reproduction, "Do it yourself," Oct. 1966.

Coe, Richard, "Andy Warhol and Associates," *The Washington Post*, Washington, D.C. Apr. 26, 1967.

Coplans, John, "The New Paintings of Common Objects," *Artforum*, 1 No. 6:26–9, Nov. 1962.

Domus, 438:29, "Da New York: le 'nuvde' d'argento di Warhol fluttuanti nell'aria, all galleria Leo Castelli in aprile," June 1966.

——— No. 399:27, Reproduction, "Do it yourself," Feb. 1963.

Das Kunstwerk, 17:7, "Instilation," Apr. 1964.

——— 19:103, "Portrait," Apr. 1966.

Doty, R., "Trends and traditions: recent acquisitions," *Albright-Knox Gallery Notes*, 27 No. 2:7, Spring 1964.

Fried, Michael, "New York Letter," *Art International*, 6 No. 9:49–52, Nov. 1962.

Factor, Donald, "An Exhibition of Boxes," *Artforum*, 2 No. 10:21–23, Apr. 1964.

——— "Drawings, Feigen/Palmer," *Artforum*, 3 No. 9:12, June 1965.

——— "New York Group, Ferus Gallery," *Artforum*, 2 No. 9:13, Mar. 1964.

——— "Six painters and the object and six more," *Artforum*, 2 No. 3:13–14, Sept. 1963.

Finch, Christopher, "The object in ART," *Art and Artists*, 1 No. 2:18–21, May 1966.

——— "Warhol Stroke Poussin," *Art and Artists*, 1 No. 11:8–11, Feb. 1967.

Gassiot-Talabot, Gerald, "Lettre de Paris," *Art International*, 8 No. 2:78–80, Mar. 1964.

Geldzahler, Henry, "Andy Warhol," *Art International*, 8 No. 3:34–5, Apr. 1964.

Graphis, 11 No. 61:386, Reproduction, "Jesters," 1955.

——— 13:113, Reproduction, "Newspaper advertisement," Mar. 1957.

Gray, C., "Remburgers and Hambrandts," *Art in America*, 51:119, Dec. 1963.

Industrial Design, 9:80, "Souperrealism," Sept. 1962.

Interiors, 113:1, Reproduction, "Cover Design," Feb. 1954.

——— 110:8, "Interiors' cover artists," June 1951.

——— 112:8, "Interiors' cover artists," July 1951.

——— 113:10, "Interiors' cover artists," May 1954.

——— 114:10, "Interiors' cover artists," Sept. 1954.

Johnson, E. H., "Image duplicators—Lichtenstein, Rauschenberg and Warhol," *Arts*, 23:12–19, Jan. 1966.

Jouffroy, A., "Une révision moderne du sacré," *XXe Siècle*, No. 26:97, Dec. 1964.

Judd, D., "Exhibition at Stable Gallery," *Arts*, 37:49, Jan. 1963.

——— "Six painters and the object at the Guggenheim," *Arts*, 37:108, May 1963.

Junker, H., "Andy Warhol, movie maker," *Nation*, 200:200–8, Feb. 22, 1965.

Karp, Ivan C., "Anti-Sensibility Painting," *Artforum*, 2 No. 3:26–7, Sept. 1963.

Kozloff, M., "Exhibition at Castelli," *Arts*, 39:50, Jan. 1965.

——— "The Inert and the Frenetic," *Artforum*, 4 No. 7:40–44, Mar. 1966.

Kostolowski, Andrzey, "White for Andy Warhol, poem," *Art Journal*, Winter 66/67, XXVI No. 2:224.

Langsner, Jules, "Los Angeles Letter," *Art International*, 6 No. 9:49–52, Nov. 1962.

Leider, Philip, "Saint Andy," *Artforum*, 3 No. 5:26–28, Feb. 1965.

Lerman, Leo, "The Village Idea," *Mademoiselle*, June 1962, pp. 70–71.

Life, 42:12–13, "Crazy golden slippers," Jan. 21, 1957.

Lippard, Lucy, "New York Letter," *Art International*, 9 No. 1:40, Feb. 1965.

——— "New York Letter," *Art International*, 10 No. 6:108–115, Summer 1966.

Lord, J. Barry, "Pop Art in Canada," *Artforum*, 2 No. 9:28–31, Mar. 1964.

Lyon, N., "Second Fame," *Vogue*, 145:184–6, Mar. 1, 1965.

Magloff, Joanna C., "Directions—American Painting, San Francisco Museum of Art," *Artforum*, 2 No. 5:43–44, Nov. 1963.

Malanga, Gerard, "Andy Warhol: Interview," *Kulchur*, 4 No. 16, Winter 1964–65.

Monte, James, "San Francisco," *Artforum*, 3 No. 7:41–42, Apr. 1965.

Museum of Modern Art, 30 No. 2–3:28, Reproduction, "Gold Marilyn Monroe," 1963.

Newsweek, 64:100, "St. Andrew," Dec. 7, 1964.

New York Times, 19:2, "Andy Warhol, One Man Show," May 10, 1964.

———— 34:2, "Andy Warhol, One Man Show (Sonnabend Gallery, Paris, France)," May 13, 1964.

———— 20:1, "Andy Warhol, One-Man Show," Apr. 9, 1966.

———— 49:5, "Andy Warhol paints paper dresses, Abraham and Strauss, Brooklyn, New York," Nov. 11, 1966.

———— 32:3, "Andy Warhol show at Film-Makers Cinémathèque reviewed," Feb. 9, 1966.

———— 31:1, "Dr. C. Comfort, director of Canada's National Gallery, rules that pop artist Andy Warhol's grocery cartons and tins cans are not 'original sculpture.' Toronto Gallery must pay 20% merchandise duty to import them for the show; gallery owner scores ruling; Warhol comments," Mar. 9, 1965.

———— 15:4, "Four films by 'pop' artist A. Warhol to get special display: (New York Film Festival)," Sept. 12, 1964.

———— 36:6, "New York Society for Clinical Psychiatry. Annual dinner; Andy Warhol and associates provide entertainment and make film," Jan. 14, 1964.

———— 16:1, "Wee Love of Life: filming by 'Pop Artist' Andy Warhol: (Movie Review) discussed," July 5, 1964.

Nordland, Gerald, "Marcel Duchamp and Common Object Art," *Art International*, 8 No. 1:30–32, Feb. 15, 1964.

Oeil, No. 106:15, Reproduction, "Campbell soup cans," Oct. 1963.

———— No. 137:38, Reproductions, "La chaise électrique," May 1966.

Pincus-Witten, Robert, "New York, Andy Warhol, Leo Castelli Gallery," *Artforum*, 4 No. 10:52, June 1966.

Plagens, Peter, "Present-Day Styles and Ready-Made Criticism," *Artforum*, 5 No. 4:36–39, Dec. 1966.

Rockman, A., "Superman comes to the art gallery," *Canadian Arts*, 21:18–19, Jan. 1964.

Rose, Barbara, "ABC Art," *Art in America*, 53:64–5, Oct. 1965.

———— "New York Letter," *Art International*, 8 No. 5–6:77–81, Summer 1964.

———— "Pop Art at the Guggenheim," *Art International*, 7 No. 5:20–22, May 1963.

———— "The Value of Didactic Art," *Artforum*, 5 No. 8:32–36, Apr. 1967.

Rosenblum, R., "Pop and non-pop: an essay in distinction," *Canadian Art*, 23:50, Jan. 1966.

Rothenstein, Michael, "Look No Hands," *Art and Artists*, 1 No. 12:13, Mar. 1967.

Saarinen, A. B., "Explosion of pop art: exhibition at the Guggenheim Museum," *Vogue*, 141:86–7, Apr. 15, 1963.

Sandberg, John, "Some Traditional Aspects of Pop Art," *Art Journal*, XXVI, No. 3:228–231, Spring 1967.

Sandler, I. H., "New cool-art," *Art in America*, 53:99, Feb. 1965.

———— "New York Letter," *Quadrum*, No. 14:118, 1963.

Sauré, W., "Ausstellung in Paris," *Das Kunstwerk*, 19:37, Aug. 1965.

———— "Marzotto-Dkandal, Yves Klein, Warhol and Lichtenstein ausstellungen in Paris," *Das Kunstwerk*, 19:28 Aug. 1965.

Schuster, E. H., "For Andy Warhol; poem," *Art Journal*, 25 No. 3:251, Spring 1966.

Seckler, D. G., "Folklore of the Banal," *Art in America*, 50 No. 4:60, Winter 1962.

Show, "Which Twin is the Phony?," Feb. 1963, pp. 88–90.

Solomon, Alan R., "The New American Art," *Art International*, 8 No. 2:50–55, Mar. 1964.

Stanton, S., "Warhol at Bennington," *Art Journal*, 22 No. 4:237–9, Summer 1963.

Stoller, J., "Beyond cinema: notes on some films by Andy Warhol," *Film Quarterly*, 20 No. 1:35–8, Fall 1966.

Studio, 169:149, Reproduction, "Campbell's," Apr. 1965.

———— 169:151, Reproduction, "Elvis I and II," Apr. 1965.

———— 169:150, Reproduction, "Liz," Apr. 1965.

Swenson, G. R., "New American 'sign painters,'" *Art News*, 61:44–7, Sept. 1962.

———— "What is pop art?," *Art News*, 62:26, Nov. 1963.

Tillim, S., "Exhibition at Stable Gallery," *Arts*, 38:62, Sept. 1964.

Time, 86:65, "Edie and Andy," Aug. 27, 1965.

———— 79:52, "Slice-of-cake School," May 11, 1962.

Von Meier, Kurt, "Los Angeles Letter," *Art International*, 10 No. 8:43–45, Oct. 1966.

Waldman, D., "Cornell: the compass of boxing," *Art News*, 64:50, Mar. 1965.

Warhol, Andy, "My Favorite Superstar," *Arts*, 41 No. 4:26, Feb. 1967.

Wilcock, John, "The Detached Cool of Andy Warhol," *Village Voice*, May 6, 1965.

Wilson, Ellen, "Recent American Painting, Pomona Gallery," *Artforum*, 3 No. 7:10, Apr. 1965.

TOM WESSELMANN

Books / Livros

Amaya, Mario, *Pop Art and After*, Viking Press, New York, 1966.

Becker, Jurgen, *Happenings, Fluxus, Pop Art*, Rowoholt Paperback Sonderband, Germany, 1965.

Herzka, D., *Pop Art One*, Pub. Institute of American Art, New York, 1965.

Lippard, Lucy, ed., *Pop Art*, Frederick A. Praeger Publishers, New York, 1966.

Pellegrini, Aldo, *New Tendencies in Art*, Crown Publishing Company Inc., New York, 1966.

Rublowsky, John, *Pop Art*, Basic Books, Inc., New York, 1965.

Exhibition Catalogs / Catálogos da Exposição

Amerikanst Pop-konst, Moderna Museet, Stockholm, Sweden. Feb. 29–April 12, 1964. Foreword by K.G. Hultén. Essay by Alan R. Solomon, "Den nya amerikanska konsten," reprinted in *Art International*, 8 No. 2, Feb. 1964. Statement by Billy Kluver.

An American Viewpoint, 1963, The Contemporary Arts Center, Cincinnati, Ohio. Dec. 4–21, 1963. Statement by Allan T. Schoener.

1965 Annual Exhibition of Contemporary American Painting, Whitney Museum of American Art, New York City. 1965.

Mixed Media and Pop Art, Buffalo Fine Arts Academy—Albright-Knox Gallery, Buffalo, New York. Nov. 19–Dec. 15, 1963. Foreword by Gordon M. Smith.

My Country 'Tis of Thee, Dwan Gallery, Los Angeles, California. Nov. 18–Dec. 15, 1962. Introduction by Gerald Nordland.

New Directions in American Painting, Rose Art Museum, Brandeis University, Waltham, Massachusetts. 1963. Introductory essay by Sam Hunter.

Pop Art and the American Tradition, Milwaukee Art Center, Milwaukee, Wisconsin. April 9–May 9, 1965. Text by Tracy Atkinson.

Pop Art, Nouveau Réalisme, etc., Palais des Beaux-Arts, Brussels, Belgium. Feb. 5–March 1, 1965. Texts by Jean Dypréau and Pierre Restany.

Pop Art USA, Oakland Art Museum, Oakland, California. Sept. 7–29, 1963. Text by John Coplans.

Pop Goes the Easel, Contemporary Art Association, Houston, Texas. April 1963. Essay by Douglas Mac Agy.

Popular Art, Nelson Gallery—Atkins Museum, Kansas City, Missouri. April 28–May 26, 1963. Introductory essay by Ralph T. Coe.

Recent Painting USA: The Figure, Museum of Modern Art, New York City. Circulated in the United States, 1962–1963. Introduction by Alfred H. Barr, Jr.

Recent Still Life—Painting and Sculpture, Rhode Island School of Design, Providence, Rhode Island. Feb. 23–April 4, 1966. Essay by Daniel Robbins.

The Art of Things, Jerrold Morris International Gallery, Toronto, Ontario, Canada. 1963.

The New American Realism, Worcester Art Museum, Worcester, Massachusetts. Feb. 18–April 4, 1965. Preface by Daniel Catton Rich. Introduction by Martin Carey.

The New Realists, Sidney Janis Gallery, New York City. Oct. 31–Dec. 1, 1962. Introduction by John Ashbery. Excerpts from "A Metamorphosis in Nature," by Pierre Restany. Text by Sidney Janis.

The Popular Image, Institute of Contemporary Arts, London, England. Oct. 24–Nov. 23, 1963. Essay by Alan Solomon.

The Popular Image Exhibition, The Washington Gallery of Modern Art, Washington, D.C. April 18–June 2, 1963. Foreword by Alice M. Denney. Essay by Alan R. Solomon.

Three Generations, Sidney Janis Gallery, New York City. Nov. 24–Dec. 26, 1964.

Young Americans, 1965, Museum of Modern Art, New York City. June 23–Aug. 29, 1965. Statements by the artists.

Periodicals / Periódicos

Abramson, J. A., "Tom Wesselmann and the Gates of Horn," *Arts*, 40:43–8, May 1966.

Albright-Knox Gallery Notes, 27:63, Reproduction, "Still life #2," Dec. 1963.

Alloway, Lawrence, "Art As Likeness," *Arts*, 41 No. 7:34–9, May 1967.

—— "HiWay Culture," *Arts*, 41 No. 4:28–33, Feb. 1967.

—— "Notes on five New York Painters," *Albright-Knox Gallery Notes*, 26 No. 2:19–20, Autumn 1963.

Art in America, 51:134, Reproduction, "Great American Nude," Apr. 1963.

—— 42:102, Reproduction, "Great American still life with television," June 1964.

—— 54:105, Reproduction, "Mouth #7," Sept. 1966.

—— 53:55, "New interior decorators," June 1965.

—— 54:58, Reproduction, "Self portrait," Mar. 1966.

Art International, 8 No. 2:42, Reproduction, "American Still Life with Television, 1963," Mar. 1964.

—— 11:69, "Exhibition at Ileàna Sonnabend Gallery, Paris," Jan. 1967.

—— 7 No. 1:26, Reproduction, "Great American Nude," Jan. 1963.

—— 7 No. 1:40, Reproduction, "Great American Nude No. 30," Jan. 1963.

—— 7 No. 1:39, Reproduction, "Still Life—Great American Nude No. 35, 1962," Jan. 1963.

—— 7 No. 1:35, Reproduction, "Still Life No. 15," Jan. 1963.

—— 7 No. 9:37, Reproduction, "Still Life Number 5½," Dec. 1963.

Art Journal, 23 No. 3:194, "Bath tub collage #1," Spring 1964.

—— 24 No. 1:46, Reproduction, "Still life No. 15, 1962," Fall 1964.

Art News, 62:6, "Censoring of a collage from exhibition at the Washington Gallery of Modern Art," Summer 1963.

—— 61:15, "Exhibition at Green Gallery," Nov. 1962.

—— 63:13, "Exhibition at Green Gallery," Apr. 1964.

—— 64:17, "Exhibition at Green Gallery," Mar. 1965.

—— 65:17, "Exhibition at Janis Gallery," Sept. 1966.

—— 59:58, "Exhibition at Judson Gallery," May 1960.

—— 60:56, "Exhibition at Tanager Gallery," Dec. 1961.

—— 63:38, Reproduction, "Self portrait," Feb. 1965.

—— 65:36, Reproduction, "Still-life, 20," Jan. 1967.

Arts, 34:69, Reproduction, "Exhibition at Judson Gallery," May 1960.

—— 40:1, Reproduction, "Great American Nude," Jan. 1966.

Ashbery, John, "Paris Notes," *Art International*, 7 No. 6:76, June 1963.

Aujourd'hui, 8:60, Reproduction, "Bath tub collage 1," Apr. 1964.

—— 9:112, Reproduction, "Cut out nude," May 1966.

—— 9:44, "Drawing for still life," Apr. 1965.

—— 10:102, Reproduction, "Sea Scape," Sept. 1966.

—— 9:46, "Still life 18," Apr. 1965.

Barnitz, J., "Exhibition at Green Gallery," *Arts*, 39:56, Mar. 1965.

Benedikt, Michael, "New York Letter," *Art International*, 10:6, Summer 1966.

—— "New York Letter," *Art International*, 10 No. 8:53, Oct. 20, 1966.

Canaday, John, "Art: From Clean Fun to Plain Smut," *New York Times*, Jan. 7, 1964.

Canadian Art, 21:19, Reproduction, "American still life with refrigerator," Jan. 1964.

—— 21:202, Reproduction, "GAN No. 47," July 1964.

Coates, Robert, "The Art Galleries," *New Yorker*, Jan. 18, 1964, p. 108.

Das Kunstwerk, 17:8, Reproduction, "Taperecorder produces street sounds coming from the window," Apr. 1964.

Davis, Douglas M. S., "New Antic Approach to the Erotic Flourishes: Bluntness May be Next," *National Observer*, Mar. 6, 1967.

Domus, 399:32, Reproduction, "Great American nudes," Feb. 1963.

Factor, Donald, "An Exhibition of Boxes," *Artforum*, 2 No. 10:21–23, Apr. 1964.

Ferrier, Jean-Louis, "Wesselmann et le nu américain," *La Quinzaine Littéraire*, Nov. 1–15, 1966.

Fried, Michael, "New York Letter," *Art International*, 7 No. 9:68, Dec. 1963.

—— "New York Letters," *Art International*, 8 No. 3:57–61, Apr. 1964.

Gatellier, Gilbert, "Trois Expositions en coup de point," *Arts Loisirs*, No. 59, Nov. 9–15, 1966.

Genauer, Emily, and Gruen, John, "Art Tour," *New York Herald Tribune*, Feb. 15, 1964.

———— "Scull Collection," *Ladies Home Journal*, Mar. 1964, p. 151.

Harrison, J., "Exhibition at Green Gallery," *Arts*, 38:32–3, Apr. 1964.

House and Garden, "The House That Pop Art Built," Kraushar House, May 1965.

Johnson, C. B., "Tom Wesselmann, "*School Arts*, 63:35, May 1964.

Johnston, Jill, *The Village Voice*, Jan. 31, 1963, p. 24.

Karetsky, Gerri, "Pop Art," *Scholastic News Times*, 26:12, Apr. 29, 1965.

Karp, Ivan C., "Anti-sensibility Painting," *Artforum*, 2 No. 3:26–7, Sept. 1963.

Kenedy, R. C., "Paris Letter," *Art International*, XI No. 1:69–70, Jan. 1967.

Le Monde, "A Travers les Galeries: Images et Modèles," Nov. 11, 1966.

Lerman, Leo, "The Village Idea," *Mademoiselle*, June 1962, pp. 70–71.

Livi, Grazia, *Epoca Magazine*, p. Maggio 1964, 43–52.

Life, 62:13, "Battle over the Bill of Rights," Mar. 31, 1967.

Lippard, Lucy, "An Impure Situation, (New York and Philadelphia Letter)," *Art International*, 10 No. 5:60–65, May 1966.

———— "New York Letter," *Art International*, 9 No. 3-60:1, Apr. 25, 1965.

Lord, J. Barry, "Pop Art in Canada," *Artforum*, 2 No. 9:28–31, Mar. 1964.

Museum of Modern Art, 30 No. 2–3:29, "Great American Nude 2," 1963.

New York Times, "Review of Tom Wesselmann at Janis," May 14, 1966.

O'Doherty, Brian, "Art: Avant-Garde Revolt," *New York Times*, Oct. 31, 1962.

———— "Art: Pop Show by Tom Wesselmann is Revisited," *New York Times*, Nov. 28, 1962.

———— "Pop Goes the New Art," *New York Times*, Nov. 4, 1962.

Oeil, No. 106:12, Reproduction, "Le grand nu américain No. 30," Oct. 1963.

Pictorial Living, "Scull Collection," July 25, 1965.

Pictures on Exhibit, "Review of Tom Wesselmann at Janis," June 1966.

Playboy Magazine, "The Play Mate as Fine Art—Wesselmann Mouth," Jan. 1967.

Pluchart, François, "Le Parc, Wesselmann et Bellmer à l'assaut du romantisme pictural," *Combat 7*, 1966.

Preston, Stuart, "Artists Ring Changes on Many Contemporary Styles," *New York Times*, Feb. 16, 1964.

Raynor, V., "Exhibition at Green Gallery," *Arts*, 37:45, Jan. 1963.

———— "Exposition at Tanager Gallery," *Arts*, 36:47, Feb. 1962.

Restany, Pierre, "Il manquait l'art électrique," *Arts Loisirs*, June 1–7, 1966.

Roberts, C., "Les expositions à New York," *Aujourd'hui*, 8:96, Jan. 1964.

Rose, Barbara, "Filthy Pictures," *Artforum*, 3 No. 8:21–25, May 1965.

———— "Dada Then and Now," *Art International*, 7 No. 1:23–29, Jan. 1963.

Rosenberg, Harold, "The Art Galleries," *The New Yorker*, Nov. 18, 1962, p. 166.

Rudikoff, Sonya, "New Realists in New York," *Art International*, 7 No. 1:39–42, Jan. 1963.

Sandler, Irving, *New York Post Magazine*, Nov. 18, 1962, p. 12.

Solomon, Dr. Alan, "The New American Art," *Art International*, VIII No. 2:50, Mar. 1964.

Studio, 171:15, Reproduction, "Still life 20," Jan. 1966.

Swenson, G. R., "Tom Wesselmann: The Honest Nude," *Art and Artists*, 1 No. 2, May 1966.

———— "What is pop-art?," *Art News*, 62:41, Feb. 1964.

Tidholm, Thomas, "Tom Wesselmann—tre ar senare," *Konstrevy*, NR 5/6, 1966, pp. 235–36.

Wholden, R., "My Country 'Tis of Thee," *Artforum*, 1 No. 8:20, Feb. 1963.

Willard, Charlotte, "In the Art Galleries, Biennale Blues," New York Post, May 21, 1966.

Wilson, Ellen, "Recent American Painting, Pomona Gallery," *Artforum*, 3 No. 7:10, Apr. 1965.

EXHIBITIONS / EXPOSIÇÕES

ALLAN D'ARCANGELO

One-Man Exhibitions / Exposições Individuais
Galerie Genova, Mexico City, Mexico, 1958
Long Island University, Long Island, New York, 1961
Fischbach Gallery, New York, 1963, 1964, 1965, 1967
Gallery Müller, Stuttgart, Germany, 1965
Hans Neuendorf Gallery, Hamburg, Germany, 1965
Galerie Ileana Sonnabend, Paris, France, 1965
Rudolf Zwirner Gallery, Cologne, Germany, 1965
Dwan Gallery, Los Angeles, California, 1966
Galerie Ricke, Kassel, Germany, 1967
Minami Gallery, Tokyo, Japan, 1967
Wurttembergischer Kunstverein, Stuttgart, Germany, 1967

Selected Group Exhibitions / Principais Exposições Coletivas
Mexican-American Institute, Mexico City, Mexico, 1958
Buffalo Fine Arts Academy—Albright-Knox Art Gallery, Buffalo, New York, "Mixed Media and Pop Art," 1963
Contemporary Art Center, Cincinnati, Ohio, "An American Viewpoint," 1963
Des Moines Art Center, Des Moines, Iowa; Addison Gallery of American Art, Phillips Academy, Andover, Massachusetts; "Three Centuries of Popular Imagery," 1963
Institute of Contemporary Art, London, England, "The Popular Image," 1963
Oakland Art Museum, Oakland, California, "Pop Art USA," 1963
Thibaut Gallery, New York, "The Hard Center," 1963
Museum of Modern Art, New York, "American Landscape Painting," travelled in the U.S.A. and to the Spoleto Festival, Italy, 1964
Riverside Museum, New York, "New York Invitational," 1964
Aspen Institute of Humanistic Studies, Aspen, Colorado, 1965
Milwaukee Art Center, Milwaukee, Wisconsin, "Pop Art and the American Tradition," 1965
Worcester Art Museum, Worcester, Massachusetts, "New American Images," 1965
Galerie Friedrich-Bahlem, Munich, Germany; Galerie Neuendorf, Hamburg, Germany; "Eleven Pop Artists, New Images," 1966
Museum of Modern Art, New York, travelling exhibition, Japan, India, Australia, "Two Decades of American Painting," 1966–1967
National Museum of Modern Art, Tokyo, Japan, "Tokyo International Biennial of Prints," 1966
Pratt Center for Contemporary Printmaking, New York, 1966
School of Visual Arts, New York, Landscapes, 1966
Stedelijk Museum, Amsterdam, The Netherlands; Stuttgart, Germany; Brussels, Belgium; "New Forms and Shapes of Color," 1966
American Painting, American Pavilion, Montreal, Canada, "Expo '67," 1967
Detroit Institute of Arts, Detroit, Michigan, "Form, Color, Image," 1967

LLYN FOULKES

One-Man Exhibitions / Exposições Individuais
Ferus Gallery, Los Angeles, California, 1961
Pasadena Art Museum, Pasadena, California, 1961
Rolf Nelson Gallery, Los Angeles, California, 1963, 1965
Oakland Art Museum, Oakland, California, 1964

Selected Group Exhibitions / Principais Exposições Coletivas
Los Angeles County Museum, Los Angeles, California, 1960, 1963, 1966
San Francisco Museum of Art, San Francisco, California, 1962, 1963, 1964
Pasadena Art Museum, Pasadena, California, 1963, 1964, 1966
Museum for the Twentieth Century, Vienna, Austria, 1964, 1965
Museum of Modern Art, New York, 1965
Musée d'Art Moderne, Paris, France, 1965
University of Illinois, Champaign, Illinois, 1965
New York World's Fair, New York, 1965
Solomon R. Guggenheim Museum, New York, 1966

JAMES GILL

One-Man Exhibitions / Exposições Individuais
Alan Gallery, New York, 1962, 1964
Felix Landau Gallery, Los Angeles, California, 1963, 1965
Galleria George Lester, Rome, Italy, 1964
Landau-Alan Gallery, New York, 1966

Selected Group Exhibitions / Principais Exposições Coletivas
M. Knoedler and Co., New York and tour, "Art Across America," 1965, Mead Paper Company
Rose Art Museum, Brandeis University, Waltham, Massachusetts, and tour, "The Painter and the Photograph," 1964–1965
The Art Institute of Chicago, Chicago, Illinois, "67th Annual American Exhibition," 1964
Museum of Modern Art, New York, "New Acquisitions," 1965

SANTE GRAZIANI

One-Man Exhibitions / Exposições Individuais
Springfield Museum of Fine Arts, Springfield, Massachusetts, 1947
M. Knoedler and Company, New York, 1948
Mount Holyoke College, Massachusetts, 1948, 1950
Preparatory drawings and color sketches for Springfield Museum of Fine Arts, Springfield, Massachusetts; Mural on tour of the United States museums, galleries and art schools, 1948–1950
Worcester Art Museum, Worcester, Massachusetts, 1957
Babcock Galleries, New York, 1962, 1963, 1965, 1967
Kanegis Gallery, Boston, Massachusetts, 1964, 1965

EXHIBITIONS / EXPOSIÇÕES

Selected Group Exhibitions / Principais Exposições Coletivas

Cleveland Museum of Art, Cleveland, Ohio, 1937–1941
Carnegie Institute, Pittsburgh, Pennsylvania, 1941
Metropolitan Museum of Art, New York, 1942
National Academy of Design, New York, 1942

PAUL HARRIS

One-Man Exhibitions / Exposições Individuais

Poindexter Gallery, New York, 1957, 1960, 1963, 1966–67
Berkeley Gallery, Berkeley, California, 1965
Lanyon Gallery, Los Angeles, California, 1965

Selected Group Exhibitions / Principais Exposições Coletivas

Museum of Modern Art, New York, "Sculpture U.S.A.," 1958
Musée de Arte Contemporanée de Chile, Chile, 1962
Universidad Catolica de Chile, Santiago, Chile, "Escultura 4," 1962
Travelling Exhibition, "Hans Hofmann and His Students," 1963
The Art Institute of Chicago, Chicago, Illinois, 1965
Arts Council of Philadelphia, Philadelphia, Pennsylvania, "How the West Has Done," 1966
Maryland Institute, Baltimore, Maryland, 1966
Museum of Contemporary Crafts, New York, "People Figures," 1966–1967
New York World's Fair, American Express Pavilion, New York, 1966
San Francisco Museum of Art, San Francisco, California, 1966
Commercial Museum, Philadelphia, Pennsylvania, Arts Council of Philadelphia, 1967
Los Angeles County Museum, Los Angeles, California, "American Sculpture of the Sixties," 1967

ROBERT INDIANA

One-Man Exhibitions / Exposições Individuais

Stable Gallery, New York, 1962, 1964, 1966
Institute of Contemporary Art, Boston, Massachusetts, 1963–1964
Walker Art Center, Minneapolis, Minnesota, 1963
Rolf Nelson Gallery, Los Angeles, California, 1965
Dayton's Gallery 12, Minneapolis, Minnesota, 1966
Galerie Schmela, Dusseldorf, Germany, 1966
Museum Haus Lange, Krefeld, Germany, 1966
Stedelijk Van Abbemuseum, Eindhoven, The Netherlands, 1966
Wurttembergischer Kunstverein, Stuttgart, Germany, 1966

Selected Group Exhibitions / Principais Exposições Coletivas

Martha Jackson Gallery, New York, "New Media, New Forms," 1960
Museum of Modern Art, New York; San Francisco Museum of Art, San Francisco, California; "The Art of Assemblage," 1961
Dwan Gallery, Los Angeles, California, "My Country 'Tis of Thee," 1962
Galerie Saqqarah, Gstaad, Switzerland, "The New Vulgarians," 1962
Sidney Janis Gallery, New York, "New Realists," 1962

Albright-Knox Art Gallery, Buffalo, New York, "Mixed Media and Pop Art," 1963
Centre Culturel Américain, Paris, France, "De A à Z 1963; 31 Peintres Américains," 1963
Museum of Modern Art, New York, "Americans 1963," 1963
Oakland Art Museum, Oakland, California, "Pop Art USA," 1963
The Art Institute of Chicago, Chicago, Illinois, "The 66th Annual American Exhibition," 1963
Calouste Gulbenkian Foundation Exhibition, Tate Gallery, London, England, "Painting and Sculpture of a Decade," 1964
Institute of Contemporary Art, University of Pennsylvania, Philadelphia, Pennsylvania, "Group Zero," 1964
Museum des Jahrhunderts, Vienna, Austria, "Pop, Etc.," 1964
The Hague Gemeentemuseum, The Hague, The Netherlands, "Nieuwe Realisten," 1964
Whitney Museum of American Art, New York, "The Friends Collect," 1964
Milwaukee Art Center, Milwaukee, Wisconsin, "Pop Art and The American Tradition," 1965
The White House, Washington, D.C., "White House Festival of the Arts," 1965
Whitney Museum of American Art, New York, "A Decade of American Drawings," 1965
Whitney Museum of American Art, New York, Annual Exhibition: Contemporary American Painting, 1965
Worcester Art Museum, Worcester, Massachusetts, "The New American Realism," 1965
Norfolk Museum of Arts and Sciences, Norfolk, Virginia, "Contemporary Art USA," 1966
Stedelijk Van Abbemuseum, Eindhoven, The Netherlands, "Kunst-Licht-Kunst," 1966
Whitney Museum of American Art, New York, Annual Exhibition: Contemporary American Sculpture and Prints, 1966
Krannert Art Museum, University of Illinois, Champaign, Illinois, "Contemporary American Painting and Sculpture," 1967
Tyrone Guthrie Theatre, Minneapolis, Minnesota, Guest Designer, "The Mother of Us All," 1967
United States Pavilion, Canadian World Exhibition, Montreal, Canada, "Expo '67," 1967

JASPER JOHNS

One-Man Exhibitions / Exposições Individuais

Leo Castelli Gallery, New York, 1958, 1960, 1961, 1963, 1966
Galerie Rive Droite, Paris, France, 1959, 1961
Galleria d'Arte del Naviglio, Milan, Italy, 1959
Columbia Museum of Art, Columbia, South Carolina, 1960
Tweed Gallery, Minneapolis, Minnesota, 1960
Everett Ellin Gallery, Los Angeles, California, 1962
Galerie Ileana Sonnabend, Paris, France, 1962
Jewish Museum, New York, 1964
Whitechapel Gallery, London, England, 1964
American Embassy, London, England, 1965
Ashmolean Museum, Oxford, England, 1965
Minami Gallery, Tokyo, Japan, 1965
Pasadena Art Museum, Pasadena, California, 1965
National Collection of Fine Arts, Washington, D.C., 1966

Selected Group Exhibitions / Principais Exposições Coletivas

Jewish Museum, New York, "Second Generation," 1957
Carnegie Institute, Pittsburgh, Pennsylvania, "Pittsburgh International Exhibition," 1958
Contemporary Arts Museum, Houston, Texas, "Collage International," 1958
Contemporary Arts Museum, Houston, Texas, "Drawing Exhibition," 1958
Venice, Italy, "Twenty-ninth Venice Biennale," 1958
Zabriskie Gallery, New York; American Federation of Arts Traveling Exhibition, "Collage in America," 1958–59
Contemporary Arts Museum, Houston, Texas, "Out of the Ordinary," 1959
Galerie Daniel Cordier, Paris, France, "Exposition Internationale du Surréalisme," 1959
Institute of Contemporary Art, Boston, Massachusetts, Traveling Exhibition for Europe, "100 American Works on Paper," 1959-60
Columbus Museum of Art, Columbus, Ohio, "Contemporary American Painting," 1960
Martha Jackson Gallery, New York, "New Media—New Forms," 1960
Whitney Museum of American Art, New York, Annual Exhibition: Contemporary American Drawings and Sculpture, 1960
Carnegie Institute, Pittsburgh, Pennsylvania, "Pittsburgh International Exhibition," 1961
International Council of the Museum of Modern Art, New York, traveling exhibition for Latin America, "Abstract Watercolors and Drawings: USA," 1961–1963
Moderna Museet, Stockholm, Sweden; Louisiana Museum, Humblebaek, Denmark, "Rorelse I Konsten," 1961
Solomon R. Guggenheim Museum, New York, "American Abstract Expressionists and Imagists," 1961
Stedelijk Museum, Amsterdam, Netherlands, "Bewogen Beweging," 1961
Vienna, Austria; Salzburg, Austria; Yugoslavia; London, England; Darmstadt, Germany; "American Vanguard," sponsored by the United States Information Agency, 1961–1962
Kunsthalle, Bern, Switzerland, "4 Amerikaner," 1962
National Museum of Modern Art, Tokyo, Japan, "3rd International Biennial Exhibition of Prints," 1962
Seattle World's Fair, Seattle, Washington; Brandeis University, Waltham, Massachusetts, "Art Since 1950," 1962
YM/YWHA, Philadelphia, Pennsylvania, "Art 1963—A New Vocabulary," 1962
Albright-Knox Art Gallery, Buffalo, New York, "Mixed Media and Pop Art," 1963
Columbia Museum of Art, Columbia, South Carolina, "The Ascendency of American Art," 1963
El Ritiro Parquet, Madrid, Spain, "Arte de America y España," 1963
Institute of Contemporary Arts, London, England, "The Popular Image," 1963
Jerrold Morris International Gallery, Toronto, Ontario, Canada, "The Art of Things," 1963
Solomon R. Guggenheim Museum, New York, traveling exhibition, "Six Painters and the Object," 1963
Stedelijk Museum, Amsterdam, The Netherlands; Kunsthalle, Baden-Baden, Germany, "Schrift und Bild," 1963
Washington Gallery of Modern Art, Washington, D.C., "The Popular Image Exhibition," 1963

Municipal Museum, The Hague, The Netherlands, "New Realism," 1964
Sidney Janis Gallery, New York, "3 Generations," 1964
Palais des Beaux-Arts, Brussels, Belgium, "Pop Art, Nouveau Réalisme, etc.," 1965
Worcester Museum of Art, Worcester, Massachusetts, "The New American Realism," 1965
Contemporary Arts Center, Cincinnati, Ohio, "Master Drawings—Pissarro to Lichtenstein," 1966
Museum of Modern Art Circulating Exhibition, New York; Tokyo, Japan, "Recent American Painting," 1966
Rhode Island School of Design, Providence, Rhode Island, "Recent Still Life—Painting and Sculpture," 1966
University of Texas, Austin, Texas, "Drawings And," 1966
Corcoran Gallery of Art, Washington, D.C., "30th Biennial," 1967

GERALD LAING

One-Man Exhibitions / Exposições Individuais

Feigen/Palmer Gallery, Los Angeles, California, 1964
Institute of Contemporary Art, London, England, 1964
Richard Feigen Gallery, New York, 1964, 1965, 1967
Richard Feigen Gallery, Chicago, Illinois, 1965, 1966
Kornblee Gallery—with Peter Phillips, HYBRID project and show, New York, 1966

Selected Group Exhibitions / Principais Exposições Coletivas

London, England, "Young Contemporaries," 1963
Musée d'Art Moderne, Paris, France, "Third Paris Biennale," 1963
Albright-Knox Art Gallery, Buffalo, New York, "Contemporary British Painting and Sculpture," 1964
Arts Council of Great Britain Touring Exhibition, 1964
Institute of Contemporary Art, London, England, "Four Young Painters," 1964
Museum of Contemporary Art, Nagaoka, Japan, (Sponsored by The American Federation of Arts, New York), 1965
San Francisco Museum of Art, San Francisco, California, "A New York Collector Selects," 1965
Contemporary Arts Gallery, Loeb Student Center, New York University, New York, "Contemporary Drawings," 1966
Jewish Museum, New York, "Primary Structures," 1966
Stedelijk Museum, Amsterdam, The Netherlands, "New Forms and Shapes of Color," 1966
Galerie Stadler, Paris, France, "Art Objective," 1967

ROY LICHTENSTEIN

One-Man Exhibitions / Exposições Individuais

Carlebach Gallery, New York, 1951
John Heller Gallery, New York, 1952, 1953, 1954, 1957
Leo Castelli Gallery, New York, 1962, 1963, 1964, 1965
Ferus Gallery, Los Angeles, California, 1963, 1964
Galerie Ileana Sonnabend, Paris, France, 1963, 1965
Il Punto, Turin, Italy, 1964
The Cleveland Museum of Art, Cleveland, Ohio, 1966
Pasadena Art Museum, Pasadena, California, 1967
Walker Art Center, Minneapolis, Minnesota, 1967

EXHIBITIONS / EXPOSIÇÕES

Selected Group Exhibitions / Principais Exposições Coletivas

Dwan Gallery, Los Angeles, California, "My Country 'Tis of Thee," 1962

Pasadena Art Museum, Pasadena, California, "New Paintings of Common Objects," 1962

Sidney Janis Gallery, New York, "The New Realists," 1962

YM/YWHA, Philadelphia, Pennsylvania, "Art 1963—A New Vocabulary," 1962

The Art Institute of Chicago, Chicago, Illinois, "66th American Annual," 1963

Contemporary Arts Museum, Houston, Texas, "Pop Goes the Easel," 1963

Des Moines Art Center, Des Moines, Iowa; Addison Gallery of American Art, Phillips Academy, Andover, Massachusetts, "Signs of Our Times," 1963

Institute of Contemporary Arts, London, England, "The Popular Image," 1963

Jerrold Morris International Gallery, Toronto, Ontario, Canada, "The Art of Things," 1963

William Rockhill Nelson Gallery of Art, Kansas City, Missouri, "Popular Art," 1963

Rose Art Museum, Brandeis University, Waltham, Massachusetts, "New Directions in American Painting," 1963

Solomon R. Guggenheim Museum, New York, and traveling exhibition, "Six Painters and The Object," 1963–64

Washington Gallery of Modern Art, Washington, D.C., "The Popular Image Exhibition," 1963

Gulbenkian Foundation, Tate Gallery, London, England, "Painting and Sculpture of a Decade," 1964

Moderna Museet, Stockholm, Sweden, "Amerikansk Pop-konst," 1964

Municipal Museum, The Hague, The Netherlands, "New Realism," 1964

Rose Art Museum, Brandeis University, Waltham, Massachusetts, "Recent American Drawings," 1964

Sidney Janis Gallery, New York, "3 Generations," 1964

Solomon R. Guggenheim Museum, New York, "Contemporary Drawings," 1964

Stedelijk Museum, Amsterdam, The Netherlands, "Pop Kunst," 1964

Contemporary Arts Center, Cincinnati, Ohio, "Master Drawings—Pissarro to Lichtenstein," 1965

Palais des Beaux-Arts, Brussels, Belgium, "Pop Art, Nouveau Réalisme, etc.," 1965

Whitney Museum of American Art, New York, Annual Exhibition: Contemporary American Painting, 1965

Worcester Art Museum, Worcester, Massachusetts, "New American Realism," 1965

Museum of Modern Art, New York, Circulating Exhibition, Tokyo, Japan, "Recent American Painting," 1966

Rhode Island School of Design, Providence, Rhode Island, "Recent Still Life—Painting & Sculpture," 1966

Venice, Italy, 33rd Biennale, 1966

Leo Castelli Gallery, New York, "Ten Years," 1967

RICHARD LINDNER

One-Man Exhibitions / Exposições Individuais

Betty Parsons Gallery, New York, 1954, 1956, 1959

Cordier & Warren Gallery, New York, 1961

Cordier & Ekstrom Gallery, New York, 1963, 1964, 1965

Robert Fraser Gallery, London, England, 1963

Claude Bernard Gallery, Paris, France, 1965

Galleria D'Arte Contemporanea, Turin, Italy, 1966

Selected Group Exhibitions / Principais Exposições Coletivas

The Art Institute of Chicago, Chicago, Illinois, 1954, 1957, 1966

Walker Art Center, Minneapolis, Minnesota, 1954

Brooklyn Museum, Brooklyn, New York, 1955

Whitney Museum of American Art, New York, 1957, 1960, 1961

Museum Voor Schone Kunsten, Ghent, Belgium, 1964

San Francisco Museum of Art, San Francisco, California, 1964, 1966

Vancouver Museum of Art, Vancouver, Canada, 1964

Corcoran Gallery of Art, Washington, D.C., 1965

Tokyo Biennial, Tokyo, Japan, 1965–66

Worcester Art Center, Worcester, Massachusetts, 1965

Cleveland Museum of Art, Cleveland, Ohio, 1966

Dallas Museum of Fine Arts, Dallas, Texas, 1966

MALCOLM MORLEY

One Man Exhibition / Exposição Individual

Kornblee Gallery, New York, 1964, 1967

Selected Group Exhibitions / Principais Exposições Coletivas

The London Group, 1955

London, England, "Young Contemporaries," 1956, 1957

Art U.S.A., 1959

William Rockhill Nelson Gallery of Art, Kansas City, Missouri, "Sound, Light, Silence," 1966

Solomon R. Guggenheim Museum, New York, "The Photographic Image," 1966

LOWELL NESBITT

One-Man Exhibitions / Exposições Individuais

Baltimore Museum of Art, Baltimore, Maryland, 1958

Franz Bader Gallery, Washington, D.C., 1963

Corcoran Gallery of Art, Washington, D.C., 1964

Henri Gallery, Washington, D.C., 1965, 1966

Howard Wise Gallery, New York, 1965, 1966

Rolf Nelson Gallery, Los Angeles, California, 1965, 1966

Gertrude Kasle Gallery, Detroit, Michigan, 1966, 1967

Jefferson Gallery, San Diego, 1967

Louisiana Gallery, Houston, Texas, 1967

Selected Group Exhibitions / Principais Exposições Coletivas

Pan American Union, Washington, D.C., "Nine Contemporary Painters—USA," 1964

Larry Aldrich Museum, Ridgefield, Connecticut, "Art of the 50's and 60's—Selection of the Richard Brown Baker Collection," 1965

Larry Aldrich Museum, Ridgefield, Connecticut, "Highlights of the Season," 1965–66

New York World's Fair, American Express Pavilion, New York, 1965
Flint Institute of Art, Flint, Michigan, "Realism Revisited," 1966
Art Institute of Indianapolis, Herron Museum of Art, Indianapolis, Indiana, 1966
Museum of Modern Art, Mexico City, Mexico, Print Exhibition, 1966
Akron Art Institute, Akron, Ohio, 1967
Kent State University, Ohio, "First Kent Invitational," 1967
Krannert Art Museum, University of Illinois, Urbana, Illinois, "Contemporary American Painting and Sculpture," 1967
Larry Aldrich Museum, Ridgefield, Connecticut, "Art of 1964, 1965 and 1966," 1967
Los Angeles County Museum, Los Angeles, California, "Contemporary Surrealists," 1967
Tokyo Biennial, Tokyo, Japan, 1967

CLAES OLDENBURG

One-Man Exhibitions / Exposições Individuais

Judson Gallery, New York, 1959
Ruben Gallery, New York, 1960
Claes Oldenburg's New York Studio, 1961
Green Gallery, New York, 1962
Museum of Contemporary Arts, Dallas, Texas, 1962
University of Chicago, Chicago, Illinois, 1962
Dwan Gallery, Los Angeles, California, 1963
Galerie Ileana Sonnabend, Paris, France, 1964
Sidney Janis Gallery, New York, 1964, 1966, 1967
Film-Maker's Cinemathèque, New York, 1965
Moderna Museet, Stockholm, Sweden, 1966
Robert Fraser Gallery, London, England, 1966

Selected Group Exhibitions / Principais Exposições Coletivas

Martha Jackson Gallery, New York, "New Media, New Forms," 1960
Dallas Museum for Contemporary Arts, Dallas, Texas, 1961
Sidney Janis Gallery, New York, "New Realists," 1962
Wadsworth Athenaeum, Hartford, Connecticut, "Continuity and Change," 1962
Museum of Modern Art, New York, "Americans 1963," 1963
William Rockhill Nelson Gallery of Art, Kansas City, Missouri, "Popular Art," 1963
Oakland Art Museum, Oakland, California, "Pop Art USA," 1963
Washington Gallery of Modern Art, Washington, D.C., "Popular Image Exhibition," 1963
Moderna Museet, Stockholm, Sweden; Louisiana Museum, Humlebaek, Denmark, "Amerikansk Pop-konst," 1964
Rose Art Museum, Brandeis University, Waltham, Massachusetts, "Recent American Drawings," 1964
The Poses Institute of Fine Arts, Brandeis University, Waltham, Massachusetts, "New Directions in American Painting," 1964
Palais des Beaux-Arts, Brussels, Belgium, "Pop Art, Nouveau Réalisme, etc.," 1965
Worcester Art Museum, Worcester, Massachusetts, "The New American Realism," 1965
Los Angeles County Museum, Los Angeles, California, "American Sculpture of the 60's," 1966-67
Walker Art Center, Minneapolis, Minnesota, "Eight Sculptors: The Ambiguous Image," 1966

Whitney Museum of American Art, New York, Annual Exhibition: Contemporary American Sculpture and Prints, 1966
Art Gallery of Ontario, Toronto, Ontario, Canada; Albright-Knox Art Gallery, Buffalo, New York, "Dine/Oldenburg/Segal," 1967

JOE RAFFAELE

One-Man Exhibition / Exposição Individual

Stable Gallery, New York, 1965, 1966

Selected Group Exhibitions / Principais Exposições Coletivas

Institute of Contemporary Art, University of Pennsylvania, Philadelphia, Pennsylvania, "The Other Tradition," 1966
Larry Aldrich Museum, Ridgefield, Connecticut, "Highlights of the 1965-1966 Art Season," 1966
Museum of Modern Art, New York, "Art in the Mirror," 1966
Solomon R. Guggenheim Museum, New York, "The Photographic Image," 1966
Weatherspoon Art Gallery, University of North Carolina, Greensboro, North Carolina, "Art on Paper," 1966
Yale University, School of Art and Architecture, New Haven, Connecticut, "Exhibition of Twelve Yale Artists," 1966
Art Institute of Chicago, Chicago, Illinois, "70th Annual Exhibition of the Society of Contemporary Art," 1967
Corcoran Gallery of Art, Washington, D.C., "30th Annual Exhibition of Contemporary American Painting," 1967
Finch College Museum of Art, New York, "Art in Process: The Visual Development of a Collage," 1967
Galleria D'Arte Moderna, Milan, Italy, "Salone Internazionale dei Giovani," 1967
Galleria Sperone, Turin, Italy, "Joe Raffaele—Lowell Nesbitt," 1967
Krannert Art Museum, University of Illinois, Champaign, Illinois, "Biennial Exhibition of Contemporary American Painting and Sculpture," 1967
Los Angeles County Museum, Los Angeles, California, "Aspects of Realism," 1967

ROBERT RAUSCHENBERG

One-Man Exhibitions / Exposições Individuais

Betty Parsons Gallery, New York, 1951
Galleria d'Arte Contemporanea, Florence, Italy, 1953
Galleria del Obelisco, Rome, Italy, 1953
Stable Gallery, New York, 1953
Egan Gallery, New York, 1955
Leo Castelli Gallery, New York, 1958, 1959, 1960, 1961, 1963, 1965, 1967
Galerie 22, Dusseldorf, Germany, 1959
Galleria La Tartaruga, Rome, Italy, 1959
Galerie Daniel Cordier, Paris, France, 1961
Galleria dell'Ariete, Milan, Italy, 1961
Dwan Gallery, Los Angeles, California, 1962
Galerie Ileana Sonnabend, Paris, France, 1963, 1964
Jewish Museum, New York, 1963
Arte Moderna, Turin, Italy, 1964
Whitechapel Art Gallery, London, England, 1964

EXHIBITIONS / EXPOSIÇÕES

Amerika House, Berlin, Germany, 1965
Contemporary Arts Society, Houston, Texas, 1965
Moderna Museet, Stockholm, Sweden, 1965
Walker Art Center, Minneapolis, Minnesota, 1965

Selected Group Exhibitions / Principais Exposições Coletivas

Jewish Museum, New York, "Second Generation," 1957
Carnegie Institute, Pittsburgh, Pennsylvania, "Pittsburgh International Exhibition," 1958
Contemporary Arts Museum, Houston, Texas, "Out of the Ordinary," 1959
Galerie Daniel Cordier, Paris, France, "Exposition Internationale du Surréalisme," 1959
Museum of Modern Art, New York, "16 Americans," 1959
Columbus Museum of Art, Columbus, Ohio, "Contemporary American Painting," 1960
Martha Jackson Gallery, New York, "New Media-New Forms," 1960
Carnegie Institute, Pittsburgh, Pennsylvania, "Pittsburgh International Exhibition," 1961
Galerie Rive Droite, Paris, France, "Le Nouveau Réalisme," 1961
International Council of the Museum of Modern Art, New York, traveling exhibition for Latin American countries, "Abstract Drawings and Watercolors: USA," 1961–1963
Moderna Museet, Stockholm, Sweden; Louisiana Museum, Humblebaek, Denmark, "Rorelse I Konsten," 1961
Stedelijk Museum, Amsterdam, The Netherlands, "Bewogen Beweging," 1961
Vienna, Austria; Salzburg, Austria; Yugoslavia; London, England; Darmstadt, Germany; sponsored by the United States Information Agency, "American Vanguard," 1961–1962
Dwan Gallery, Los Angeles, California, "My Country 'Tis of Thee," 1962
Kunsthalle, Bern, Switzerland, "4 Amerikaner," 1962
National Museum of Modern Art, Tokyo, Japan, "3rd International Biennial Exhibition of Prints," 1962
Seattle World's Fair, Seattle, Washington; Brandeis University, Waltham, Massachusetts, "Art Since 1950," 1962
YM/YWHA, Philadelphia, Pennsylvania, "Art 1963 – A New Vocabulary," 1962
Columbia Museum, Columbia, South Carolina, "The Ascendancy of American Art," 1963
El Retiro Parquet, Madrid, Spain, "Arte de America y España," 1963
Institute of Contemporary Arts, London, England, "The Popular Image," 1963
Jerrold Morris International Gallery, Toronto, Ontario, Canada, "The Art of Things," 1963
Solomon R. Guggenheim Museum, New York, traveling exhibition, "Six Painters and the Object," 1963–1964
Stedelijk Museum, Amsterdam, The Netherlands; Kunsthalle, Baden-Baden, Germany, "Schrift und Bild," 1963
The Art Institute of Chicago, Chicago, Illinois, "66th Annual American Exhibition," 1963
Washington Gallery of Modern Art, Washington, D.C., "Popular Image Exhibition," 1963
Portland Art Museum, Portland, Oregon, "The Wright Collection," 1964
Sidney Janis Gallery, New York, "3 Generations," 1964
The Municipal Museum, The Hague, The Netherlands, "New Realism," 1964
Palais des Beaux-Arts, Brussels, Belgium, "Pop Art, Nouveau Réalisme, etc.," 1965

Whitney Museum of American Art, New York, Annual Exhibition: Contemporary American Painting, 1965
Contemporary Arts Center, Cincinnati, Ohio, "Master Drawings – Pissarro to Lichtenstein," 1966
Museum of Modern Art Circulating Exhibition, New York, "Art in the Mirror," 1966
University of Texas, Austin, Texas, "Drawings And," 1966

JAMES ROSENQUIST

One-Man Exhibitions / Exposições Individuais

Green Gallery, New York, 1962, 1963, 1964
Dwan Gallery, Los Angeles, California, 1964
Arte Moderna, Turin, Italy, 1965
Galerie Ileana Sonnabend, Paris, France, 1965
Leo Castelli Gallery, New York, 1965
Baden-Baden Museum, Germany, 1966
Kunsthalle, Berne, Switzerland, 1966
Moderna Museet, Stockholm, Sweden, 1966
Stedelijk Museum, Amsterdam, The Netherlands, 1966

Selected Group Exhibitions / Principais Exposições Coletivas

Dwan Gallery, Los Angeles, California, "My Country 'Tis of Thee," 1962
Sidney Janis Gallery, New York, "New Realists," 1962
Institute of Contemporary Arts, London, England, "The Popular Image," 1963
William Rockhill Nelson Gallery of Art, Kansas City, Missouri, "Popular Art," 1963
Oakland Art Museum, Oakland, California, "Pop Art USA," 1963
Solomon R. Guggenheim Museum, New York, "Six Painters and the Object," 1963
Washington Gallery of Modern Art, Washington, D.C., "Popular Image Exhibition," 1963
Moderna Museet, Stockholm, Sweden, "Amerikanst Pop-konst," 1964
Stedelijk Museum, Amsterdam, The Netherlands, "Pop Art," 1964
Tate Gallery, London, England, "Painting and Sculpture of a Decade 54/64," 1964
Instituto Torcuato di Tella, Buenos Aires, Argentina, "International Prize," 1965
Palais des Beaux-Arts, Brussels, Belgium, "Pop Art, Nouveau Réalisme, etc.," 1965
Worcester Art Museum, Worcester, Massachusetts, "The New American Realism," 1965
Jewish Museum, New York, "Harry N. Abrams Family Collection," 1966
Museum of Modern Art, New York, circulating exhibition, Tokyo, Japan, "Recent American Painting," 1966
The Art Institute of Chicago, Chicago, Illinois, "68th Annual American Exhibition," 1966
William Rockhill Nelson Gallery of Art, Kansas City, Missouri, "Sound, Light, Silence," 1966

EDWARD RUSCHA

One-Man Exhibition / Exposição Individual

Ferus Gallery, Los Angeles, California, 1963, 1964, 1965

Selected Group Exhibitions / Principais Exposições Coletivas

Los Angeles County Museum, Los Angeles, California, "Six More," 1963
M. Knoedler and Co., New York and tour, "Art Across America," 1965, Mead Paper Company
Oakland Art Museum, Oakland, California, "Pop Art USA," 1963
Pasadena Art Museum, Pasadena, California, "The New Painting of Common Objects," 1962
Robert Fraser Gallery, London, England, "Los Angeles Now," 1966
Solomon R. Guggenheim Museum, New York, "American Drawings," 1964
Solomon R. Guggenheim Museum, New York, "Word and Image," 1965
Musée d' Art Moderne, Paris, France, "18th Salon of Young Painters," 1967

GEORGE SEGAL

One-Man Exhibitions / Exposições Individuais

Hansa Gallery, New York, 1956, 1957, 1958, 1959
Rutgers University, New Brunswick, New Jersey, 1958
Green Gallery, New York, 1960, 1962, 1964
Ileana Sonnabend Gallery, Paris, France, 1963
Schmela Gallery, Dusseldorf, Germany, 1963
Sidney Janis Gallery, New York, 1965, 1967

Selected Group Exhibitions / Principais Exposições Coletivas

Boston Arts Festival, Boston, Massachusetts, 1956
Jewish Museum, New York, "New York School: Second Generation," 1957
Sarah Lawrence College, New York, 1958
Carillon Museum, Richmond, Virginia, 1959
Newark Museum, Newark, New Jersey, "New Jersey State Artists," 1960
Whitney Museum of American Art, New York, Annual Exhibition: Contemporary American Drawings and Sculpture, 1960
American Federation of Arts, New York, circulating exhibition, "The Figure in Contemporary American Painting," 1961
Arts Council YMHA, Philadelphia, Pennsylvania, "Art '63-A New Vocabulary," 1962
Sidney Janis Gallery, New York, "The New Realists," 1962
The Art Institute of Chicago, Chicago, Illinois, 1962
São Paulo Bienal, São Paulo, Brazil, "10 American Sculptors," 1963
Stedelijk Museum, Amsterdam, The Netherlands, "American Pop Art," 1963
Pittsburgh International Exhibition of Contemporary Painting and Sculpture, Pittsburgh, Pennsylvania, 1964
Moderna Museet, Stockholm, Sweden, "Amerikansk Pop-konst," 1964
Jewish Museum, New York, "Recent American Sculpture," 1964
Whitney Museum of American Art, New York, "1964 Annual Exhibition of Contemporary American Sculpture," 1964
Milwaukee Art Center, Milwaukee, Wisconsin, "Pop Art and The American Tradition," 1965
Palais des Beaux-Arts, Brussels, Belgium, "Pop Art, Nouveau Réalisme, etc.," 1965
Worcester Art Museum, Worcester, Massachusetts, "New American Realism, 1965," 1965

Loeb Art Center, New York University, New York, 1966
Museum of Art, Rhode Island School of Design, Providence, Rhode Island, "Recent Still Life," 1966
Whitney Museum of American Art, New York, Annual Exhibition: Contemporary American Sculpture and Prints, 1966
Art Gallery of Ontario, Toronto, Ontario, Canada; Albright-Knox Art Gallery, Buffalo, New York; "Dine/Segal/Oldenburg," 1967
Museum of Modern Art circulating exhibition, New York, American Embassy, Prague, 1967

WAYNE THIEBAUD

One-Man Exhibitions / Exposições Individuais

Crocker Art Gallery, Sacramento, California, 1952
Gumps, San Francisco, California, 1953
Artists Cooperative Gallery, Sacramento, California, 1954
San Jose State College, Bakersfield, California, 1955
Sacramento City College, Sacramento, California, 1957
de Young Museum, San Francisco, California, 1962
Allan Stone Gallery, New York, 1962, 1963, 1964, 1965, 1966, 1967
Galleria Schwarz, Milano, Italy, 1963
Stanford University, California, 1965

ANDY WARHOL

One-Man Exhibitions / Exposições Individuais

Ferus Gallery, Los Angeles, California, 1962, 1963
Stable Gallery, New York, 1962, 1964
Ileana Sonnabend Gallery, Paris, France, 1964, 1965
Leo Castelli Gallery, New York, 1964, 1966
Morris International Gallery, Toronto, Ontario, Canada, 1965
Galerie Buren, Stockholm, Sweden, 1965
Galleria Rubbers, Buenos Aires, Argentina, 1965
Gian Enzo Sperone Arte Moderna, Turin, Italy, 1965
Institute of Contemporary Art, Philadelphia, Pennsylvania, 1965
Institute of Contemporary Art, Boston, Massachusetts, 1966

Selected Group Exhibitions / Principais Exposições Coletivas

Dwan Gallery, Los Angeles, California, "My Country 'Tis of Thee," 1962
Sidney Janis Gallery, New York, "New Realists," 1962
Institute of Contemporary Art, London, England, "The Popular Image," 1963
William Rockhill Nelson Gallery of Art, Kansas City, Missouri, "Popular Art," 1963
Oakland Art Museum, Oakland, California, "Pop Art USA," 1963
Solomon R. Guggenheim Museum, New York, "Six Painters and the Object," 1963
Washington Gallery of Modern Art, Washington, D.C., "Popular Image Exhibition," 1963
Institute of Contemporary Art, Philadelphia, Pennsylvania, "The Atmosphere of '64," 1964
Moderna Museet, Stockholm, Sweden, "Amerikanst Pop-konst," 1964
Rose Art Museum, Brandeis University, Waltham, Massachusetts, "Recent American Drawings," 1964

Sidney Janis Gallery, New York, "3 Generations," 1964
Stedelijk Museum, Amsterdam, The Netherlands, "Pop Konst," 1964
University of New Mexico Art Gallery, Albuquerque, New Mexico, "The Painter and the Photograph," 1964
Institute of Contemporary Art, Boston, Massachusetts, "Corporations Collect," 1965
Palais des Beaux-Arts, Brussels, Belgium, "Pop Art, Nouveau Réalisme, etc.," 1965
Worcester Art Museum, Worcester, Massachusetts, "The New American Realism," 1965
Gian Enzo Sperone, Arte Moderna, Milan, Italy, 1966
Museum of Art, Rhode Island School of Design, Providence, Rhode Island, "Recent Still Life," 1966
Solomon R. Guggenheim Museum, New York, "The Photographic Image," 1966
Jewish Museum, New York, "Harry N. Abrams Family Collection," 1966

TOM WESSELMANN

One-Man Exhibitions / Exposições Individuais

Tanager Gallery, New York, 1961
Green Gallery, New York, 1962, 1964, 1965
Sidney Janis Gallery, New York, 1965
Galerie Ileana Sonnabend, Paris, France, 1966

Selected Group Exhibitions / Principais Exposições Coletivas

Dwan Gallery, Los Angeles, California, "My Country 'Tis of Thee," 1962
Finch College Museum, New York, "American Figure Painting 1957–1962," 1962
Museum of Modern Art, New York, "Recent Painting USA: The Figure," 1962
Sidney Janis Gallery, New York, "New Realists," 1962
Albright-Knox Art Gallery, Buffalo, New York, "Mixed Media and Pop Art," 1963

Contemporary Arts Association of Houston, Houston, Texas, "Pop Goes the Easel," 1963
Contemporary Arts Center, Cincinnati, Ohio, "An American Viewpoint 1963," 1963
Institute of Contemporary Arts, London, England, "The Popular Image," 1963
Jerrold Morris Gallery, Toronto, Ontario, Canada, "The Art of Things," 1963
Oakland Art Museum, Oakland, California, "Pop Art USA 1963," 1963
Rose Art Museum, Brandeis University, Waltham, Massachusetts, "New Directions in American Painting," 1963
Washington Gallery of Modern Art, Washington, D.C., "The Popular Image Exhibition," 1963
William Rockhill Nelson Gallery of Art, Kansas City, Missouri, "Pop Art," 1963
Dayton Art Institute, Dayton, Ohio, "International Selection 1963–1964," 1964
Moderna Museet, Stockholm, Sweden, "Amerikansk Pop-konst," 1964
Poses Institute of Fine Arts, Brandeis University, Waltham, Massachusetts, "Boston Collects Modern Art," 1964
Sidney Janis Gallery, New York, "Three Generations," 1964
Wilcox Gallery, Swarthmore College, "2 Generations of Modern American Painting," 1964
Fort Worth Art Center, Fort Worth, Texas, "Master Drawings," 1965
Milwaukee Art Center, Milwaukee, Wisconsin, "Pop Art and The American Tradition," 1965
Palais des Beaux-Arts, Brussels, Belgium, "Pop Art, Nouveau Réalisme, etc.," 1965
Worcester Art Museum, Worcester, Massachusetts, "The New American Realism," 1965
Loeb Art Center, New York University, New York, "Contemporary Drawings," 1966
Museum of Art, Rhode Island School of Design, Providence, Rhode Island, "Recent Still Life," 1966
Detroit Institute of Arts, Detroit, Michigan, "Color, Image and Form," 1967
The New Jersey State Museum Cultural Center, Trenton, New Jersey, "Focus on Light," 1967

CATALOG / CATÁLOGO

EDWARD HOPPER
LISTA DOS TRABALHOS DE EDWARD HOPPER

ENVIRONMENT U.S.A.
LISTA DOS TRABALHOS, MEIO-NATURAL U.S.A.
1957-1967

EDWARD HOPPER

Dimensions are in inches; height precedes width. (*) indicates that the work is exhibited only in São Paulo; (**) only at Rose Art Museum, Brandeis University. (•) indicates work reproduced in color.

1. **CORNER SALOON**   1913   24 x 29
   Oil on canvas
   Museum of Modern Art, New York
   Abby Aldrich Rockefeller Fund

2. **APARTMENT HOUSES**   1923   25½ x 31½
   Oil on canvas
   Pennsylvania Academy of the Fine Arts
   Philadelphia, Pennsylvania

3. **ELEVEN A.M.**   1926   28 x 36
   Oil on canvas
   Joseph H. Hirshhorn Foundation, New York*

4. **AUTOMAT**   1927   28 x 36
   Oil on canvas
   Edmundson Collection, Des Moines Art Center
   Des Moines, Iowa

5. **DRUG STORE**   1927   28 x 40
   Oil on canvas
   Museum of Fine Arts, Boston, Massachusetts*

6. **TWO ON THE AISLE**   1927   40¼ x 48¼
   Oil on canvas
   Toledo Museum of Art, Toledo, Ohio

7. **FREIGHT CARS, GLOUCESTER**   1928   29 x 40
   Oil on canvas
   Addison Gallery of American Art, Phillips Academy
   Andover, Massachusetts
   Gift of Edward W. Root

8. **FROM WILLIAMSBURG BRIDGE**   1928   29 x 43
   Oil on canvas
   Metropolitan Museum of Art, New York
   George A. Hearn Fund, 1937*

9. **MANHATTAN BRIDGE LOOP**   1928   35 x 60
   Oil on canvas
   Addison Gallery of American Art, Phillips Academy
   Andover, Massachusetts
   Gift of Stephen C. Clark

10. **NIGHT WINDOWS**   1928   29 x 34
    Oil on canvas
    Museum of Modern Art, New York
    Gift of John Hay Whitney

LISTA DOS TRABALHOS DE EDWARD HOPPER

As dimensões estão em polegadas. As medidas indicadas são: primeiro altura e, segundo, largura. Um asterísco (*) indica que o trabalho será expôsto sòmente em São Paulo; dois asteríscos (**) indicam que o trabalho será expôsto sòmente no Museu de Arte Rose, na Universidade de Brandeis. (•) o asterísco indica os trabalhos reproducidos a côres neste catàlogo.

1. **BAR DE ESQUINA**   1913   24 x 29
   Óleo em tela
   Museu de Arte Moderna de Nova York
   Fundo Abby Aldrich Rockefeller

2. **CASAS DE APARTAMENTOS**   1923   25½ x 31½
   Óleo em tela
   Academia de Belas Artes Pensilvânia
   Filadélfia, Pensilvânia

3. **ONZE HORAS DA MANHÃ**   1926   28 x 36
   Óleo em tela
   Fundação Joseph H. Hirshhorn, Nova York*

4. **AUTOMÁTICO**   1927   28 x 36
   Óleo em tela
   Coleção Edmundson, Centro de Arte Des Moines
   Des Moines, Iowa

5. **DROGARIA**   1927   28 x 40
   Óleo em tela
   Museu de Belas Artes, Boston, Massachusetts*

6. **DOIS NO CORREDOR**   1927   40¼ x 48¼
   Óleo em tela
   Museu de Arte Toledo, Toledo, Ohio

7. **VAGÕES DE CARGA, GLOUCESTER**   1928   29 x 40
   Óleo em tela
   Galeria Addison de Arte Americana
   Academia Phillips, Andover, Massachusetts
   Doação do Sr. Edward W. Root

8. **DA PONTE DE WILLIAMSBURG**   1928   29 x 43
   Óleo em tela
   Museu Metropolitano de Arte de Nova York
   Fundo George A. Hearn, 1937*

9. **CURVA DA PONTE MANHATTAN**   1928   35 x 60
   Óleo em tela
   Galeria Addison de Arte Americana
   Academia Phillips, Andover, Massachusetts
   Doação de Stephen C. Clark

10. **JANELAS NOTURNAS**   1928   29 x 34
    Óleo em tela
    Museu de Arte Moderna de Nova York
    Doação de John Hay Whitney

•11. EARLY SUNDAY MORNING   1930   35 x 60
Oil on canvas
Whitney Museum of American Art, New York*

12. TABLES FOR LADIES   1930   48¼ x 60
Oil on canvas
Metropolitan Museum of Art, New York
George A. Hearn Fund, 1931

•13. THE BARBER SHOP   1931   60 x 78
Oil on canvas
Mr. and Mrs. Roy R. Neuberger, New York

14. THE CAMEL'S HUMP   1931   32¼ x 50⅛
Oil on canvas
Munson-Williams-Proctor Institute
Utica, New York
Edward W. Root Bequest

15. NEW YORK, NEW HAVEN AND HARTFORD   1931
32 x 50
Oil on canvas
Art Association of Indianapolis
Herron Museum of Art, Indianapolis, Indiana

16. ROOM IN BROOKLYN   1932   29 x 34
Oil on canvas
Museum of Fine Arts, Boston, Massachusetts

17. ROOM IN NEW YORK   1932   29 x 36
Oil on canvas
University of Nebraska Art Galleries
Lincoln, Nebraska

18. EAST WIND OVER WEEHAWKEN   1934
34½ x 50½
Oil on canvas
Pennsylvania Academy of the Fine Arts
Philadelphia, Pennsylvania

19. THE SHERIDAN THEATRE   1936–37   17 x 25
Oil on canvas
The Newark Museum, Newark, New Jersey

20. COMPARTMENT C, CAR 293   1938   20 x 18
Oil on canvas
IBM Corporation, New York

21. GROUND SWELL   1939   36½ x 50¼
Oil on canvas
Corcoran Gallery of Art, Washington, D.C.

22. NEW YORK MOVIE   1939   32¼ x 40⅛
Oil on canvas
Museum of Modern Art, New York

23. OFFICE AT NIGHT   1940   22⅛ x 25
Oil on canvas
Walker Art Center, Minneapolis, Minnesota

•11. DOMINGO CEDINHO   1930   35 x 60
Óleo em tela
Museu de Arte Americana Whitney, Nova York*

12. MESAS PARA SENHORAS   1930   48¼ x 60
Óleo em tela
Museu Metropolitano de Arte de Nova York
Fundo George A. Hearn, 1931

•13. BARBEARIA   1931   60 x 78
Óleo em tela
Sr. e Sra. Roy R. Neuberger, Nova York

14. A CORCOVA DO CAMELO   1931   32¼ x 50⅛
Óleo em tela
Instituto Munson-Williams-Proctor
Utica, Nova York
Legado de Edward W. Root

15. NOVA YORK, NOVA HAVEN E HARTFORD   1931
32 x 50
Óleo em tela
Associação de Arte de Indianápolis
Museu de Arte Herron, Indianápolis, Indiana

16. QUARTO EM BROOKLYN   1932   29 x 34
Óleo em tela
Museu de Belas Artes, Boston, Massachusetts

17. QUARTO EM NOVA YORK   1932   29 x 36
Óleo em tela
Galeria de Arte da Universidade de Nebraska
Lincoln, Nebraska

18. VENTO ESTE SÔBRE WEEHAWKEN   1934
34½ x 50½
Óleo em tela
Academia de Belas Artes da Pensilvânia
Filadélfia, Pensilvânia

19. O CINEMA SHERIDAN   1936–37   17 x 25
Óleo em tela
Museu Newark, Newark, New Jersey

20. COMPARTIMENTO C, CARRO 293   1938   20 x 18
Óleo em tela
IBM Corporation, Nova York

21. VAGALHÃO   1939   36½ x 50¼
Óleo em tela
Galeria de Arte Corcoran, Washington, D.C.

22. CINEMA EM NOVA YORK   1939   32¼ x 40⅛
Óleo em tela
Museu de Arte Moderna, Nova York

23. ESCRITÓRIO À NOITE   1940   22⅛ x 25
Óleo em tela
Centro de Arte Walker, Minneapolis, Minnesota

24. **ROUTE 6, EASTHAM**   1941   27 x 38
Oil on canvas
Sheldon Swope Art Gallery
Terre Haute, Indiana

25. **DAWN IN PENNSYLVANIA**   1942
24½ x 44½
Oil on canvas
Dr. and Mrs. James Hustead Semans
Durham, North Carolina

26. **HOTEL LOBBY**   1943   32 x 48
Oil on canvas
Art Association of Indianapolis
Herron Museum of Art, Indianapolis, Indiana

27. **MORNING IN A CITY**   1944   44 x 60
Oil on canvas
Lawrence H. Bloedel
Williamstown, Massachusetts

28. **SEVEN A.M.**   1948   30 x 40
Oil on canvas
Whitney Museum of American Art
New York**

29. **HIGH NOON**   1949   28 x 40
Oil on canvas
Mr. and Mrs. Anthony Haswell, Dayton, Ohio

30. **SUMMER IN THE CITY**   1950   20 x 30
Oil on canvas
Mrs. Lynn Farnol, New York

31. **FIRST ROW ORCHESTRA**   1951   31 x 40
Oil on canvas
Joseph H. Hirshhorn Foundation, New York*

32. **OFFICE IN A SMALL CITY**   1953
28 x 40
Oil on canvas
Metropolitan Museum of Art, New York
George A. Hearn Fund, 1937

33. **CITY SUNLIGHT**   1954   28 x 40
Oil on canvas
Joseph H. Hirshhorn Foundation, New York*

34. **FOUR LANE ROAD**   1956
27½ x 41½
Oil on canvas
Mr. and Mrs. Malcolm G. Chace, Jr.
Providence, Rhode Island*

35. **WESTERN MOTEL**   1957   30¼ x 50⅛
Oil on canvas
Yale University Art Gallery
New Haven, Connecticut

24. **RODOVIA 6, EASTHAM**   1941   27 x 38
Óleo em tela
Galeria de Arte Sheldon Swope
Terre Haute, Indiana

25. **CREPÚSCULO NA PENSILVÂNIA**   1942
24½ x 44½
Óleo em tela
Dr. e Sra. James Hustead Semans
Durham, North Carolina

26. **SAGUÃO DE HOTEL**   1943   32 x 48
Óleo em tela
Associação de Arte de Indianápolis
Museu de Arte Herron, Indianápolis, Indiana

27. **MANHÃ NUMA CIDADE**   1944   44 x 60
Óleo em tela
Sr. Lawrence H. Bloedel
Williamstown, Massachusetts

28. **SETE HORAS DA MANHÃ**   1948   30 x 40
Óleo em tela
Museu de Arte Americana Whitney
Nova York**

29. **MEIO DIA**   1949   28 x 40
Óleo em tela
Sr. e Sra. Anthony Haswell, Dayton, Ohio

30. **VERÃO NA CIDADE**   1950   20 x 30
Óleo em tela
Sra. Lynn Farnol, Nova York

31. **PRIMEIRA FILA DA ORQUESTRA**   1951   31 x 40
Óleo em tela
Fundação Joseph H. Hirshhorn, Nova York*

32. **ESCRITÓRIO EM UMA PEQUENA CIDADE**   1953
28 x 40
Óleo em tela
Museu Metropolitano de Arte, Nova York
Fundo George A. Hearn, 1937

33. **LUZ DO SOL DA CIDADE**   1954   28 x 40
Óleo em tela
Fundação Joseph H. Hirshhorn, Nova York*

34. **ESTRADA DE QUATRO PISTAS**   1956
27½ x 41½
Óleo em tela
Sr. e Sra. Malcolm G. Chace, Jr.
Providence, Rhode Island*

35. **HOTEL DO OESTE**   1957   30¼ x 50⅛
Óleo em tela
Galeria de Arte da Universidade de Yale
New Haven, Connecticut

36. SUNLIGHT IN A CAFETERIA 1958 40¼ x 60⅛
Oil on canvas
Yale University Art Gallery
New Haven, Connecticut
Bequest of Stephen Carlton Clark, B.A. 1903

37. PEOPLE IN THE SUN 1960 40 x 60
Oil on canvas
National Collection of Fine Arts
Smithsonian Institution, Washington, D.C.
Gift of S. C. Johnson & Son, Inc.

38. SECOND-STORY SUNLIGHT 1960 40 x 50
Oil on canvas
Whitney Museum of American Art, New York
Gift of the Friends of the Whitney Museum
of American Art and Purchase*

39. ROADS AND TREES 1962 34 x 60
Oil on canvas
Mr. and Mrs. John Clancy
Frank Rehn Gallery, New York

40. CHAIR CAR 1965 40 x 50
Oil on canvas
Dr. and Mrs. David B. Pall, New York

The following important works by Edward Hopper could not be included in the exhibition but are illustrated in color in this publication:

•**HOTEL ROOM** 1931 60 x 65
Oil on canvas
Mrs. Frances Spingold, Palm Beach, Florida

•**NIGHTHAWKS** 1942 33³⁄₁₆ x 60⅛
Oil on canvas
The Art Institute of Chicago, Chicago, Illinois
Friends of American Art Collection

36. LUZ DO SOL NA CAFETERIA 1958 40¼ x 60⅛
Óleo em tela
Galeria de Arte da Universidade de Yale
New Haven, Connecticut
Legado de Stephen Carlton Clark, B.A. 1903

37. PESSOAS AO SOL 1960 40 x 60
Óleo em tela
Instituto Nacional de Belas Artes
Smithsonian Institution, Washington, D.C.
Doação de S. C. Johnson & Son, Inc.

38. LUZ DO SOL NO SEGUNDO ANDAR 1960 40 x 50
Óleo em tela
Museu de Arte Americana Whitney, Nova York
Doação dos Amigos do Museu de Arte
Americana Whitney e Aquisição*

39. ESTRADAS E ÁRVORES 1962 34 x 60
Óleo em tela
Sr. e Sra. John Clancy
Galeria Frank Rehn, Nova York

40. CARRO DE LUXO 1965 40 x 50
Óleo em tela
Dr. e Sra. David B. Pall, Nova York

Os seguintes trabalhos importantes de Edward Hopper não puderam ser incluídos nesta mostra, mas aparecem em côres nesta publicação:

•**QUARTO DE HOTEL** 1931 60 x 65
Óleo em tela
Sra. Frances Spingold, Palm Beach, Florida

•**NIGHTHAWKS** 1942 33³⁄₁₆ x 60⅛
Óleo em tela
Instituto de Arte de Chicago, Chicago, Illinois
Amigos da Coleção de Arte Americana

ENVIRONMENT U.S.A.
1957-1967

Works listed are paintings unless otherwise described. Dimensions are in inches; height precedes width unless otherwise indicated. (*) indicates that the work is exhibited only in São Paulo. (•) indicates works reproduced in color.

ALLAN D'ARCANGELO

1. **U.S. Highway 1, No. 2**   1963   72 x 81
   Acrylic on canvas
   Mr. and Mrs. Max Wasserman
   Newton, Massachusetts

2. **Guard Rail**   1964   65 x 80
   Acrylic on canvas with construction of cyclone fence and barbed wire
   John G. Powers, Aspen, Colorado

3. **Proposition No. 9**   1966   65 x 54
   Acrylic on canvas
   Walker Art Center, Minneapolis, Minnesota

LLYN FOULKES

4. **The Canyon**   1964   65 x 108
   Oil on canvas
   Mr. and Mrs. Richard Millington
   Santa Monica, California*

5. **Untitled**   1966   10 feet x 12 feet
   Oil on canvas
   the artist, Los Angeles, California

JAMES GILL

6. **Marilyn**   1962
   Triptych, each panel 48 x 35 ⅞
   Oil on composition board
   Museum of Modern Art, New York
   Gift of Dominique and John de Menil

SANTE GRAZIANI

7. **Rainbow Over Inness' Lackawanna Valley**
   1965   60 x 60
   Acrylic on canvas
   Babcock Galleries, New York

LISTA DOS TRABALHOS, MEIO-NATURAL U.S.A.
1957-1967

Os trabalhos relacionados abaixo são pinturas, a menos que seja indicado o contrário. Na indicação das dimensões, as medidas vêm na seguinte ordem: altura, largura e profundidade. As dimensões são dadas em polegadas, caso não estejam indicadas de outra maneira. Um asterísco (*) indica que o trabalho será expôsto apenas em São Paulo. (•) o asterísco indica os trabalhos reproduzidos a côres neste catálogo.

ALLAN D'ARCANGELO

1. **Estrada de Rodagem U.S. 1, nº 2**   1963   72 x 81
   Acrílico em tela
   Sr. e Sra. Max Wasserman
   Newton, Massachusetts

2. **Gradil**   1964   65 x 80
   Acrílico em tela, com construção de cêrca contra furacões e arame farpado
   John G. Powers, Aspen, Colorado

3. **Projeto nº 9**   1966   65 x 54
   Acrílico em tela
   Centro de Arte Walker, Minneapolis, Minnesota

LLYN FOULKES

4. **O Canyon**   1964   65 x 108
   Óleo em tela
   Sr. e Sra. Richard Millington
   Santa Monica, California*

5. **Sem Título**   1966   10 pés x 12 pés
   Óleo em tela
   Coleção do artista, Los Angeles, California

JAMES GILL

6. **Marilyn**   1962
   Tríptico, cada painel 48 x 35 ⅞
   Óleo sôbre cartão
   Museu de Arte Moderna, Nova York
   Doação de Dominique e John de Menil

SANTE GRAZIANI

7. **Arco-Iris sôbre o Vale Lackawanna de Inness**
   1965   60 x 60
   Acrílico em tela
   Babcock Galleries, Nova York

8. **Red, White and Blue** 1966   73 x 73
Acrylic on canvas with electric light bulbs
Kanegis Gallery, Boston, Massachusetts

PAUL HARRIS

9. **Woman Laughing** 1964–65   Life size
Sculpture: cloth, wood, paint
Mr. and Mrs. Burt Kleiner
Beverly Hills, California

10. **Woman Looking Out to Sea** 1964–65   Life size
Sculpture: cloth, wood, metal
Poindexter Gallery, New York

ROBERT INDIANA

•11. **Demuth American Dream No. 5** 1963   144 x 144
5 sections each 48 inches square
Oil on canvas
Art Gallery of Ontario, Toronto, Ontario, Canada*

12. **A Mother Is a Mother / A Father Is a Father**
1963–1965   72 x 120
Oil on canvas
Stable Gallery, New York

13. **USA 666** 1966   102 x 102
Oil on canvas
Stable Gallery, New York

JASPER JOHNS

•14. **Three Flags** 1958 $30\frac{7}{8}$ x $45\frac{1}{4}$ (3 levels)
Encaustic on canvas
Mr. and Mrs. Burton G. Tremaine
Meriden, Connecticut

15. **Map** 1962   60 x 93
Encaustic and collage on canvas
Mr. and Mrs. Frederick Weisman
Los Angeles, California

16. **Double White Map** 1965   90 x 70
Encaustic and collage on canvas
Mr. and Mrs. Robert C. Scull, New York*

GERALD LAING

17. **G Force** 1963   36 x $56\frac{1}{8}$
Oil on canvas
Ronald Winston, New York

•18. **C. T. Strokers** 1964   5 feet x 8 feet
Oil on canvas
Richard Feigen Gallery, New York

8. **Vermelho, Branco e Azul** 1966   73 x 73
Acrílico em tela, com lâmpadas elétricas
Galeria Kanegis, Boston, Massachusetts

PAUL HARRIS

9. **Mulher Rindo** 1964–65   Tamanho natural
Escultura: pano, madeira, pinta
Sr. e Sra. Burt Kleiner
Beverly Hills, California

10. **Mulher Olhando o Mar** 1964–65   Tamanho natural
Escultura: pano, madeira, metal
Galeria Poindexter, Nova York

ROBERT INDIANA

•11. **O Sonho Americano nº 5 de Demuth** 1963   144 x 144
cinco partes de 48 polegadas quadradas cada uma
Óleo em tela
Galeria de Arte de Ontário, Toronto, Ontário, Canadá*

12. **Uma mãe é uma mãe / Um pai é um pai**
1963–1965   72 x 120
Óleo em tela
Galeria Stable, Nova York

13. **USA 666** 1966   102 x 102
Óleo em tela
Galeria Stable, Nova York

JASPER JOHNS

•14. **Três Bandeiras** 1958 $30\frac{7}{8}$ x $45\frac{1}{4}$ (três níveis)
Pintura a fogo em telas
Sr. e Sra. Burton G. Tremaine
Meriden, Connecticut

15. **Mapa** 1962   60 x 93
Pintura a fogo e colagem em tela
Sr. e Sra. Frederick Weisman
Los Angeles, California

16. **Mapa Branco Duplo** 1965   90 x 70
Pintura a fogo e colagem em tela
Sr. e Sra. Robert C. Scull, Nova York*

GERALD LAING

17. **G Force** 1963   36 x $56\frac{1}{8}$
Óleo em tela
Ronald Winston, Nova York

•18. **C. T. Strokers** 1964   5 x 8 pés
Óleo em tela
Galeria Richard Feigen, Nova York

19. **Jean Harlow**   1964   72½ x 49½
Oil on canvas
John G. Powers, Aspen, Colorado

ROY LICHTENSTEIN

20. **O.K. Hot Shot**   1963   80 x 68
Oil and magna on canvas
Remo Morone, Turin, Italy

21. **Girl**   1965   48 x 48
Oil and magna on canvas
the artist, New York

22. **Modern Painting with Green Segment**   1967   68 x 68
Oil and magna on canvas
Mr. and Mrs. Horace Solomon, New York

RICHARD LINDNER

23. **New York City III**   1964   70 x 60
Oil on canvas
Cordier & Ekstrom Gallery, New York

24. **Hello**   1966–67   70 x 60
Oil on canvas
Harry N. Abrams Family Collection, New York

MALCOLM MORLEY

25. **''United States'' with (NY) Skyline**
1965   45½ x 59½
Liquitex on canvas
Leon Kraushar, Lawrence, Long Island, New York

26. **Ship's Dinner Party**   1966   83½ x 63½
Magna color on canvas
John G. Powers, Aspen, Colorado

LOWELL NESBITT

27. **IBM 1440 Data Processing System**
1965   60 x 60
Oil on canvas
Howard Wise Gallery, New York

28. **IBM 6400**   1965   80 x 80
Oil on canvas
Miss Edith Cook, Washington, D.C.

CLAES OLDENBURG

29. **Bedroom**   1963   for a 17 foot x 20 foot room with
a 10 foot ceiling
Environment: mixed media
Sidney Janis Gallery, New York

19. **Jean Harlow**   1964   72½ x 49½
Óleo em tela
John G. Powers, Aspen, Colorado

ROY LICHTENSTEIN

20. **O.K. Hot Shot**   1963   80 x 68
Óleo e pasta em tela
Remo Morone, Turino, Itálià

21. **Menina**   1965   48 x 48
Óleo e pasta em tela
Coleção do artista, Nova York

22. **Pintura Moderna Com Segmento Verde**   1967   68 x 68
Óleo e pasta em tela
Sr. e Sra. Horace Solomon, Nova York

RICHARD LINDNER

23. **A Cidade de Nova York III**   1964   70 x 60
Óleo em tela
Galeria Cordier & Ekstrom, Nova York

24. **Hello**   1966–67   70 x 60
Óleo em tela
Coleção da família Harry N. Abrams, Nova York

MALCOLM MORLEY

25. **''Estados Unidos'' com (NY) Horizonte**
1965   45½ x 59½
Liquitex em tela
Sr. Leon Kraushar, Lawrence, Long Island, Nova York

26. **Jantar de Gala no Navio**   1966   83½ x 63½
Pasta colorida em tela
Sr. John G. Powers, Aspen, Colorado

LOWELL NESBITT

27. **Sistema de Processamento de Dados IBM 1440**
1965   60 x 60
Óleo em tela
Galeria Howard Wise, Nova York

28. **IBM 6400**   1965   80 x 80
Óleo em tela
Srta. Edith Cook, Washington, D.C.

CLAES OLDENBURG

29. **Quarto de Dormir**   1963   para um quarto
de 17 x 20 pés com teto de 10 pés de altura
Montagem do Meio: processo misto
Galeria Sidney Janis, Nova York

JOE RAFFAELE

30. Face, Monkey   1961   71 x 50
Oil on canvas
Stable Gallery, New York

31. Heads, Birds   1966   76 x 50
Oil on canvas
Krannert Art Museum, Champaign, Illinois

ROBERT RAUSCHENBERG

32. Barge   1962   80 x 389
Oil on canvas
Leo Castelli Gallery, New York

33. Buffalo II   1964   96 x 72
Oil on canvas with silk screen
Mr. and Mrs. Robert B. Mayer, Winnetka, Illinois

JAMES ROSENQUIST

34. F-111   1965   10 feet x 86 feet
Oil on canvas with aluminum
(F-111 has been condensed by the artist
for this exhibition.)
Mr. and Mrs. Robert C. Scull, New York*

EDWARD RUSCHA

•**35. Standard Station, Amarillo, Texas (Day)**
1963   65 x 121½
Oil on canvas
Donald Factor, Los Angeles, California

GEORGE SEGAL

36. Girl Sitting on a Bed   1963   Life size
Sculpture: plaster and construction
Mr. and Mrs. C. Bagley Wright, Seattle, Washington

37. The Gas Station   1963   10 feet x 10 feet x 20 feet
Sculpture: plaster and mixed media
Sidney Janis Gallery, New York

WAYNE THIEBAUD

38. Star Pinball   1962   60 x 36
Oil on canvas
Allan Stone Gallery, New York

39. Cakes   1963   5 feet x 6 feet
Oil on canvas
Harry N. Abrams Family Collection, New York

JOE RAFFAELE

30. Rosto, Macaco   1961   71 x 50
Óleo em tela
Galeria Stable, Nova York

31. Cabeças, Pássaros   1966   76 x 50
Óleo em tela
Museu de Arte Krannert, Champaign, Illinois

ROBERT RAUSCHENBERG

32. Batelão   1962   80 x 389
Óleo em tela
Galeria Leo Castelli, Nova York

33. Buffalo II   1964   96 x 72
Óleo em tela e "silk-screen"
Sr. e Sra. Robert B. Mayer, Winnetka, Illinois

JAMES ROSENQUIST

34. F-111   1965   10 x 86 pés
Óleo em tela com alumínio
(F-111 foi reduzido pelo artista especialmente
para esta mostra.)
Sr. e Sra. Robert C. Scull, Nova York*

EDWARD RUSCHA

•**35. Posto de Gasolina Standard, Amarillo, Texas (Dia)**
1963   65 x 121½
Óleo em tela
Sr. Donald Factor, Los Angeles, California

GEORGE SEGAL

36. Moça Sentada na Cama   1963   Tamanho natural
Escultura: gêsso e construção
Sr. e Sra. C. Bagley Wright, Seattle, Washington

37. Posto de Gasolina   1963   10 x 10 x 20 pés
Escultura: gêsso e processo misto
Galeria Sidney Janis, Nova York

WAYNE THIEBAUD

38. Star Pinball   1962   60 x 36
Óleo em tela
Galeria Allan Stone, Nova York

39. Bolos   1963   5 x 6 pés
Óleo em tela
Coleção da família Harry N. Abrams, Nova York

40. Delicatessen Counter 1963   5 feet x 6 feet
Oil on canvas
Mr. and Mrs. Stephen D. Paine
Boston, Massachusetts

ANDY WARHOL

41. Orange Disaster No. 5 1963   106 x 82
Enamel on canvas
The Harry N. Abrams Family Collection
New York

42. Jackie 1964   20 x 16 each (16 panels)
Acrylic and silkscreen ink on canvas
Alan Power, Surrey, England

43. Saturday Disaster 1964   118⅞ x 81⅞
Oil silkscreened on canvas
Brandeis University Art Collection
Gevirtz-Mnuchin Purchase Fund, by exchange
Brandeis University, Waltham, Massachusetts

TOM WESSELMANN

44. Great American Nude No. 53 1954
10 feet x 8 feet
(two sections, 10 feet x 4 feet)
Assemblage and painting: liquitex and collage
Sidney Janis Gallery, New York

45. Interior No. 4 1964
5½ feet x 4½ feet x 9 inches
Assemblage: with working fluorescent lights and clock
Sidney Janis Gallery, New York

40. O Balcão de Mercearia 1963   5 x 6 pés
Óleo em tela
Sr. e Sra. Stephen D. Paine
Boston, Massachusetts

ANDY WARHOL

41. Desastre Alaranjado nº 5 1963   106 x 82
Esmalte em tela
Coleção da família Harry N. Abrams
Nova York

42. Jackie 1964   20 x 16 cada painel (16 painéis)
Acrílico e tinta de "silk-screen" sôbre tela
Sr. Alan Power, Surrey, Inglaterra

43. Desastre de Sábado 1964   118⅞ x 81⅞
Óleo em processo de "silk screen" sôbre tela
Coleção de Arte da Universidade de Brandeis
Fundo de Aquisição Gevirtz-Mnuchin
Universidade de Brandeis, Waltham, Massachusetts

TOM WESSELMANN

44. Grande Nu Americano nº 53 1954
10 x 8 pés
(duas partes de 10 x 8 pés)
Montagem e pintura: liquitex e colagem
Galeria Sidney Janis, Nova York

45. Interior nº 4 1964
5½ x 4½ pés x 9 polegadas
Montagem: com trabalho de luzes fluorescentes e relógio
Galeria Sidney Janis, Nova York